SENTIDO Y FORMA
DEL
TEATRO DE CERVANTES

JOAQUIN CASALDUERO

Sentido y forma
del
TEATRO
de
CERVANTES

AGUILAR, S. A. DE EDICIONES - MADRID
1951

*Reservados todos los derechos. Hecho el depósito que marca la ley.
Copyright 1951, by Aguilar, S. A. de Ediciones, Madrid.*

Printed in Spain. Impreso en España por Talleres Gráficos Montaña,
Amor Hermoso, 85 - Madrid.

NOTA PRELIMINAR

JOAQUIN CASALDUERO MARTI

L̲a *Colección Literaria se honra, y cree prestar un servicio admirable a la curiosidad del público —buscador insaciable de obras hondas y fecundas de sugestiones— publicando el libro de Joaquín Casalduero* Sentido y forma del teatro de Cervantes.

A los muy entregados a las curiosidades y a las investigaciones literarias, el nombre de Joaquín Casalduero les es familiar. Saben que cualquier obra salida de su pluma es una garantía de meticuloso estudio, de clarísima interpretación, de estilo preciso y elegante, de prosa maravillosamente natural, rica y jugosa.

Esta breve nota preliminar va dirigida precisamente a los lectores que por vez primera encontraran en sus manos, apremiando su interés, una obra de

Casalduero. Estos lectores precisan saber que Casalduero, catedrático, ensayista, exaltador de los valores eternos de España, pertenece a una generación extraordinaria de intelectuales, cuya fama es universal: Dámaso Alonso, Valbuena Prat, Jorge Guillén, Luis Cernuda, Francisco Ayala, Sánchez Rivero, Ferrater Mora, Guillermo de Torre, Angel del Río...; que se le considera en los países de habla inglesa como una de las capacidades más asombrosas y una de las más finas inteligencias al servicio de la cultura; que sus cursos y sus conferencias y sus ensayos, multiplicados por distintos países, llevan el sello de lo difícilmente superable o rectificable; que su tenacidad por divulgar los tesoros de la lengua y de la literatura españolas merece la gratitud más acendrada de todos los españoles.

Joaquín Casalduero nació en Barcelona, el 23 de abril de 1903. Doctor en Filosofía y Letras por la Universidad de Madrid. Lector en las Universidades de Estrasburgo (1925-1927), Marburgo (1927-1929), Cambridge (1930-1931). Lector encargado en la Universidad de Oxford (1931). Visiting Associate Professor en el Mount College (1941). Visiting Professor en las Universidades de Wisconsin (1942-1943), Nueva York (1947-1948). Assistant Professor (1931-1938), Associate Professor (1938-1944) y Professor (1944-1948) del Smith College. Professor de la Universidad de Nueva York (1948) y del Middlebury School. Acting Director, 1949.

Entre las más importantes obras de Joaquín Casalduero están:

Contribución al estudio del tema de Don Juan en el teatro español. *Northampton Mass. Smith College, 1938.*

Vida y obra de Galdós. *Buenos Aires, Losada, 1943.*

Sentido y forma de las «Novelas Ejemplares». *Buenos Aires, Instituto de Filología, 1943.*

Jorge Guillén. «Cántico». *Santiago de Chile, Cruz del Sur, 1946.*

Sentido y forma de «Los trabajos de Persiles

y Sigismunda, *Buenos Aires, Ed. Sudamericana, 1947.*

Sentido y forma del «Quijote» (1605-1615). *Madrid, Ediciones Insula, 1949.*

Casalduero es autor igualmente de magníficos estudios sobre Cervantes, Lope de Vega, Tirso de Molina, Ganivet, Unamuno, Bécquer, aparecidos en revistas españolas, francesas, alemanas, norteamericanas y argentinas. Las principales revistas de Europa y América han dedicado extensos y elogiosos estudios a la personalidad investigadora y literaria de Casalduero.

F. S. R.

SENTIDO Y FORMA
DEL
TEATRO DE CERVANTES

INTRODUCCION

LA FORMA DEL TEATRO
RENACENTISTA

El teatro del Renacimiento, desde Juan del Encina hasta Lope de Rueda, ya sea, al comienzo, una obra breve o, después, más larga —Torres Naharro, el mismo Rueda— es siempre un diálogo o una sucesión de cuadros dialogados. Cervantes nos ha transmitido exactamente la forma del teatro renacentista: «Las comedias eran unos coloquios como églogas entre dos o tres pastores y alguna pastora. Aderezábanlas y dilatábanlas con dos o tres entremeses, ya de negra, ya de rufián, ya de bobo y ya de vizcaíno.» Esta descripción se refiere especialmente a Rueda, y lo que se afirma de los personajes —número y clase— conviene sólo a algunas obras de esa época. Lo esencial acerca de las representaciones del Renacimiento, sin embargo, consiste en ser coloquios.

Tanto el diálogo como los cuadros (en algunas comedias

estos cuadros, toda una jornada, están formados por un solo monólogo) se presentan perfectamente delimitados y con un contorno preciso; el entremés suele aparecer aislado, como una unidad contenida en sí misma dentro de la comedia, pero aunque sea parte de una jornada es fácilmente separable: su función reside en aderezar y sobre todo dilatar la obra. La comedia renacentista, breve o larga, es de una gran sencillez y claridad de líneas. No debe convertirse su equilibrio estático en un sentimiento de rigidez, pues, el diálogo tiene una suave ondulación, que se anima y agita al compás de las pasiones. La entrada y salida de los personajes, los gestos y movimientos que reclama el coloquio, muestran hasta qué punto la palabra dramática se ha escrito para el actor, quien llena de vida esta composición cerrada, la cual va a dar a un final extraordinariamente vital y alegre o a un trágico dolor o a una gracia inesperada y sorprendente.

Hay una gran fruición lingüística. ¡Con qué gozo se habla el castellano, el portugués, el valenciano, el italiano, el francés, el latín, hasta el alemán! Y a eso se unen, dentro de un convencionalismo literario, las formas particulares de los gitanos, los moriscos, los negros, los vizcaínos, los rústicos; además una gran pulcritud en la presentación de estilos diferentes. El Renacimiento da la impresión de que por primera vez se le ha concedido al hombre el don de la palabra. Hay algo extraordinariamente juvenil en ese placer lingüístico; a la multiplicidad se une la osadía para pronunciar cualquier palabra, variedad y audacia que iban a ser pronto limitadas y disciplinadas.

EL TEMA DEL TEATRO DEL RENACIMIENTO

El tema religioso continúa, aunque fuertemente secularizado, y continúan las moralidades; el que da el acento, no obstante, es el profano: amor, matrimonio, vida diaria y baja, sucesos extraordinarios colectivos o individuales, fiestas, la mujer y el hombre acompañados de los dioses antiguos—en mi opinión sin el menor propósito paródico, al contrario: su presencia caracteriza el mundo renacentista. El deleite verbal va acompañado de ese sentido de lo nuevo, de la novedad, de ver por primera vez la tierra y las plantas y al hombre, de la gran aventura de mirar y palpar. El Renacimiento ha sido el único momento de asueto del hombre cristiano, siempre entregado al más allá.

¡Con qué seguridad y confianza se deja conducir el hombre por Neptuno o Mercurio, por Diana o por Venus!

Ese sentimiento nuevo se acoge a los poetas latinos —Virgilio, Séneca, Plauto, Terencio—y aun a los griegos: los trágicos y Aristófanes. El contacto es directo, pero sobre todo a través de Italia, que envía sus libros y sus comediantes: creadores y cómicos, los cuales no sólo interpretan, sino que llegan a la originalidad. Juan del Encina guía cierta actividad dramática, y *La Celestina* orienta otra, según ha explicado Menéndez Pelayo. Torres Naharro da un cauce representable—oral—al diálogo de Rojas.

A este cuadro hay que añadirle, por lo menos, otra nota esencial: la sátira eclesiástica, que hay que diferenciar de la de los siglos anteriores. En el Gótico es un producto de la convivencia, de la integración del religioso en la vida social, y así cae sobre él la mirada satírica lo mismo que sobre el caballero o el labrador. En el Renacimiento, no. La sátira, entonces, fué una expresión del desmoronamiento eclesiástico. La irrespetuosidad, que llega a ser cruel, con que se trata al caído, muestra que la Iglesia es una institución que ni puede, ni quiere, ni sabe hacerse respetar. También debía durar poco tiempo esa actitud, y necesariamente. Un florecer espiritual y religioso—erasmismo, reforma—se estaba alumbrando, que iba a influir poderosa y vitalmente en el catolicismo. Por eso el Renacimiento, al salir de Italia, duró tan poco en Europa. No cito fechas para ser preciso. Una fecha no sólo no podría referirse a todas las artes y otras manifestaciones de la actividad humana, pero ni siquiera podría abarcar todos los géneros literarios. Además, la presencia de una obra (por ej.:

el palacio de Medinaceli en Cogolludo) lo mismo puede ser un hecho singular que, en oposición a estilos pasados todavía corrientes, representar todo un nuevo clima espiritual. La última década del siglo xv y el comienzo del xvi son los años de gran renovación en Europa, pero inmediatamente el descubrimiento de América y la Reforma entregaban al europeo a la creación del Nuevo Mundo y de la Nueva Europa, haciéndole entrar en una época llena de dramatismo, de conflicto y de acción.

LOS DRAMATURGOS CUMBRES DEL RENACIMIENTO.
LA VERSIFICACIÓN

Antes de decir algo sobre el Barroco, conviene advertir que si Cervantes captó la forma del teatro del Renacimiento con toda claridad, Timoneda fué capaz (1567) de reducir el gran número de obras y autores de esa época a su agrupación significativa:

> Rompiendo Faetón, por no ir quedas,
> las ruedas de aquel carro fulminoso,
> quedó el monte Parnaso tan famoso
> sin lustre y las poéticas veredas,
>
> que nunca por jamás se han visto ledas
> ni Febo, hasta en tanto que ingenioso
> el carro reparó artificioso
> y a cómicos autores dió las ruedas.
>
> Guiando cada cual su veloz rueda
> a todos los hispanos dieron lumbre
> con luz tan penetrante deste carro.
>
> El uno en metro fué Torres Naharro,
> el otro en prosa, puesta ya en la cumbre,
> gracioso, artificial Lope de Rueda.

La crítica posterior, cuyo esfuerzo ha sido tan útil para aportar datos, fechas, nombres y títulos de obras, no ha podido añadir nada esencial. La versificación de los autores dramáticos es la del siglo xv; siempre habrá que tener en cuenta los hallazgos líricos constantes de Gil Vicente, pero Torres Naharro, aunque no en su variedad, es la figura más representativa del teatro renacentista en verso, y del lado de la prosa, quien expresa dramáticamente la época es Lope de Rueda. Prosa (oigamos la especificación que falta en el metro) «puesta ya en la cumbre». Es sorprendente la rara modernidad de Rueda, a pesar del latinismo sintáctico; en cambio, el verso y la estrofa dramáticos del Renacimiento dependen de los *Cancioneros* del siglo XV y no dejan sospechar a Garcilaso. Recuérdese que no se aprovecha el romance, e indiquemos como característica de esta época, a diferencia del Gótico y del Barroco, la regularidad estrófica. Esta regla, que cuenta con las excepciones correspondientes, obedece a esa necesidad de claridad estática propia del espíritu renacentista.

EL ESCENARIO DEL RENACIMIENTO

Las obras se representan en los palacios (salas y jardines) o en los lugares públicos. Cervantes, entre otros, nos ha dicho la sencillez de los recursos escénicos y del vestuario. Ante los reyes y la nobleza, los medios escenográficos eran mayores—Pacheco cuenta que «se gastó una gran suma» en la representación de una comedia de Cetina—, pero formaban un elemento decorativo en sí, sin que las obras dependieran de ellos. El diálogo no necesita de espacio ni de tiempo imaginativo, es para el oído, y la vista está ocupada con el actor, quien además, en general, contaba el argumento después de haberse captado la benevolencia del noble auditorio.

EL PRIMER BARROCO

Entramos en el Barroco, y del noble auditorio pasamos al vulgo, del diálogo o el cuadro estáticos a la acción de amplia secuencia con un copioso uso de materia episódica. El vulgo exige ese cambio, no por su gusto plebeyo, sino por su nuevo sentido de la vida. Es la muchedumbre

—que abarca a todos los hombres e incluye al poeta dramático—la que se separa del Renacimiento. Las palabras de Lope de Vega, tan frecuentemente citadas, de que es justo complacer al vulgo poniéndose a su nivel, y antes las del *Quijote* de 1605, hay que oírlas relacionándolas con las de Juan de la Cueva, en su *Ejemplar poético*: Los autores dramáticos sevillanos, Guevara, Cetina, Cozar, Fuentes, Ortiz, Mejía, Malara, se esmeraron mucho en la poesía cómica y se sometieron al uso antiguo; la gente les oía con placer.

> Que la fábula fuese sin ornato,
> sin artificio, y corta de argumento,
> no la escuchaban con desdén ingrato.
>
> El pueblo recibía muy contento
> tres personas no más en el tablado
> y a las dos solas *explicar* su intento. (III, 550-555.)

La generación siguiente se separa de ese sentido dramático; son los «ingenios» los que buscan las propias artes que se conformen con su época. Si el pueblo del Renacimiento se sintió satisfecho con lo que el vulgo del Barroco rechazaba, se debe a que en esta época todos, dirigidos, como es natural, por el poeta dramático, habían cambiado. El mismo Cueva (583-585):

> Confesarás que fué cansada cosa
> cualquier comedia de la edad pasada
> *menos trabada*, y menos ingeniosa.

Y Tirso de Molina: «Que si él (Lope de Vega), en *muchas partes de sus escritos*, dice que el no guardar el arte antiguo, lo hace por conformarse con el arte de la plebe, que nunca consintió el freno de las leyes y preceptos, dícelo por su natural modestia; y porque no atribuya la malicia ignorante a arrogancia *lo que es política perfección*.»

Hemos de procurar no perdernos y, resignándonos a abandonar todos los detalles, tratar de encontrar las características más generales del primer Barroco, que se sitúa entre el Renacimiento y la segunda época del Barroco, es decir, por lo que se refiere a la Comedia, desde que dejamos a Lope de Rueda hasta que encontramos a Lope de Vega. Los autores de ese período se han separado todos triunfalmente del Renacimiento, y o no se han sometido o lo han hecho de mala gana al nuevo sentido dramático que sustituye al suyo.

El tema del teatro del Renacimiento, al dejar la Iglesia y acogerse al palacio civil o eclesiástico, es el hombre en general como ser de sentimientos y pasiones, y lo particular típico de la vida diaria. El ropaje pastoril, especialmente al comienzo, le ayuda a penetrar en el mundo de los sentimientos. Este tema se expresa en la forma estática de un diálogo o de una sucesión de diálogos, que independiente de todo escenario se entrega confiadamente al actor.

EL TEMA Y LA ACCIÓN DEL PRIMER BARROCO

El primer Barroco sigue separado de la Iglesia y se aleja de las cortes eclesiásticas o seculares, acudiendo al público de las ciudades. Lo que le interesa no es el estudio de los sentimientos y pasiones como tales, sino *como elementos del destino humano*, y además encuentra el nuevo sentido de la comunidad: *la personalidad histórica*. El hombre se convierte en un ser moral e histórico. La cultura antigua y la bíblica serán el cauce del destino moral, la cultura bíblica y la tradición (historia-leyenda) serán la imagen del destino histórico. En el Teatro, el espectador se siente en comunión nacional y moral. Es el nuevo templo civil, que deja a la Iglesia una función religiosa especializada, ya que este espíritu nacional y moral se ofrece transido de sentimiento religioso.

Más que la comedia italiana lo que interesa es Italia como clima propicio a lo novelesco o a la pasión exorbitante, y el teatro greco-latino, en lugar de suscitar la imitación, incita a la competencia. En el Renacimiento se traduce a los trágicos, en el Barroco se escriben tragedias originales. Séneca no hace perder el camino a los dramaturgos de esta época, al contrario; si se fijan en él es porque encuentran lo que iban buscando: el horror y la monumentalidad. El conflicto trágico griego *no tiene solución;* el cristiano siente el conflicto trágico de una manera precisamente opuesta. La solución está siempre dada: condenarse o salvarse, la tragedia del cristiano consiste en sí mismo, *consiste en una elección.* Los dioses no están contra él, sabe de antemano que Dios está siempre a su lado para ayudarle. ¿Cómo es posible, entonces, que la elección sea trágica cuando el hombre ha sido creado para salvarse? Por su cuerpo, por su temporalidad. Azotes, espinas, humillaciones, lanzadas, clavos, vinagre, mucha sangre es lo que ofrece al cuerpo el alma que es todo amor.

En Séneca encontraban la forma trágica teatral de este tormento. El mundo griego tiene una tragedia; el mundo cristiano tiene una pasión. No deberíamos decir que *Hamlet* es una tragedia, lo exacto sería llamarle pasión. Y esto es lo que hace el Barroco: salir de la iglesia gótica al huerto o al corral de la ciudad, y vivir lo religioso en términos civiles. No contemplar el espectáculo de Cristo, sino vivir en sí mismo la tentación y el sacrificio, la duda, sentirse solo, creerse abandonado del padre y templar en los desfallecimientos y caídas la espada de la voluntad.

El diálogo y los cuadros renacentistas se convierten en acción. Una acción digresiva, que es lo típicamente cristiano, y *por lo tanto* trabada. No hay miembros unidos mecánicamente como en el Renacimiento, sino partes que forman un todo orgánico, episodios del conjunto de la vida moral e histórica. Esta acción, se siente inmediatamente y conviene advertirlo, es una acción parada; su dinamismo está encadenado. Lope de Vega (no porque sea un progreso, sino porque su momento es otro) es el que logrará deshelar esta acción, ponerla en movimiento; es el que encontrará el ritmo de la acción. Entre el lirismo del sentimiento de Gil Vicente y el lirismo dramático de Lope de

Vega se sitúa ese forcejeo del primer Barroco. Si dependemos del concepto de progreso, no podremos gozar de la expresión y el mundo dramáticos de este momento y aun menos entenderlos.

Lope nos dice cuál es su sentimiento dramático y en qué se diferencia del sentimiento del primer Barroco: la fábula no debe ser de ninguna manera episódica,

> quiero decir inserta de otras cosas,
> que del primer intento se desvíen,
> ni que de ella se pueda quitar miembro,
> que del contexto no derribe el todo.

Y más tarde añade:

> Dividido en dos partes el asunto,
> ponga la conexión desde el principio.

Por eso él necesita disponer el enlace de las escenas:

> Quede muy pocas veces el teatro
> sin persona que hable, porque el vulgo
> en aquellas distancias se inquieta
> y gran rato la fábula se alarga.

La separación, la distancia entre escena y escena, para Lope y su público es un motivo de distracción, eso les hace salirse de la corriente dramática, es como si de pronto cayeran en el vacío.

Con otras palabras, en el segundo Barroco hay una diversidad puesta al servicio (interés, suspensión) de la unidad de la acción; la diversidad debe coadyuvar hasta tal punto a la unidad de la acción, que el suprimir un miembro sea causa de que todo se derrumbe. Por eso la conexión debe establecerse al comienzo, y las escenas deben conducirnos unas a otras. En general, se puede afirmar que los dos temas, las «dos partes del asunto,» van acompañadas de dos ritmos, uno dramático y otro lírico. Dramatismo y lirismo en una acción singular.

En el primer Barroco no hay unidad de acción, sino unidad mental. De aquí que la pluralidad episódica necesariamente quede desconectada. Una escena no nos conduce a otra; la separación es obligatoria, es consecuencia de la autonomía del episodio con el cual se explora un mundo único.

Suárez de Figueroa no nos deja lugar a duda: «La acción, conservando su unidad, no ha de ser simple, sino compuesta de otras accesorias, que llaman episodios. Débense ingerir en la principal de tal manera, que juntas miren a un mismo blanco, y que con la más digna se terminen todas.» En el segundo Barroco, desde distintos puestos se dispara al mismo blanco; en el primer Barroco, se dispara a distintos blancos desde el mismo puesto. Es natural que Lope tenga un solo climax o un climax redoblado, «que con la más digna se terminen todas;» mientras que en el primer Barroco o a un climax le sucede otro, o se abandonan los hilos secundarios (secundarios, porque se les abandona) para que se reúnan mentalmente con la solución principal; o bien se espera a la tercera jornada para establecer la conexión entre las diferentes acciones de la obra. En el primer Barroco se parte de una idea fundamental que se traduce en una variedad de acciones, la unidad está fuera de la obra; el concepto dramático del segundo Barroco pone la unidad dentro de la obra, traduce su sentimiento en dramatismo y lirismo, anudando las dos corrientes al principio de la comedia.

LO CÓMICO Y LA SÁTIRA ECLESIÁSTICA

El elemento cómico en el Renacimiento está unido mecánicamente al tema principal: ambos son independientes. En el primer Barroco unos temas se tratan seriamente y otros de una manera cómica; unos y otros, sin embargo, están unidos intencionalmente. En el segundo Barroco, lo cómico y lo serio se dirigen al mismo fin; por eso surge la figura del *gracioso*. La diferencia entre el Renacimiento y el primer Barroco consiste en que la independencia intencional de aquél se somete en éste a la unidad de propósito. De aquí que el primer Barroco continúe utilizando la figura de entremés e incluso que algunas de las acciones cómicas sean verdaderos pasos, pero tanto los pasos como las figuras están explorando aspectos distintos de la misma idea fundamental que mueve a los personajes serios. En cambio en el segundo Barroco, el gracioso se dirige al mismo fin que el caballero. Con Lope, el gracioso no sirve para trasladarnos a otro tema, sino a otro plano, desde el cual se abarca otra zona del blanco al cual apunta también el caballero.

Don Quijote se dirige a Dulcinea, Sancho a la ínsula; son semejantes, son aspectos distintos del mismo mundo mental. Por eso Sancho puede estar solo, solo en la ínsula, solo cuando muera Don Quijote. Dulcinea y la ínsula son dos aspectos distintos de la mente de Don Quijote. El gracioso no existe sin el caballero; si hacemos desaparecer a éste, la acción, la palabra del gracioso son incomprensibles. Por eso, en el primer Barroco las figuras cómicas son siempre cómicas y no pueden dejar de serlo. El gracioso nunca es serio, pero no siempre es cómico. A veces es el gracioso el que con su gesto y tono propios nos hace penetrar en el mundo de la culpa o del castigo, es él quien puede expresar toda la bajeza del cuerpo y al mismo tiempo presentarnos la realidad del alma.

La Contrarreforma otorga a Roma un respeto como nunca había gozado antes, porque la Edad Media podía diferenciar la Roma de San Pedro y la del Papa. El respeto institucional de la Contrarreforma sería un valor negativo si no fuera acompañado de un gran ardor religioso. Estas dos notas separan el teatro del Barroco del teatro del Renacimiento y también del mundo gótico: ausencia de sátira eclesiástica (cuando la hay, se alude al hombre, no al oficio) e índole nacional del sentimiento religioso. Se pronuncia el nombre de España o de Castilla con fervor religioso, y cuando se maneja un tema religioso, se piensa, además, o en la gloria de haber desparramado por el mundo el catolicismo o en la lucha heroica que se mantiene contra el mundo árabe y el protestantismo, sobre todo contra el último, aunque el tema sea el primero.

La escasez de documentos no nos permite saber ni quién fué el primero en incorporar el tema histórico al teatro, ni cómo tuvo lugar tal innovación; lo cierto es que Juan de la Cueva no se declara el autor. Quizás obedecía tanto al espíritu del momento en autores y público que ser el primero no significó nada (Bataillon); además, ya se cantaban romances, no como parte de la comedia, sino del espectáculo, en la época de Lope de Rueda (Cervantes, y elaborado por Menéndez Pidal). En cambio, sí que sabemos cómo luchaban con el gran descubrimiento de la acción y todos los esfuerzos por reducir las cinco jornadas a cuatro y después a tres. Lo mismo ocurre con las figuras morales, de cuya invención Cervantes reclama el honor. Las figuras mitológicas del Renacimiento son unos personajes más de la obra, a veces incluso sin carácter alegórico. Las figuras morales son la proyección del mundo interior, representan, según explica muy claramente Cervantes, «las imaginaciones y los pensamientos escondidos del alma.» Este mundo interior exteriorizado es una necesidad del Barroco, y la acción debemos sentirla siempre en función de la vida interior; precisamente la historia del teatro, desde el Barroco hasta hoy, no es otra cosa que la relación y proporción en que se encuentran la acción externa y la interna, con su intercambio y mutua dependencia de calidades. A veces, la vida interior más complicada y oculta no puede expresarse sino en una acción completamente física y externa; otras veces, el lirismo para revelarse no puede hacer uso ni de la palabra: este momento extremo lo encontramos en el Impresionismo con sus silencios o su escenario vacío de personajes, pero lleno de sentimiento. La relación y proporción de la acción exterior e interior con sus calidades no sólo indican la época, también muestran la cultura católica o protestante, española, inglesa, francesa o noruega. Esto es válido igualmente para la poesía. En último caso, no se trata sino de captar la temporalidad humana.

EL ESCENARIO DEL PRIMER BARROCO. LA VERSIFICACIÓN

La obra renacentista no necesitaba el soporte escenográfico; al pasarse de la escena dialogada a la acción en diálogo, el escenario adquiere una gran importancia. Cervantes ha enumerado las diversas innovaciones técnicas que tienen lugar al morir Lope de Rueda: tramoyas, nubes, truenos y relámpagos, batallas, desafíos a pie y a caballo. Los actores no sólo hacían sus entradas por el fondo o los lados, sino que subían del suelo del tablado o descendían rodeados de nubes. Los personajes a caballo y los desfiles hacían su entrada por el patio. A esta complicación del juego escénico le correspondía una mayor riqueza en el vestuario (que daba la nota pintoresca y el estado del personaje) y en la caracterización, así como otros arreglos en la disposición del palco escénico. Cervantes señala la desnudez de la escena renacentista y su diferencia con el primer Barroco, todavía nos indica que el escenario cambió en el segundo Barroco: «esto no llegó al sublime punto que está ahora (1615).»

Con Cervantes, otros escritores han dicho algo acerca del escenario, y así vemos muy bien la diferencia de las tres épocas; podríamos continuar y observar lo que ocurre en el tercer Barroco, la época llamada de Calderón. Si la guía de estos documentos es muy útil, y aun quisiéramos tener una información más detallada (la fecha precisa, por ejemplo, de la aparición del telón de boca), es innecesario advertir que basta con leer las obras dramáticas para darse cuenta de ello. Es más, naturalmente; sólo leyendo las obras sentimos la nota específica y esencial. El diálogo renacentista (extratemporal y extraespacial) no depende del escenario: le basta la palabra para hacer que le sigamos, y la voz, la entonación, la mímica (que están contenidas en la palabra) del actor para comunicarnos la altura, la complicación, la temperatura del mundo de las pasiones y de los actos. En el primer Barroco se confía a la palabra descriptiva y a la potencia de la acción el situarnos en el tiempo y en el espacio (no necesariamente cronológico y topográfico; de aquí que no le preocupe la localización de la escena), y entonces se necesita y se vuelve al apoyo escenográfico que ya existía en el Gótico. El segundo Barroco a la descripción, a la acción, a los elementos escenográficos unirá la fuerza creadora de la palabra y su contenido imaginativo (véase el estudio de *Los tratos*).

El primer Barroco rechaza la regularidad estrófica renacentista y prefiere la variedad gótica, pero con diferentes estrofas castellanas, a las cuales suma las del verso endecasílabo. La diferencia entre las dos primeras épocas del Barroco consiste—aparte el uso del romance—en la calidad del verso y en la armonización estrófica. Son muy pocos los ejemplos dramáticos medievales que se conocen para poder apreciar cómo manejaron la variedad estrófica. La referencia más próxima que quizá pudiera orientarnos, es el *Libro de buen amor* (María Rosa Lida ha hecho observaciones muy valiosas). Para comprender la necesidad de libertad del Barroco y su afinidad con el Gótico, basta leer lo que dice el Canónigo *(Quijote,* 1605) sobre la forma de los libros de caballerías.

EL TEATRO DE CERVANTES

Antes de comenzar el examen de cada una de las obras de Cervantes, acaso conviniera decir algo de su teatro en conjunto.

Tal como conocemos hoy la Obra de Cervantes, y si descontamos las poesías juveniles de su primera estancia en Madrid, el escritor parece haber comenzado su actividad creadora dedicado igualmente a la poesía y al teatro.

Cuando en 1585 aparece la *Galatea* (prosa y verso) ya hacía tiempo que había visto representar sus comedias. Se conserva del 85 un contrato con Gaspar de Porres. Quizá empezó a escribir para el teatro a su vuelta del cautiverio, y en el plazo de algunos años estrena en Madrid con éxito unas veinte o treinta obras, de las cuales se han conservado diez títulos: *Los tratos de Argel, La destrucción de Numancia* (o la *Numancia*), *La batalla naval, La Gran turquesca, La Jerusalem, La Amaranta o la del Mayo, El bosque amoroso, La única, La bizarra Arsinda* y *La Confusa*. Han llegado a nosotros en diferentes manuscritos las dos primeras, que no se publicaron hasta 1784. Ciertos críticos creen que algunos de estos títulos no son de obras perdidas, sino que hay que buscarlos en el volumen publicado por Cervantes, quien ha afirmado terminantemente que los títulos citados son de obras representadas con éxito y que las *Ocho comedias* no las quisieron representar. Es caprichoso, sin pruebas documentales, no atenerse a su testimonio. Habiéndose conservado *Los tratos*, hay quien considera *Los baños* como una refundición. Son obras totalmente distintas.

Con la excepción de *El rufián dichoso*, que no pudo escribirse antes de 1596, lo único que sabemos con seguridad por lo que se refiere a las fechas es lo que nos ha contado Cervantes. Dejó de escribir para el teatro, dejó de escribir en general (¿hacia 1586 ó 1587?), y al volver de nuevo a las tablas (hacia 1592, ¿antes, después?) se encontró con que sus obras eran rechazadas, más exactamente, con que no se las pedían. Cervantes insiste en lo de pedir. No las ofrecía él ¿por orgullo? ¿por no sufrir humillaciones? ¿porque sabía que era inútil? Lo cierto es que, directa o indirectamente, los cómicos estaban informados de que Cervantes había escrito nuevas comedias y no se las pedían. Cervantes nos da dos razones de esta conducta. La primera es corriente todavía hoy entre autores y empresarios: las compañías tenían sus poetas, y Cervantes al incorporarse otra vez al teatro no consiguió ser admitido en el círculo teatral. La segunda de las razones si no de más fuerza es para nosotros más importante: se le negaba calidad a su verso, reservando todas las alabanzas para su prosa.

En el contrato que hizo con Rodrigo Osorio el año 1592, se comprometía a entregarle seis comedias. No sabemos ni si las escribió, ni si se las admitieron, ni si se las rechazaron. Anuncia que se ha decidido a publicar su teatro no representado en la «Adjunta al Parnaso» (1614), y habla sólo de seis comedias y seis entremeses. Cuando en 1615 aparece su volumen nos encontramos con ocho comedias y ocho entremeses.

Es posible y probable que desde que las escribió hasta que las publicó las estuviera corrigiendo—recuérdense las dos diferentes redacciones de *Rinconete* y *El celoso extremeño*. En 1615 todavía estaba dedicado al teatro: *El engaño a los ojos*. Sólo conocemos el título, que cita en el prólogo de las *Ocho comedias*.

LA VERSIFICACIÓN DE CERVANTES. LAS OCHO COMEDIAS

La versificación de Cervantes es la de su tiempo; un cuadro de ella se encontrará en la edición de Schevill y Bonilla (Tomo VI). Conviene precisar que utilizó la rima al medio *(Los tratos)* y que su quintilla es siempre doble, tipo de estrofa que López de Hoyos llamaba *redondilla castellana;* Carlos Boyl, *redondilla de a diez;* y Díaz Rengifo, *copla real.* Ha usado esta quintilla doble también en el *Quijote* y en otras obras. La quintilla doble es muy poco frecuente en el teatro del XVII. Cervantes emplea con frecuencia en la rima o la misma palabra o el nombre y su compuesto, a veces en diferente categoría gramatical. En el siglo XVII, este rasgo, tan común en la lírica y en la dramática de los siglos anteriores, casi desaparece.

Las aportaciones de Cervantes al teatro son difíciles de estudiar. Primero, porque no se ha establecido una cronología de su Comedia, y así no sabemos hasta qué punto va abriéndose camino por su propia cuenta o va aprendiendo en Lope. Segundo, porque no se sabe cuál es su relación con sus contemporáneos. Por ejemplo, el concepto vidamuerte se halla muy frecuentemente en la lírica, en el teatro y en la prosa. Nada tiene de extraño, pues, que lo encontremos en la *Comedia Ymenea*, III, 83-4; V, 17-8 y ss. (edición Gillet); pero en Juan de la Cueva (Clásicos Castellanos, páginas 126, 130, 139) se aproxima extraordinariamente a Cervantes, y aunque en aquél no lo vemos usado con una función dramática, no podemos estar seguros de que la forma de motivo dramático sea original de nuestro autor. La composición de *El rufián dichoso* es la usual de las comedias de santos, según Figueroa.

Independientemente de su situación histórica, lo que se presenta con toda evidencia es que Cervantes, dentro del primer Barroco, se esforzó en dar a sus obras una sólida estructura, lo cual creo que se verá en las páginas que siguen, y también que quiso acercarse al ritmo dramático —acción continua— de Lope de Vega. Quizá creyó que estaba aprendiendo la técnica de Lope; sin embargo, a mí me parece que no consiguió salir de su propio concepto y sentimiento de la acción, pero no me atrevo a afirmarlo terminantemente. En cambio, es seguro que el manejo cervantino de lo cómico nada tiene en común con el de Lope. Cervantes utiliza siempre figuras de entremés, e incluso entremeses o figuras cómicas. El *gracioso* es una invención que le fué ajena y cuyo sentido no captó, quizás porque para su mundo era innecesario. Tampoco necesitó la fusión completa de religión y de historia.

Su escenario es el del primer Barroco y tal como él nos lo describe. Se sirvió de tramoyas, ruidos, nubes; representó batallas, incluso desfiles a caballo y movimientos de gran aparato; también utilizó la disposición del tablado en distintos planos verticales y horizontales. Aprovechó igualmente el aderezo de los actores.

La personalidad dramática de Cervantes es, por el

contrario, muy clara. Sus cuatro primeras comedias—*El gallardo español, La casa de los celos, Los baños de Argel, El rufián dichoso*—nos elevan al plano heroico, apoyándose en la imaginación poética en las dos primeras, y en el espíritu religioso en las dos últimas, siempre dentro de una gran alegría—la alegría del valor, del amor y de la Resurrección. En las cuatro últimas—*La Gran Sultana, El laberinto, La entretenida, Pedro de Urdemalas*—nos mantiene en la sociedad y en el mundo, sosteniéndose en ese nivel por medio de la fantasía y del ingenio, dándoles a todas un gran aire cómico y burlesco. Las dos comedias centrales de este segundo grupo parecen relacionarse en el desenlace: matrimonios, no matrimonios; y estar encuadradas por la figura del actor de *La Gran Sultana* y de *Pedro de Urdemalas*.

La unidad orgánica se consigue por el enlace de figuras y motivos dramáticos *(Numancia)*, por un ritmo alterno *(El gallardo)*, por el paralelismo temático y estrófico *(La casa de los celos)*, por el encuadramiento *(La Gran Sultana, Laberinto)*, o la oposición *(Los tratos, Los baños, El rufián)*. En *La entretenida* es donde la acción se mueve con más libertad, apoyada en la parodia de recursos dramáticos y motivos literarios, mientras que en *Pedro de Urdemalas* la unidad depende por completo de la realización del destino.

En la figura del actor se recapitula y compendia el mundo social: el mundo de la representación. El hombre hace un papel en el mundo, y el representante nos da la multiplicidad latente en el hombre. La vida debe ser una limitación, una aceptación de la tierra, siempre puestos los ojos en el cielo. El heroísmo cristiano es un acto amoroso, un acto de generosidad. Esa entrega sin reservas, a imitación de la de Cristo, se compendia en la figura del santo. Religión y Comedia, los dos polos de la vida espiritual del Barroco español. El santo y el actor, el ejemplo vivo y luminoso que nos enseña el camino del cielo, y el guía que nos conduce por la tierra.

LOS ENTREMESES

A las ocho comedias las acompañan ocho entremeses, que también se agrupan de cuatro en cuatro. En el primer grupo—*El juez de los divorcios, El rufián viudo, La elección de los Alcaldes de Daganzo, La guarda cuidadosa*— la figura está en función del diálogo, y el entremés está formado por una serie de cuadros; en el segundo grupo —*El vizcaíno fingido, El retablo de las maravillas, La cueva de Salamanca, El viejo celoso*—la figura está en función de la acción, los cuatro consisten en una burla. Todos están escritos en prosa, menos el segundo y el tercero, pero en todos ellos hay alguna poesía. El entremés solía ser de canción o de baile: Cervantes sigue esta costumbre para dar variedad a cada grupo. En el primero, los dos centrales son de baile y están encuadrados por los de canción; en el segundo, se alterna, empezando con uno de canción.

Es curioso cómo evita los recursos cómicos físicos: caídas, golpes, hambre, bebida, de un éxito tan seguro y que él mismo empleó en la novela y en sus comedias. Tampoco se sirve de la comicidad social. Su visión cómica se centra en la naturaleza humana, de aquí que en el segundo grupo lo importante no sea la burla o el engaño —otro procedimiento tradicional para mover a risa—, sino la tontería del hombre. Y si al irse apoderando del hombre en los matrimonios malavenidos, o en su naturaleza elemental, o en su ansia de poder o en su ser amoroso, Cervantes, sin caer en ninguna blandura o ñoñez, es capaz de tanta ternura y bondad, cuando presenta la tontería humana es el momento en que se llena de mayor misericordia. Porque se ve al hombre en su tontería, pero qué trasfondo de malicia y maldad, qué poso de vicios; y para reírnos tenemos que ser humildes, tenemos que aceptar la naturaleza humana tal cual es. Acaso por eso *El retablo de las maravillas* llegue a un momento de soledad tan temblorosa en que el hombre baila solo consigo mismo—quizás la única manera de bailar con Salomé. Es posible que haya otras obras cómicas de un silencio lírico tan emocionado, pero me parece difícil que puedan superar a *El retablo*, con esta Salomé que a fuerza de imaginarla se hace invisible.

Los matrimonios desavenidos inauguran la serie de entremeses en que las figuras van dejando la esencia de su ser, y las prostitutas de *El vizcaíno fingido* presiden los entremeses del engaño. Cervantes, que tuvo la intuición profunda de la Belleza y la Virtud, logrando darle forma particular numerosas veces, hasta llegar a la serenidad de la hermosura tan resplandeciente de Sigismunda, ha captado la gracilidad, la ignorancia, la viveza, el movimiento de la prostituta: la forma del engaño.

SITUACIÓN DEL TEATRO DE CERVANTES EN EL CONJUNTO DE SU OBRA

En la literatura española abunda la reflexión sobre la propia obra. Cervantes es uno de los escritores que más han insistido en juzgar y situar su creación. Su juicio es claro y quizá definitivo. Como novelista reclama el primer puesto: el primer puesto para el *Quijote*, para las *Novelas ejemplares*, para el *Persiles*. Ha creado obras maestras, lo sabe y lo dice. La *Galatea* es para él un problema en el que estuvo pensando treinta y un años. ¿Qué clase de problema sería? El autor se refiere a la novela una vez y otra, pero al parecer no pudo hallar lo que buscaba. No deja de ser interesante el observar que Mateo Alemán, ante la segunda parte espuria de su *Guzmán*, tacha al autor de ladrón: le ha robado su propiedad; y al publicar la continuación, Mateo Alemán se goza en presentarnos al ladrón robándole y no pudiendo disfrutar de su robo. Cuando Cervantes se encuentra en el mismo caso, echa en cara a Avellaneda el haber acometido una empresa para la cual no estaba capacitado. No es tanto el autor (hay una cuestión personal de la cual se deshace digna y rápidamente) lo que le interesa como su obra. Quien aparece en el *Quijote* de 1615 no es Avellaneda, sino su creación, su personaje, y Cervantes se goza mostrándonoslo como falso, haciéndole confesar que no es, que no puede ser el verdadero; no se queda contento hasta estar seguro de que ni los demonios gustan del libro.

Aparte Garcilaso, que preside desde su puesto único, los dioses vivos de la poesía en esa época son Herrera y Fray Luis de León. Cervantes ha querido ser poeta, ha escrito poesías que recuerda con placer. La obra poética cervantina es numerosa, se forma con sus composiciones un volumen no ya mucho mayor que el de Fray Luis, sino que el de Garcilaso; apenas si hay una obra de Cervantes sin alguna poesía. Cervantes sabe lo que es la Poesía, sabe lo que es ser Poeta. No basta con escribir un verso, una poesía que suenen bien, lo cual no es fácil. Ocurre con la poesía lo mismo que con la santidad: es algo total, es un don del cielo. Se es o no se es poeta. No cabe quedarse a mitad del camino. El camino consiste en llegar. Y Cervantes no duda en confesar que él no es poeta. Acaso esta sea una de las causas de no haber terminado la *Galatea*. Existía el problema de la pastoril, pero además ¿iba a presentar sus versos a Góngora y a Lope?

Entre estos dos extremos—el primer novelista, no ser poeta—está el autor dramático. No aspira a competir con Lope, pero cree en el valor de sus comedias, género en el cual, como en la novela, se pueden escribir obras de consideración, aunque no sean primeras ni únicas. A Cervantes le dolió que se le cerraran las puertas del teatro y le pareció una injusticia. Seguro de sí mismo, publicó sus comedias. Si no estoy equivocado, es un hecho insólito en esa época. Cervantes publica sus obras no por haber tenido éxito, sino porque no quisieron representarlas. No acepta el veredicto de autores y comediantes. Quién sabe si han llegado hasta nosotros por no haber salido a las tablas. El teatro de Cervantes debe ser leído con el respeto que el autor merece, pero no se salva únicamente por ser suyo.

Su fuerza dramática, su pasión, su alegría, su ingenio, su acción conmovedora, su burla, el arte de su composición hacen que lo admiremos plenamente, que nos entreguemos sin reservas, de una manera total.

Hoy no podemos imaginarnos su Obra sin las comedias y los entremeses. El tema religioso es en su teatro donde queda mejor expresado, y no creo que otros dramaturgos españoles hayan superado los dos últimos actos de *El rufián dichoso,* donde de una manera muy viva se está dando realidad al acto simbólico de la confesión y se consigue con una gran amplitud de ritmo enlazar de una manera jerarquizada el Espíritu y el Estado. Sólo en su teatro—primer acto de *El rufián*—nos encontramos con ese grito entrañable del hombre que es su condenación o su salvación. La visión martirial de la época, chorreante de sangre y desbordando lágrimas y dolor, nos la ha dejado solamente en su teatro. El tema oriental quizá adquiere su mayor delicadeza en *El amante liberal,* su mayor profundidad de tono y de porte en el *Quijote* de 1605 y su mayor sentido humano en el *Quijote* de 1615, pero es en *Los tratos,* en *Los baños* y en *La Gran Sultana* donde hay más variedad de color, mayor riqueza intencional, más pasión y más fantasía.

Sin *La casa de los celos* habríamos perdido su visión poética directa del mundo épico-caballeresco. En las *Novelas ejemplares* hay un glorioso desfile de mujeres nobles, la figura masculina con su cortesía, con su cultura, su nobleza y su valor muestra el anhelo del hombre por merecer y alcanzar el ideal, pero donde se construye el pedestal de admiración al héroe histórico español es en *El gallardo, Los tratos* y *Los baños.* Sólo en *La Numancia* encontramos a Cervantes tratando un tema antiguo y escribiendo quizá la mejor tragedia española. Compite con los autores antiguos en la nota patética que expresan la madre y los hijos. La sublimidad de la virtud adquiere su forma más bella. Y si en *La señora Cornelia* o el *Persiles* vemos la angustia y la alegría de la primera maternidad, es en el teatro donde sentimos la tragedia de la madre y del padre. Como en las *Novelas ejemplares* o en el *Persiles*, nos hace penetrar en su teatro en el mundo novelesco italiano y social español. Acaso sea en su última novela donde espíritu y sociedad, templos, islas, la Iglesia y la Comedia se presentan en un acorde más amplio, abarcador y majestuoso, más lleno de contrastes, de aciertos rítmicos y de color; pero el pecado y el arrepentimiento, la variedad del hombre reciben su forma más compacta en *El rufián dichoso* y *Pedro de Urdemalas*.

COMEDIAS

*COMEDIA FAMOSA
DEL GALLARDO ESPAÑOL*

EL MAL DESEO MAHOMETANO.
EL DESEO DE FAMA ESPAÑOL

Jornada I. (1) Un diálogo en redondillas entre Arlaja y Alimuzel comienza la comedia, al cual le sigue un breve monólogo del moro en la misma estrofa. (1a) Arlaja pone como condición a su amor que Alimuzel le traiga vivo a don Fernando de Saavedra. A Alimuzel le parece un mal deseo, y cree que, por lo menos, Arlaja debería contentarse con que lo trajera muerto. La mora no cambia el precio a su amor:

> Quiero ver la bizarría
> deste que con miedo nombro,
> deste espanto, deste asombro
> de toda la Berbería;
> deste Fernando valiente,
> ensalzador de su crisma

y coco de la morisma
que nombrar su nombre siente;
deste Atlante de su España,
su nuevo Cid, su Bernardo,
su don Manuel el gallardo
por una y otra hazaña.

(1b) Después de alabar a su amada, Alimuzel se vuelve a doler de que tan sólo pueda prender al cristiano y se le prohiba matarle.

Estos personajes nos dan una nota geográfica («Partiréme a Orán al punto» «Quizá hoy / oirán los muros de Orán / mi voz en el desafío»), pero ninguna indicación escenográfica.

(2) Don Alonso de Córdoba, conde de Alcaudete, general de Orán; don Fernando de Saavedra; Guzmán, capitán; Fratín, ingeniero. (2a) Tercetos. Hay que fortificar más la ciudad, dice el ingeniero; el general responde que la defensa debe confiarse al deseo de fama y a la vigilancia y diligencia. Un soldado entra anunciando que viene un moro. Le ven llegar. El general piensa que puede venir con una embajada. Don Fernando dice: «Antes es desafío, a lo que creo.» (2b) Romance *a-o*. Alimuzel llega a caballo y desafía a don Fernando. (2c) Quintillas dobles *ababa-aabba*. Se marcha Alimuzel, y el General dice a don Fernando que no le dejará salir, pues don Fernando se debe a su rey estando en guerra. (2d) Se marchan el General y el ingeniero, don Fernando queda contrariado, Guzmán, capitán y su amigo, en lugar de encargarse de la respuesta como ha mandado el General, propone salir él mismo al combate, don Fernando no acepta y dice que pida al moro que le espere dos días (el de hoy y el de mañana), y, como el lunes está de ronda, se arrojará por el muro y acudirá al desafío.

LA COBARDÍA MAHOMETANA.
EL HEROÍSMO ESPAÑOL

(3) Hay un cambio de lugar. Alimuzel había dicho en el romance «Aquí, junto a Canastel.» (3a) Entra en escena Alimuzel con su mozo de caballos Cebrián. El moro queda solo quejándose de su amor y envidiando a don Fernando porque Arlaja desea verle. Decide dormir, esperando la hora del combate:

> perdóname, hermosa mora,
> si aplico sin tu licencia
> este alivio a la dolencia
> que en mi alma triste mora.

(3b) Mientras duerme, sale otro moro, Nacor, descendiente de Mahoma, enamorado de Arlaja y por lo tanto celoso de Alimuzel. Se sorprende de ser tan cobarde estando enamorado, pues no se atreve a matar a su contrincante, aunque lo tiene al lado dormido. (3c) Llega el capitán Guzmán y se dirige a Nacor, éste le dice que el que busca es el que está dormido y suspirando. Alimuzel despierta y toma al Capitán por don Fernando, Guzmán le desengaña y le propone el desafío (Guzmán, como se ve, no obedece ni al General, ni a su amigo. Su conducta obedece a un personal principio del deber y el honor). Alimuzel contesta que esperará a don Fernando, y después de vencerle podrá pelear con Guzmán: «que ya sabes que no es dado / dejar la empresa primera / por la segunda al soldado.» Obsérvese que se plantean casos de precedencia: Don Fernando no puede pelear privadamente, estando en guerra. Alimuzel no debe pelear con Guzmán, teniendo un desafío pendiente. Esta observación se debe hacer no para estudiar el código del honor militar en Cervantes (propósito que todo lo más sería de un orden muy secundario), sino para relacionar estos casos de honor con los del amor, según este enlace literario y tradicional de Venus y Marte: Arlaja quiere que prendan a don Fernando y no que le maten; es un honor que le hace al moro dirigiéndose a él; pero Alimuzel está celoso al pensar que su amada quiere ver a don Fernando, y al considerar que por verle le pone en peligro de muerte. (3d) Al retirarse Guzmán, Nacor dice a Alimuzel que no combata, ya que don Fernando no viene y quizás es una celada que le tienden. Alimuzel dice que aguardará. Nacor insiste y advierte que cuando tenga lugar el cerco de Orán podrá combatir, y que él le dirá a Arlaja cómo ha quedado vencedor por no atreverse a salir don Fernando. Alimuzel sigue el consejo. Nacor piensa difamarlo. Se van.

(4) La acción pasa al campo cristiano. (4a) El General con su hermano don Martín y don Fernando. El General manda a su hermano que acuda en socorro de Mazalquivir. La expedición es difícil, pero don Martín de Córdoba piensa «poner sobre las estrellas / los españoles blasones.» (4b) Verso suelto. Las mujeres han oído que por temor al cerco el General se dispone a evacuar la ciudad y «doña Isabel de Avellaneda, en nombre / de todas las mujeres desta tierra» apelan de este juicio: «apelan desto a ti de ti,» piden que salgan los viejos y los niños, las mujeres ayudarán al combate, acudiendo a las obras de la muralla, cuidando de los heridos, «pidiendo a Dios misericordia.» Este mensaje lo trae un hombre, «uno.» El General habla: «por respuesta llevad que yo agradezco / y admito su *gallardo* ofrecimiento.» El General alaba este valor y «uno» lo subraya: «Por cierto que han mostrado / de espartanas valor, de argivas brío.» (4c) Entra el capitán Guzmán, dice que el moro Alimuzel ya se ha marchado, y en un aparte con don Fernando se habla de la salida de éste. Termina dirigiéndose al Conde de nuevo para encarecer el valor del moro, su amor y su cortesía.

(4d) Entra el soldado Buytrago pidiendo para las ánimas. «Y esto de pedir para las ánimas es cuento verdadero, que yo lo vi, y la razón por qué pedía se dice adelante.» El permiso para pedir limosna se lo ha concedido el Conde, pues no le basta la ración para alimentarse. El ser un «gran comedor,» el pedir limosna, son rasgos que están poniendo el valor del valiente Buytrago en un plano popular. Con la broma final—un pajecillo que le grita: «¡Daca el alma, Buytrago, daca el alma!»—tenemos una escena en la que se aprehende fuertemente el espíritu del período internacional del Barroco en España. La nobleza y el pueblo—don Martín de Córdoba, doña Isabel de Avellaneda, Buytrago—estrechamente unidos por la religión, a la vez, como acción guerrera y como devoción. El pueblo a su manera, de una manera elemental, sencilla y candorosa siente la religión y el heroísmo: la palabra (oración, vida espiritual) y la acción. Tenemos el alma del pueblo comprendida, acogida por la nobleza, que paternalmente la protege y dirige. Sí, hay lugar, hay espacio para mostrar los «valores» en un plano de tanta simpleza. Porque son «valores» la gente simple puede sentirlos, pero los siente y tiene que sentirlos a su manera. Este heroísmo no hay que aislarlo, hemos de obedecer al poeta, que presenta esta nota particular (un soldado, lo de pedir limosna es verdad «yo lo vi») íntimamente unida al valor «antiguo,» vivo en el presente gracias a España, de todas las mujeres. Un hombre del pueblo sin idealizar, los seres débiles: mujeres, viejos, niños, todos forman un conjunto orgánico, un bloque, una unidad: la comunidad católica y española, que mantiene, que sostiene—fondo y apoyo—las raíces del gallardo español, de un hombre. Magnífico en su gesto varonil, admiración de todos, de los mahometanos también, su valor recibe el mejor homenaje del campo moro: una mujer, una gran dama quiere tener presente al que canta la fama. No hay bravatas en su heroísmo; la expresión de la época (palabra y gesto) tan amplia, ampulosa, hiperbólica no debe impedirnos ver lo natural de ese heroísmo. Para un español del Barroco la única manera de ser era ser un héroe. Toda la acción de la comedia va dirigida hacia la gallardía (recuérdese hace un momento: «gallardo ofrecimiento»), hacia el gallardo. Desde el primer verso vemos a una mujer exigiendo de su amante que le traiga al español. Pero el español todavía no se destaca. Está presente desde la segunda escena, sin embargo aparece sometido al conjunto. Primero, el rango del General, junto a su nobleza su autoridad; después, el valor de las mujeres; luego, el soldado comilón y valiente. Aparece tan dentro del bloque que cuando el moro le dirige el reto su general le obliga a permanecer en el recinto amurallado. Arlaja nos conduce hacia el gallardo español, y esa sujeción, ese freno que se le impone es como el arco tenso que nos da en potencia el impulso de un destino nacional. L agallardía heroica de este destino resalta aún más si se la ve sobre el fondo de la cobardía de Nacor, descendiente de Mahoma.

TRAICIÓN Y LEALTAD

(5) Dejan la escena los cristianos, y salen Arlaja y Oropesa, su cautivo. Quintillas dobles. (5b) Arlaja está inquieta con la tardanza de Alimuzel, y Oropesa le dice que ha sido «otra segunda Medea, / famosa por ser cruel.» Y que con lo que le encargó parece que odiaba su vida. Volvemos a ver la feminidad de Arlaja, agrandada con ese fondo de Medea, y al mismo tiempo se mantiene la alabanza de don Fernando, que Arlaja continúa, explicando su conducta: «Yo fuí parte en su partida, / tú el todo, pues la causaste.» El cautivo Oropesa es la causa de que su señora deseara ver a don Fernando, pues le ha contado sus hazañas. Al oírlas, ha nacido en Arlaja el deseo de verle, no es un deseo lascivo, pero sí vano por lo curioso. No ha querido mostrarse ingrata o rigurosa con Alimuzel, al enviarle a una empresa dudosa, pero reconoce que no ha sido discreta. El castigo de un deseo mal nacido es no poder alcanzar lo que se desea, tener ese deseo insatisfecho que perturba el alma. Arlaja nos habla de cómo es ella. Es varonil, de tal manera, dice, «que gusto del que desgarra / y más allá de la muerte / tira atrevido la barra.» Arlaja

se está presentando con una audacia pasional que es muy de la Edad Media y muy barroca, esa retrogradación del blanco más allá del horizonte temporal ejercerá todo su poder sugestivo en el Romanticismo, pero en el Barroco tanta extremosidad es el contorno revuelto y desdibujado que sirve para contener la norma. Oropesa afirma que todas las alabanzas de don Fernando son pocas, y que si Alimuzel lo trae su gloria será grande, pues la fama del vencido pasa al vencedor. Este lugar común precede a otro: si don Fernando es el victorioso, aumentará su fama a sus ojos y al no poderle ver crecerá el deseo de verle. Ahora es Arlaja la que entra dentro de la corriente de lo sabido y conocido: «Tienes razón; / parienta es la confusión / del discurso de mujer.» Tras tanta extremosidad tanto lugar común, que está sosteniendo la forma moral inconmovible de la condición humana. La manera de ser del hombre es así. De este modo actúa el deseo, así se pierde la mujer y es causa de que se pierda el hombre. Pero esa forma conocida de la condición humana, la vemos encarnada en una mujer, ante nosotros se hace vida la verdad. Arlaja está revolviéndose en su confusión, cuando entran Alimuzel y Nacor. (5b) Se recordará que Alimuzel ha abandonado el campo por consejo de Nacor y que éste le prometió (no pensando cumplir la promesa) defenderle y alabarle ante Arlaja. Ahora, es claro, le traiciona, traición tratada de una manera cómica por Cervantes. Alimuzel le amenaza, Nacor dice: «sabes que soy jarife, / y que pecas en tocarme» o «Jarife soy; no me toques /.../ que ya sabes que Mahoma / por suya la causa toma / del jarife.» El mundo árabe es un abismo en el que todas las pasiones se revuelven sin freno, porque no lo tiene, porque no hay nada en él capaz de contenerlas ni dominarlas. Junto a esa visión infernal, la concepción cómica. Es la doble manera y la de siempre de acercarse al enemigo. Además, el contraste: frente al enemigo, la visión ideal del cristiano. No nos enteraremos de cómo era el mundo árabe, ya que lo que se revela en esta actitud es el mundo cristiano y en esto reside su valor, pues así Cervantes puede estudiar con toda libertad las pasiones desencadenadas. De aquí también que se pueda pasar a la visión ideal del árabe, entonces ya no es un enemigo, sino un contrario.

(5c) «Entran dos moros y traen cautivo a don Fernando, en cuerpo y sin espada.» Don Fernando sin darse a conocer dice que no le cogieron, sino que se entregó para buscar señor en el campo moro. Es testigo de que don Fernando salió al desafío. Alimuzel promete ir a buscarlo de nuevo, pero a Arlaja ya no le interesa verlo: «pues a la voz primera / no saltó de la muralla /.../ la fama que en él se halla / no debe ser verdadera, / y así, ya no quiero velle.» En un diálogo muy rápido entre Arlaja y don Fernando, éste dice cómo es don Fernando, es decir, él mismo, y Arlaja vuelve a arder en deseos de verle. (5d) Oropesa ha reconocido al gallardo español y, cuando los moros se marchan, le pregunta por el motivo de todo lo ocurrido. Explica que al salir al desafío dió con una escuadra y que entonces les dijo que su intención era pasarse a los moros, le pide que calle su nombre. Oropesa le dice: «De tu fama valerosa / que está (Arlaja) enamorada creo.» En este momento sale de nuevo Alimuzel quien les pide que encuentren manera de que pueda batirse con don Fernando, éste responde que le ayudará a buscarla. Se marcha, y don Fernando termina rogándole a Oropesa que guarde el secreto.

(6) Se pasa a los personajes cristianos. (6a) Guzmán, el capitán, leal amigo, desafía al alférez Robledo, porque éste acusa a don Fernando de haberse ido a renegar, y si no ha renegado, le reprocha haber dejado el presidio. El desafío es interrumpido por el General, quien manda arrestar a los dos.

(6b) La jornada termina con cuatro endecasílabos sueltos. Un soldado anuncia que llega un bajel. Van a recibirle a la marina.

ESTRUCTURA BIVALENTE DE LA PRIMERA JORNADA

La jornada primera se podría dividir en seis núcleos. El primero en redondillas y dos partes: diálogo, monólogo; el segundo en tercetos, romance y quintillas, éstas divididas en dos grupos lo que nos da cuatro partes, 1.º los cristianos, 2.º los cristianos más Alimuzel, 3.º los cristianos, 4.º sólo dos cristianos. El tercero en quintillas dividido en cuatro grupos: 1.º Alimuzel, 2.º Alimuzel y Nacor, 3.º Dichos, más Guzmán, 4.º Alimuzel y Nacor (es el núcleo de la cobardía). El cuarto en quintillas y verso suelto: 1.º quintillas, los cristianos, 2.º verso suelto, cristianos más soldado, 3.º Dichos, más Guzmán, 4.º Dichos, más Buytrago (es el núcleo del heroísmo). El quinto, quintillas, 1.º Arlaja y Oropesa, 2.º Dichos, más Alimuzel y Nacor, 3.º Dichos, más don Fernando, 4.º Don Fernando y Oropesa interrumpidos por Alimuzel. El sexto, dos grupos, 1.º en quintillas, 2.º verso suelto.

El cambio de estrofa obedece al cambio de tema, por ejemplo el paso de las redondillas a los tercetos y luego al romance y a las quintillas dobles; pero a veces aunque cambie el tema continúa la misma estrofa, eso sucede al comienzo del núcleo cuarto en el que hay un cambio de personajes (en lugar de moros, cristianos) acompañado de un cambio de lugar y, sin embargo, se usan las quintillas como en el núcleo tercero. El servirse de la misma estrofa subraya el contraste. El tercer núcleo, a pesar de la cortesía y el amor de Alimuzel, a pesar de que llega Guzmán con la aceptación del desafío por parte de don Fernando y de que él mismo está dispuesto a luchar, es un núcleo dominado por Nacor, figura de cobarde. El núcleo cuarto es el del heroísmo de los cristianos. Los moros han hablado en quintillas, los cristianos lo harán en verso suelto, pero empiezan hablando en quintillas y el uso de la misma estrofa pone de relieve el contraste melódico. El núcleo quinto tiene lugar en el campo moro, trata todo él, de una manera o de otra, del desafío y la salida de don Fernando, está construido en quintillas; el núcleo sexto comienza en quintillas porque continúa el tema anterior: la salida de don Fernando, aunque entre los moros hayamos visto la traición y entre los cristianos la lealtad; cuando la jornada va a terminar se introduce un nuevo tema y los mismos personajes cristianos pasan de la quintilla al verso suelto.

La jornada, que comenzó con personajes árabes, termina con cristianos. Hay dos lugares, el campo moro y Orán. Se va alternativamente de uno a otro: 1.º campo moro, 2.º Orán, 3.º campo moro, 4.º Orán, 5.º campo moro, 6.º Orán. En el segundo núcleo el lugar tiene una función en la acción dramática—Alimuzel lanza su reto desde el pie de la muralla, los cristianos están encima; lo importante no es que en la escena hubiera una muralla o dejara de haberla, sino el plano diferente en que están situados los personajes. El campo moro del tercer núcleo no es el mismo que el del primero o el del quinto. Sin embargo, lo importante no es el lugar. La acción dramática por lo que respecta a la estrofa se somete al tema (no en el sentido especial que declara Lope, sino en el que acabo de indicar), y por lo que se refiere al lugar, se confía no a la palabra, sino a los personajes: moros y cristianos, pasiones desenfrenadas, cobardía y traición, de un lado; del otro, heroísmo y lealtad. Contraste de personajes, contraste de sentimientos. El heroísmo cristiano tiene una nota cómica, la del soldado Buytrago, un villano que con su rudeza y simplicidad nos permite abarcar en toda su amplitud el alma heroica. Del Conde a Buytrago se extiende anchamente el heroísmo. Los villanos comulgan con el soldado y así pueden llegar hasta el máximo límite de lo sublime sin comprender, pero sin desconcertarse; la forma es otra, la esencia es la misma. En cambio, la comicidad árabe degrada el alma. Es un moro noble, Nacor con su turbante verde, el que corrompe la cortesía y valor de Alimuzel. El porte trágico de Arlaja y el de Alimuzel están contaminados por Nacor, cuya cobardía no agranda el abismo misterioso del alma, sino que todo lo ridiculiza. Pasión sin freno, nobleza heroica, que un acento cómico de doble tonalidad subraya.

DOS MUJERES ENAMORADAS

Jornada II. (1) (1a) Arlaja, don Fernando y Oropesa. Quintillas dobles. Arlaja le pregunta a don Fernando por su nombre y éste le responde que se llama Juan Lozano y que puede competir con don Fernando, ya que «es otro yo.» Le parece a Arlaja que esto es demasiado alabarse y le pregunta si sabe algo del desafío con Alimuzel. Don Fernando contesta que sospecha que Nacor, el jarife, no dice la verdad. Una nueva pregunta, esta vez del cristiano, que quiere saber qué hará Arlaja si Alimuzel le trae a don Fernando. Admirar al moro, dice Arlaja, y menospreciar al español, «cuyo nombre sobrehumano / me incita y mueve el deseo / de velle.» ¿Qué hazañas ha hecho don Fernando? (1b) Oropesa le cuenta una, romance o-a. «¡Oh, qué famoso español!» exclama Arlaja, al terminar el relato Oropesa.

La jornada segunda vuelve a empezar como la primera: deseo incontenible de Arlaja de ver al español. En la segunda jornada, sin embargo, don Fernando está presente, y Arlaja se encuentra no con un moro, Alimuzel, sino con dos cristianos, por último, la alabanza de don Fernando no se mantiene en términos generales: consiste en la narración de una hazaña. Esta variación va acompañada de la entrada de Nacor (1c), quintillas dobles, de nuevo, quien pide que se le permita ir a desafiar a don Fernando. Ya no es Arlaja la que manda a su amado acometer la empresa. Un moro que la «enfada» le ruega que se le confíe a él la acción. La nota cómica y la presencia desagradable de Nacor reemplazan el arrojo de Alimuzel. En un aparte, dice Oropesa de Arlaja: «Ella es falsa cuanto es bella,» con lo cual termina el primer núcleo de la segunda jornada.

Con esta variación del comienzo de la primera jornada se replantea la acción, destacando al mismo tiempo a Nacor—el jarife y traidor amigo—y la falsedad de la bella Arlaja. La segunda jornada girará en torno a Nacor, quien, traidor y cómico, suplanta la nobleza de Alimuzel en la primera jornada, imponiendo su carácter al mundo árabe.

(2) Dos nuevos personajes cristianos se presentan: Doña Margarita vestida de hombre y su criado Vozmediano, anciano. Siguen las quintillas. (2a) Doña Margarita ha venido a Orán a buscar a don Fernando; defraudada al no encontrarlo y sorprendida ante la noticia, que no cree, de que se ha hecho moro, quiere ir al aduar a buscarlo. Vozmediano (recuérdese, anciano) da prudentes consejos. (2b) No cambia la estrofa. Buytrago les pide limosna, doña Margarita la niega. Episodio cómico por la manera de pedir de Buytrago, que apremia en lugar de rogar. Este tema es muy corriente en la literatura española, hasta el punto de constituir un lugar común literario.

(2c) Octavas. El Conde, don Martín, el capitán Guzmán y Nacor. El jarife les propone entregarles el aduar de Arlaja, siempre que le den la mora. Se habla de la traición y vuelve Buytrago con sus bromas. (2d) Pasamos a las quintillas; Vozmediano cuenta que doña Margarita es su sobrino e hijo de un capitán y que le ha traído a la ciudad africana para que tome parte en la defensa del cerco que se espera. El Conde les acepta. (2e) Al irse todos, Margarita le dice a Vozmediano que está dispuesta a salir en la expedición contra el aduar y entregarse como cautiva.

ACCIÓN E INQUIETUD ESPIRITUAL.
REALIZACIÓN DEL DESTINO

(3) Arlaja, Alimuzel, Oropesa y don Fernando. (3a) Quintillas dobles. Arlaja sale a escena inquieta por un

sueño que ha tenido. Le piden que cuente qué es lo que le sucede: «Yo soñaba.» Soñaba que Nacor traidoramente caía sobre el aduar y se la llevaba cautiva. Alimuzel promete defenderla y don Fernando también, incluso contra cristianos. Oropesa, al oírlo, dice en un aparte que don Fernando debe estar loco, si eso ocurre él huirá. Don Fernando pide armas, y Oropesa le recomienda que piense lo que hace. (3b) Verso suelto. Entranse todos y «salen Nacor, atadas las manos con un cordel, y tráenle Buytrago, el capitán Guzmán, Margarita y otros soldados con sus arcabuces.» Nacor indica que ya han llegado y que deben disponer el asalto, pide que le suelten. Van a hacerlo y se retiran, quedando sola Margarita (3c), que en quintillas dobles habla de su ceguedad, de la locura que va a cometer.

(3d) Verso suelto. «Suena dentro: '¡Arma, arma! ¡Santiago, cierra, cierra España, España!' Salga al teatro Nacor, abrazado con Arlaja, y a su encuentro Buytrago.» Buytrago mata a Nacor. Alimuzel pelea con Buytrago, y Arlaja se escapa acompañada de Margarita. (3e) Quintillas dobles. Sale don Fernando peleando con Guzmán. Buytrago dice 10 versos siempre cómicos y se entra persiguiendo a Alimuzel. Quedan don Fernando y Guzmán luchando. Ante la sorpresa de Guzmán, don Fernando le dice que explicará todo en otra ocasión; que puede llevarse todo lo del aduar, siempre que deje dos prendas (se sobrentiende que son Arlaja y Alimuzel). Se va Guzmán, y vuelven Buytrago y Alimuzel luchando. Don Fernando defiende a Alimuzel; gritos de Arlaja, quien sale defendida por Margarita. Buytrago hiere a Alimuzel, cae dentro y Arlaja va tras él. Don Fernando pelea con Buytrago, éste, al oír su voz y reconocerle, huye. Don Fernando se dirige a Margarita y le dice que se vaya. Margarita se queda. (3f) Verso suelto. «Dentro, diga Guzmán.» Guzmán manda tocar retirada. Don Fernando incita a Margarita, siempre vestida de hombre, a que se dé prisa a escapar. Margarita responde, con gran sorpresa de don Fernando, que quiere

41

quedarse. Se van, (3g) y «sale Oropesa cargado de despojos.» Una quintilla doble. Su suceso ilustra los casos de la fortuna. Hace un momento miserable y cautivo, ahora libre y rico.

Este núcleo ha sido muy movido, por eso se ha estado pasando de la quintilla doble al verso suelto. Comienza enraizándonos profundamente en la tradición: un sueño. De este plano, que no tiene nada de vago ni de cambiante, sino que se presenta con toda la precisión de un aviso, nos trasladamos a la realidad, al ataque al aduar. La inquietud del aviso en forma de sueño nos introduce en el ir y venir de la pelea, con el alboroto, los gritos, los mandobles, los combates individuales. Una gran agitación física con un hilo cómico, puesto que están presentes Buytrago y Nacor. En medio de este tumulto se suprime al jarife, que muere cobardemente, a manos del cristiano valiente y comilón. Se hiere a Alimuzel; Arlaja, que admira tanto la valentía, no se distingue en esta lucha por su valor. Arlaja es siempre una mujer, muy femenina en su admiración por el arrojo varonil, más femenina cuando, toda amedrentada, se ve en medio de las espadas. Su temor nos está dando no la mujer en general—las hay heroicas—, sino la calidad muelle y blanda de la sensualidad mental. A ella la defiende otra mujer, Margarita; pero es la mujer fuerte—en acción muy semejante, contraste de propósito e intención; es la enseñanza del cristianismo.

Una gran agitación física para ir disponiendo de los personajes moros, además, como contraste de una gran agitación espiritual, la de Margarita. Cuando el bullicio es mayor—voces de mando, toque de retirada, carreras—, cuando la acción se precipita—los cristianos se marchan y todo el que no pueda ir con ellos va a permanecer cautivo—, se quedan solos en escena don Fernando y Margarita, ésta, no se olvide, vestida de hombre. Son únicamente diecisiete versos, versos de asombro, de desmayo. La pareja ya unida e ignorando su destino: Don Fernando: «Dadme la mano, pues.» Margarita: «De buena gana.»

La acción tan breve adquiere de repente una especial calidad. Hemos visto muchas parejas de combatientes, pero una pareja estaba tramada sucesivamente a la otra. Esta pareja—don Fernando y Margarita—de repente se rodea de soledad, la acción se detiene, y el momento brevísimo se presenta con toda la densidad que le da el significado de la realización del destino. Al ver a un gentilhombre que no quiere retirarse y que desfallece, don Fernando no puede salir de su sorpresa: «De novedades anda el mundo lleno. / ¿Estáis herido acaso?» y Margarita le contesta: «No estoy bueno.» Cervantes y su época pudieron expresar siempre en el tono más familiar esos momentos de eternidad.

Dentro del teatro del período barroco, el teatro español por su cuenta ha inventado este ritmo dramático. El teatro inglés de una manera paralela ha encontrado la misma acción. Ese movimiento banal, un suceder puramente externo, un largo y tumultuoso acontecer que nos lleva de repente al triunfo de lo trascendente. ¡Qué atónita sale la voz, qué sorprendida la mirada, qué gesto tanteante! ¡Cómo se precipita sobre la pareja humana el destino! El Romanticismo trabajará también con estos dos tipos de acción, de ritmo—externo e interior—, pero tratando de oponer el uno al otro. En el Barroco la acción exterior está dando forma a la acción interior, mientras que en el Romanticismo la acción exterior es una especie de contrapunto de la acción interior, oponiéndose el movimiento dramático al lirismo, que en el Barroco se integran. El lirismo barroco tiene una forma dramática, en tanto que el lirismo romántico parece como si se escapara de la corriente dramática en que se ve envuelto.

Detrás de ese momento de diecisiete versos, cuando don Fernando y Margarita se van, sale en seguida, sin transición ninguna, el cautivo, Oropesa cargado no de cadenas, sino de despojos. Oropesa canta «un nuevo y extraño ejemplo,» el suyo, su cambio, su libertad. Levantando ante los ojos del espectador un bello motivo arquitectónico: «y adornarán la columna / mis cadenas de algún templo.» Riquezas, libertad, cambio de la fortuna, columna con cadenas, motivo ornamental que adorna el encuentro de los dos amantes: la sorprendente y extraña actuación del Destino cubierto por la Fortuna. El destino es la vida del hombre en su secreto impulso y esencial, la fortuna es aquel conjunto de circunstancias que por importancia que tengan no dejan de ser algo accidental. Riqueza, libertad, pobreza, esclavitud: no hay duda de la preferencia del hombre, quien en un estado o en otro continuará siendo el mismo, sincero o desleal, digno o indigno, alegre o triste. En el destino cada momento de la trayectoria de la vida del hombre se dirige a la realización de su propio ser. Tanta sorpresa hay en el encuentro de Fernando y Margarita como en el cambio de estado de Oropesa, pero en éste lo que acontece es ajeno a su voluntad; por el contrario don Fernando tiene a su lado sin saberlo a la mujer que quería, y hay algo en él que consciente o subconscientemente le ha dirigido al momento presente, mientras que llevada por otros caminos, Margarita acudía también a la llamada de una voz interior. El matrimonio está sentido como una realización del destino, lo cual no quiere decir que no se pueda presentar como un capricho de la fortuna. De la misma manera, la libertad o la riqueza podrían ser el objeto de la actuación del destino.

LA CONDUCTA

(4) Entre cristianos. (4a) El Conde, don Martín y el renegado Bayrán. En octavas dice el renegado que la armada enemiga está al llegar. (4b) Entran Guzmán, Oropesa y Buytrago, acompañados de Vozmediano. En tercetos, cuentan al Conde la refriega y se discute el caso de don Fernando. Don Martín dice que ya es demasiado disparate por parte de don Fernando. Se retiran todos menos Buytrago y Vozmediano, éste le pregunta que qué se ha hecho

de doña Margarita, Buytrago dice que no lo sabe. (4c) Queda solo Vozmediano (una quintilla doble) y dice:

> ¿Qué es posible que un deseo
> incite a tal devaneo?
> Y éste es en fin, de tal ser,
> que no lo puedo creer,
> y con los ojos lo veo.

La dama árabe y la cristiana son las portadoras de un deseo. El deseo de Arlaja da lugar a la acción: Alimuzel, Nacor, don Fernando. En el segundo acto el deseo de Margarita (vestida de hombre) complica la acción.

EL RITMO DRAMÁTICO Y EL NARRATIVO

(5) Sale Arlaja con don Fernando y Margarita. Quintillas dobles enlazando con el núcleo anterior, de tal manera que los dos deseos están con su centro. Don Fernando le echa en cara a Margarita su falta de valor, Arlaja la defiende, don Fernando continúa el reproche. Margarita dice que para defenderse contará su historia. El ritmo va a cambiar, se va a pasar al romance, pero según es costumbre en todos los géneros y muy habitual en Cervantes, antes de comenzar el ritmo narrativo se interrumpe el ritmo anterior, en este caso con la entrada de Alimuzel, que, repuesto de sus heridas, viene a darle las gracias a Arlaja, ésta se alegra e invita al cristiano (Margarita) a que cuente su historia; todavía una quintilla para aceptar el hacerlo y empieza el romance en *a-a*, el cual queda interrumpido en cuanto llega a la peripecia, con el ruido marcial del ejército moro que viene para la conquista de Orán. Todos salen a recibirlo, Margarita y don Fernando quedan a la zaga. Se aplaza la historia:

> que lugar habrá mañana
> para oír si aquesta historia
> en fin triste o alegre acaba.

45

Se hace coincidir exactamente el ritmo de la historia de Margarita con el de la comedia. El segundo acto termina, y todavía dice don Fernando:

> Desesperado esperando
> he de estar hasta mañana,
> o hasta el punto que el fin sepa
> de la historia comenzada.

El poeta dramático tiene un interés especial en el ritmo de la acción. El asunto que trata, al adoptar la forma de acción, le impone un cierto tiempo. Un lector moderno no caerá en la superficialidad de considerar este final como una nota ingenua, si se da cuenta de que Cervantes al comenzar e interrumpir el relato de una manera habitual hace que el interés de la historia se profundice hasta llegar a coincidir con el tiempo de la narración. Margarita y don Fernando al rezagarse han quedado los últimos, pero no es un quedarse juntos, sino un salir uno tras otro. Don Fernando es el que cierra el acto, en el cual se ha pasado alternativamente del campo moro a Orán. En la jornada primera comienza una acción, cuyo interés nos tiene en suspenso al no llevarse a cabo el desafío y se complica cuando don Fernando se presenta en el aduar. Una mujer vestida de hombre llega a Orán en la segunda jornada, que ha tenido el movimiento dramático del ataque al aduar —cae rápidamente y por traición—, conducido con una cierta alegría cómica, y el encuentro de Margarita y don Fernando. Caída y encuentro ignorado—ritmo externo e interior—que contrasta con la tercera jornada: resistencia de Orán, unión de la pareja amorosa.

LA GALLARDÍA
INCITANDO LA CURIOSIDAD Y EL AMOR

Jornada III. (1) El primer núcleo está formado por octavas, dos romances y redondillas. Los romances están separados por dos redondillas. (1a) En octavas comienza la jornada. Los reyes del Cuco y de Alabez cantan la belleza de Arlaja, repartiéndose dos octavas en partes iguales. Arlaja les agradece la cortesía y les agasaja, ellos prometen vengarla en el sitio de Orán del saqueo de su aduar. El lector y el espectador tienen el deber de sentir y establecer esta relación, que como vemos Cervantes subraya. Si no se es capaz de unir el ataque al campo moro con el cerco de la ciudad africana, es casi seguro que tampoco se fijará uno en las palabras de los reyes árabes, y entonces las dos acciones guerreras quedarán desprovistas de todo sentido dramático, perdiéndose la forma de la comedia.

Ambos reyes se marchan, y en seguida invita Arlaja a Margarita a que continúe su historia. La función de estas octavas consiste en comenzar la jornada con un breve compás de calma, y poner su monumentalidad al servicio del relato de Margarita, quien habla delante de don Fernando, vestido de moro, y de Alimuzel, dándole a la narración todo su valor.

(1b) En un romance en *e-a,* cuenta (el relato anterior se interrumpió cuando acababa de decir que era mujer) cómo uno de sus pretendientes hirió a su hermano por lo mal que fué recibida su pretensión. El caballero, a quien no conoce, se fué a Italia y ella permaneció en un convento sin que su hermano pensara en casarla:

> Vi que mi hermano aspiraba,
> codicioso de mi hacienda,
> a dejarme entre paredes,
> medio viva y medio muerta.

Margarita no quiere hacerse monja, y decide buscarse marido ella misma. Se aconseja de un viejo de su casa, el cual le recomienda que busque al que hirió a su hermano, y se lo pintó de tal manera gallardo y galán que se enamoró de él de oídas. Dice cómo fueron a Italia y de allí a Orán, y al enterarse de que se había pasado al campo moro, determinó seguirle. Promete un alto rescate por ambos si saben dónde él está. El romance, cuando ha comenzado a contar sus andanzas, cambia de asonancia (*i-e*).

Este cambio es poco frecuente en el teatro barroco, y creo que no hay que relacionarlo con el procedimiento romántico: cambio de asonancia dentro del mismo romance para acompañar los diversos momentos del relato—estados de alma o acciones diferentes. El Romanticismo logra, así, grandes efectos de música y color. La relación de Margarita, en realidad, está formada por dos romances separados por unas redondillas. Para subrayar el cambio de tema, en lugar de pasar a otra estrofa pasa a otra asonancia: indica la unidad narrativa (romance), teniendo en cuenta la diversidad temática (asonancia). Al elemento musical de la versificación en el Barroco se le confía una función tectónico-temática, que a medida que avanza la época presenta con más claridad su valor constructivo. En el Romanticismo, no: la versificación, incluso la prosa, quiere transportarnos no de un tema a otro, sino de sentimiento en sentimiento. La función arquitectónica de la orquestación barroca se hace estrictamente musical en el Romanticismo.

Al terminar Margarita su historia, (1c) Arlaja indica el paralelismo y contraste de sus dos vidas (redondillas):

> Cristiana, de tu dolor
> casi siento la mitad:
> que tal vez *curiosidad*
> fatiga como el *amor*.

Alimuzel se asombra del destino de ese cristiano, «que aun de quien no es conocido / los deseos atropella.» Arlaja ya había dicho a Margarita que ella le conocía también sólo de fama. Don Fernando expresa su temor de que al conocerle quizás tendrá una desilusión, Margarita está segura de que no acontecerá eso, y entonces don Fernando indica a las dos damas que en el cerco de Orán ha de aparecer el cristiano, e invita a Alimuzel a que se disponga para el encuentro.

El sitio de la ciudad africana con su desenlace será, pues, el momento del desenlace de la acción. La gallardía ha incitado la admiración, que de un lado es sólo curiosidad, por eso su orla de capricho y lascivia, y de otro amor verdadero, por eso el anhelo de matrimonio. Aunque Cervantes concibe una acción intrincada, la arquitectura de su obra es clarísima: las dos vertientes cristianas del deseo, la que eleva el alma (pero no para entrar en el convento, sino para ir al matrimonio) y la que la rebaja, que tiene un mismo origen (lo importante es este origen único): el heroísmo español.

FONDO ÉPICO DE LA ACCIÓN

(2) (2a) Octavas. Buytrago da la voz de alarma. El Conde, acompañado de Guzmán, da las voces de mando. Buytrago dice una octava sobre el hambre, la octava hace reír. (2b) Entra Azán Bajá con Bayrán, quien le informa del movimiento del ejército cristiano. Se recordará que este informador es el mismo que en el acto anterior (núcleo 4) daba al Conde los datos acerca de las tropas árabes; esto es, Bayrán es un traidor. En cuanto Cervantes ha matado a Nacor, el traidor que engañó a Alimuzel y que vendió a Arlaja, le sustituye con otro traidor. Cervantes no trata el tema de la traición, lo utiliza sólo para degradar la nobleza de la doble acción árabe (amor y guerra). (2c) Azán está acompañado por el rey del Cuco y el de Alabez, llega Arlaja con su comitiva (Margarita, don Fernando, Alimuzel), y la escena, que había elevado el Conde con sus voces de mando y Azán con sus deseos de lucha, adquiere un aire épico suntuosamente decorativo. Pregunta Azán a la belleza de Arlaja:

> ¿Qué buscas entre el áspero ruïdo
> del cóncavo metal, que, el aire hiriendo,
> no ha de llevar a tu sabroso oído
> de Apolo el son, mas el de Marte horrendo?

Y Arlaja responde a la majestad de Azán:

> El tantarán del atabal herido,
> el bullicio de guerra y el estruendo
> de gruesa y disparada artillería,
> es para mí suave melodía.
> Cuanto más, que yo vengo a ser testigo
> de tus raras hazañas y excelentes...

Arlaja termina presentándole a Azán los dos caballeros de su comitiva, que han venido para tomar parte en la lucha, y «que cuanto son *gallardos* son valientes.» (2d) Entra un moro, Roama, con un cristiano cautivo, don Juan de Valderrama, hermano de Margarita.

SEGUNDA PERIPECIA.
FONDO CÓMICO DE LA ACCIÓN

(3) (3a) Quintillas dobles. Azán inquiere quién es el cristiano y se lo regala a Arlaja. Este diálogo termina con una nota de cortesía marcial en armonía con el núcleo anterior. Don Juan ha reconocido a don Fernando; Margarita, vestida de mora, se ha cubierto más el rostro para que su hermano no la reconozca. A don Juan, que venía al sitio de Orán, le dice el rey del Cuco, viéndole cautivo:

> —¡Buena guerra agora harás!
> —¡Y cómo la hago agora!

le contesta don Juan. El caballero español venía a la guerra, pero se encuentra con su conflicto personal. Se van todos, menos don Juan y don Fernando (3b). El vestido moro le hace dudar a don Juan, y don Fernando le dice que hay un cristiano que se le parece. Arlaja manda llamar a don Juan, quien se retira sospechoso y confuso, quedando solo don Fernando (3c): Breve monólogo en que no dice cuándo terminará el engaño, pero sí afirma que toda la acción redundará en su honor.

Lope aconsejaba que no se dejara adivinar el desenlace hasta el mismo final. Cervantes ha seguido idéntico procedimiento—lo cual no significa dependencia de Lope, ya que es un requisito del mundo cristiano—en sus novelas ejemplares. Cuando llegamos al desenlace, una última peripecia nos aleja. Es claro que, en realidad, más que ocultar el desenlace, lo que hacen estas nuevas acciones finales es acompañar el último movimiento de la acción principal, y, con su tortuosidad, acelerar el tempo de los últimos acordes. Cervantes, además, suele darles un aire de scherzo, compárese, por ejemplo, *La señora Cornelia*. Don Juan puede querer vengarse de don Fernando o castigar a su hermana, todo esto es posible, pero nunca presente. Lo que siempre presenciamos es su confusión: no poder creer lo que le dicen los sentidos. Esta situación es un recurso cómico que reaparece en alguna otra comedia, en algunos entremeses, y, como todo el mundo recuerda, en el *Quijote*. Y siempre con intención y finalidad diferentes.

EL MOVIMIENTO ÉPICO CON SU ACOMPAÑAMIENTO CÓMICO
CONDUCEN AL TRIUNFO DEL GALLARDO ESPAÑOL

(4) Redondillas. (4a) «Tócase arma; salen a la muralla el Conde y Guzmán, y al teatro, Azán, el Cuco y Alabez.» Hablan primero el Conde y Guzmán: el fuerte de San Miguel no va a poder resistir más asaltos. En el campo de los sitiadores, desde el cual también se puede ver el fuerte, se da la noticia de que San Miguel ha caído.

Entre los núcleos 1 y 2 de esta jornada ha debido transcurrir un gran número de horas, ya que don Fernando dice en 1c: «Pues pase hoy; / y mañana, cuando dan / las aves el alborada, / demos a nuestra jornada / principio, y al fin de Orán.» No es seguro, sin embargo, que necesite la imaginación entre los dos núcleos el intervalo de muchas horas. En el núcleo 2 aparece Arlaja con su comitiva y llega don Juan de Valderrama. Entre este núcleo y el 4 sí que hay que suponer el paso de muchas horas, pues sale don Juan (4b) y lo primero que dice es: «Ayer me entró por la vista / cruda rabia a los sentidos, / y hoy me entra por los oídos, / sin haber quien la resista.»

En mis estudios sobre el arte de la época barroca, he explicado con frecuencia que el tiempo del Barroco no es un tiempo cronológico. Al estudiar *Fuenteovejuna*, se indicó que el tiempo de la acción teatral es un tiempo musical. El teatro griego tampoco depende de la cronología en el sentido europeo moderno, lo que necesita es situar su conflicto y le da al tiempo, por decirlo así, una calidad plástica; el tiempo sirve de límite, de contorno, sirve para contener el conflicto; por lo tanto debe ofrecerse de una manera abarcable—de sol a sol, un día, etc. En el teatro cristiano la acción es un devenir, se forma en el tiempo; de aquí que encontrara el valor dramático del plazo, en que el tiempo se hace el protagonista: la vida hecha tiempo. El problema del autor dramático cristiano consiste en desarrollar sus temas sucesiva, simultánea o alternativamente dentro del tempo creado para la acción, lento o rápido, breve o largo. Si recurre a indicaciones cronológicas—hora, día, mes, etc.—lo hace sin necesidad ninguna de someterse a un transcurso temporal cronométrico.

El mañana que pronuncia don Fernando es desorientador para la sensibilidad acostumbrada a sentir el tiempo a través del reloj. A don Juan acabamos de oírle hace 52 versos, y ahora, la acción que sin duda de ninguna clase es la que hemos presenciado, aparece en un 'ayer' reforzado con un 'hoy'. Del ayer al hoy han pasado 52 'compases', 52 versos. La sensibilidad temporal europea, en conflicto con la griega, no entendió a Aristóteles. De ese error nace el teatro 'clásico' francés del último Barroco, pero nace obedeciendo no a Aristóteles sino a esa necesidad barroca de ponerse un obstáculo para sentir la capacidad de superarlo. El espíritu científico de los siglos XVIII y XIX impone, después, la sensibilidad de la exactitud cronológica. En el teatro de Cervantes, la jornada tercera de *El rufián dichoso* nos ofrece una situación temporal idéntica a la que estamos estudiando: entre unos versos pasan varios años. En *El viejo celoso* veremos un ejemplo de tiempo dramático sumamente acertado. En *La Gran Sultana,* en realidad, el embarazo no implica ningún problema temporal, pues no es otra cosa que un delicioso rasgo burlesco.

Si don Juan no se explicó la presencia de don Fernando vestido de moro, y tuvo que creer que había un caballero cristiano en Orán con el cual todos le confundían, al oír a su hermana, vuelve a asombrarse. Margarita niega el parentesco y se niega también a descubrirse, pero Cervantes lleva la broma hasta el punto de que Arlaja le haga quitarse el velo. Podrá estar seguro de lo que ve, pero Arlaja afirma que esa muchacha es su hermana Fátima. Si la situación es cómica, la referencia al mundo árabe la hace aún más divertida. Pregunta don Juan: «¿Por dicha, hace Mahoma / milagros? (Arlaja) Mil a montones. / (Don Juan) ¿Y hace transformaciones? / (Arlaja) Cuando voluntad le toma. / (Don Juan) ¿Y suele mudar tal vez / en mora alguna cristiana? / (Arlaja) Sí. (Don Juan) Pues aquesta es mi hermana, / y la tuya está en Jerez.» Manda Arlaja a un criado que le quite esa idea a don Juan con una buena tunda de azotes, que al fin, es claro, no se llega a dar.

El espíritu cómico de esta escena no tiene nada de particular, pero adviértase que don Juan no es un villano simple, y que en realidad su situación llega al máximum de la farsa gracias a los milagros de Mahoma. Compárese con *La Gran Sultana.*

(4c) Pasamos a Mazalquivir, donde el hermano del Conde se halla en gran aprieto. La muralla representa Mazalquivir y el teatro el campo de los sitiadores. Don Fernando comienza a combatir a favor de su gente, les salva del peligro hiriendo a Alimuzel y matando al rey del Cuco. Se ha oído la artillería, los moros han dado su «li, li, li», pero las campanas empiezan a repicar: «Suena todo.» Es que llega el refuerzo cristiano mandado por don Alvaro de Bazán y don Francisco de Mendoza. Por tercera vez, en medio de tanto barullo, don Juan de Valderrama se ve en la mayor confusión. Ahora, se la produce el consejero de su hermana, Vozmediano, quien ha sido cogido prisionero y es el que ha explicado el repicar de las campanas. Vozmediano niega su personalidad y da otro nombre.

(5) De la redondilla pasamos al verso suelto. (5a) Los moros se retiran. Los cristianos sienten no hacerles prisioneros. (5b) Los que han llegado con el socorro se admiran de la heroica resistencia. (5c) Don Francisco de Mendoza pide el perdón para don Fernando—liras. Y (5d) en un romance en *e-o*, que no llega a tener el ritmo de la relación, pues es entrecortado frecuentemente, don Fernando casa a Arlaja con Alimuzel, y pide la mano de Margarita.

Don Fernando ha confesado su delito y mostrado su arrepentimiento, pero si el Conde le perdona es por la nobleza de su intercesor: siempre el esquema religioso sirviendo de cauce a la conducta. De la intriga de la comedia se dispone rápidamente, para que sirva tan sólo de fondo a la unión del gallardo español y Margarita. Don Fernando le dice a don Juan:

> En esta mora en el traje
> a vuestra hermana os ofrezco,
> y a mi esposa, si ella quiere.
> MARGARITA. Yo sí quiero.
> D. FERNANDO. Yo sí quiero.

Y cuando hemos oído este nudo que forma la voluntad —escapatoria del convento, disfraz, peregrinaciones, cautiverio voluntario—, todavía suena la voz de Arlaja sometida a la actitud de Margarita y su felicidad. En seguida, Robledo, el que dudó de don Fernando, muere de las heridas de la batalla; y la comedia termina haciendo coincidir la acción militar con los sucesos de don Fernando. Dice don Francisco: «Entremos, / porque a la vuelta me llaman / estos favorables vientos, / y quiero deste principio / entender estos sucesos, / porque, en ser de don Fernando, / gustaré de que sean buenos.» Los chicos terminan dando matraca a Buytrago, éste se irrita y Guzmán interviene para advertir «que llega el tiempo / de dar fin a esta comedia, / cuyo principal intento / ha sido mezclar verdades / con fabulosos intentos.»

Las «verdades» han sido de índole histórica: la heroica y victoriosa defensa de Orán. El heroísmo se encarna en los hechos de un gallardo español—el gallardo español—, don Fernando de Saavedra: los «fabulosos intentos.» Para la victoria, Cervantes dispone una acción alegre, a la vez, por el espíritu cómico que la anima—Nacor, Buytrago, Valderrama—y por su movimiento acelerado hasta el enredo.

La acción está concebida partiendo de un sentimiento cristiano. Cervantes enfrenta los dos campos—árabe y español—, haciendo que de cada zona surja un deseo femenino de admirar al español. La admiración árabe, apasionada, caprichosa, cruelmente dominadora, desbordando los límites del decoro, bordeando la concupiscencia, zigzagueante, muelle y sin ánimo; la admiración cristiana hecha de firme resolución, de voluntad y valor, saliendo del convento para mantenerse pura entre los peligros del mundo y llegar al matrimonio. El deseo tiene como contrapunto un código del honor, estrictamente individual del lado mahometano—desafío—, individual y del Estado del lado cristiano—defensa de Orán.

La acción es puramente fabulosa. Su desarrollo grandemente decorativo no tiene una claridad lineal, sino un movimiento extraordinariamente complicado, retorcido e inesperado. Un movimiento ornamental que en lugar de definir el espacio con su línea rafaelesca, lo llena de sorpresa y asombro. Pero los dos núcleos de donde parte esa acción torrencial sostienen arquitectónicamente el dinamismo: el capricho y el amor; el ataque al aduar, el ataque a Orán. Todo ese impulso femenino y varonil—amor y guerra—conducido con una gran alegría: de tipos, Nacor, Buytrago; de acción, Valderrama y sus engaños.

Al pasar del Renacimiento al Barroco tenemos que acostumbrarnos a esa diferente manera de proyectarse la imaginación.

*COMEDIA FAMOSA
DE LA CASA DE LOS CELOS
Y SELVAS DE ARDENIA*

LA AMISTAD DE LOS CABALLEROS
Y LA FUERZA DE LA HERMOSURA

JORNADA I. (1) Octavas. (1a) Reinaldos y Malgesí. Reinaldos está indignado por las risas de Roldán y Galalón, que achaca a su porte pobre. Quiere desafiar a Roldán, lo que hace en cuanto éste entra. (1b) Viene acompañado de Galalón, el cual al ver y oír a Reinaldos se retira. Pero Roldán le da toda clase de explicaciones y hacen las paces los dos primos, (1c) cuando sale Carlomagno, a quien Galalón fué a buscar para que pusiera fin a la contienda. El Emperador se alegra de ver que no tiene que intervenir, y, entonces, un paje anuncia la llegada de una extraña comitiva.

La acotación dice: «Apártase Malgesí a un lado del teatro, saca un libro pequeño, pónese a leer en él, y luego sale una figura de demonio por lo hueco del teatro y pónese al lado de Malgesí; y han de haber comenzado a *entrar por el patio* Angélica la bella sobre un palafrén, embozada y la más ricamente vestida que ser pudiere; traen la rienda dos salvajes vestidos de yedra o de cáñamo teñido de verde; detrás viene una dueña sobre una mula con gualdrapa; trae delante de sí un rico cofrecillo y a una perrilla de falda; *en dando una vuelta al patio,* la apean los salvajes, y va donde está el emperador...» Además de la entrada del demonio por el hueco del teatro (es decir, escenario), del vestido de Angélica, del aderezo de los salvajes, y la figura de la dueña en su mula, con el cofrecillo y la perrilla, conviene advertir que este desfile a caballo tiene lugar en el patio, en donde la comitiva da una vuelta, marcándose bien el carácter de espectáculo.

(2) Liras. (2a) Angélica explica su venida: el rey su padre ha dispuesto que el que venza a su hermano pequeño, caballero o villano, es el que recibirá su mano; los vencidos quedarán presos. El desafío tendrá lugar en las selvas de Ardenia. El arma será la lanza, pues está vedado usar la espada. Angélica ha entrado embozada, y en el momento oportuno descubre su rostro. Momentos antes de retirarse, hay una acotación que dice: «Entrase la sombra.» Se refiere al demonio, que ha debido permanecer al lado de Malgesí. Se va Angélica con su acompañamiento, e inmediatamente (2b) Reinaldos y Roldán se quieren ir tras ella y empiezan a recriminarse; Malgesí se entrelaza en esta disputa y explica que la embajada de Angélica no es otra cosa que una añagaza de su padre para prender a los doce Pares, pues la lanza está encantada y por eso ha puesto la condición de que el desafío no sea a espada. El Emperador dice que no cree en esos encantos y que por lo tanto el mismo Malgesí es el que debe remediarlos. Malgesí acepta, y además está preocupado con la nueva disputa entre su hermano Reinaldos y Roldán, declarándonos el tema de esta acción de fantasía:

> En laberinto he entrado
> que apenas saldré de él. ¡Oh ciego engaño,
> oh fuerza poderosa
> de la mujer que es, sobre falsa, hermosa!

LA FIGURA DE BERNARDO:
ESPAÑA EN EL MUNDO CABALLERESCO

(3) Hay un cambio de lugar. Del palacio de Carlomagno pasamos a las selvas de Ardenia. Redondillas. (3a) Bernardo del Carpio con su escudero vizcaíno. El escudero en su mal castellano le dice a su amo que no hace bien en dejar las guerras de España para ir tras aventuras a Francia. Bernardo se propone buscar el padrón de Merlín, «aquel grande encantador, / que fué su padre el demonio.» Le encarga al escudero que vea si Ferraguto viene, y él, rendido por el sueño, cae dormido, no sin antes cantar las alabanzas de la guerra y de su cimera, «rica y extremada pieza,» que se pone por cabecera.

(3b) Bernardo queda dormido junto al padrón que busca, y encima de la montaña aparece Argalia, el hermano de Angélica, quien se pregunta si habrá tenido éxito en la embajada, no tardando en aparecer por el camino Angélica con el mismo acompañamiento de antes, sólo que ahora la dueña habla. Viene Argalia al encuentro de su hermana y ésta le dice que se retiren al pabellón, donde le contará lo ocurrido. Si Cervantes ha utilizado lugares comunes que leemos en otras de sus obras, lo mismo ocurre con las figuras cómicas: el vizcaíno y la dueña. También la comitiva de Angélica nos recuerda la de la Trifaldi, como la alusión a Merlín nos hace pensar de nuevo en el *Quijote* de 1615. Lugares comunes, tipos, escenas de fantasía, todo ello no nos sirve para fechar la comedia, sino para situarnos en el ámbito de la imaginación de Cervantes.

(3c) En cinco octavas, el Espíritu de Merlín se dirige a Bernardo, incitándole a que vuelva a España, pues ya le llegará la hora de vencer en el Pirineo; entretanto, le dice que se oculte para poner en paz a dos paladines.

LOS CELOS

(4) Redondillas. (4a) Reinaldos entra y se cree perdido; no puede dar con las huellas de Angélica, a quien ha seguido hasta ahora. Cae dormido, poniéndose por cabecera el escudo. Entra Roldán, también perdido y desconsolado; al ver a Reinaldos dormido, tiene la intención de matarle, pero pronto se domina, porque, dice:

> Yo fuí Roldán sin amor,
> y seré Roldán con él,
> en todo tiempo fiel,
> pues en todo busco honor.

Y en dos redondillas más nos explica la acción que estamos presenciando:

> Duerme, pues, primo, en sazón;
> que arrimo te sea mi escudo;
> que, aunque amor vencerme pudo,
> no me vence la traición.
> El tuyo quiero tomar,
> porque adviertas, si despiertas,
> que amistades que son ciertas
> nadie las puede turbar.

Cae dormido Roldán, despierta Reinaldos y sus primeras palabras son para Angélica. Ve a Roldán, y al darse cuenta del trueque de escudos, sabe el peligro en que ha estado. Quiere agradecérselo, pero teme no haya sido desprecio. Por un momento piensa que Roldán le dejará a Angélica; de no hacerlo, ni el parentesco, ni la cortesía impedirán la lucha. Despierta a Roldán, y éste, dormido, se dirige a Angélica, lo cual excita los celos de Reinaldos:

> ¡Ansias que me consumís,
> sospechas que me cansáis,
> recelos que me acabáis,
> celos que me pervertís!

Roldán despierta, al fin; en seguida se interpone entre los dos caballeros el nombre de Angélica. Ni uno ni otro quiere abandonar su empresa, y «vanse a herir con las espadas.» Llamas de fuego separan a los dos contendientes, que se persiguen encarnizados. La voz de Merlín da la entrada a Bernardo, y éste sale a poner paz. Pero la paz que pone es entrar en la lid, y luchando unos con otros se van subiendo por la montaña. Marfisa llega armada ricamente, y, al verlos, se va tras ellos para que cese la lucha.

(4b) Liras. Roldán no puede combatir. Bernardo dice que es que él tiene la razón. Reinaldos lo achaca todo a Merlín, pues si no hubiera hechiceros de por medio, nadie haría que su primo se retirara. (4c) Angélica llega, y el vizcaíno con ella: Ferraguto ha matado a Argalia. Al ver llorar a Angélica, Roldán quiere vengarla y también Reinaldos. Pero Angélica quiere huir. Bernardo quiere que la lucha continúe. Marfisa vuelve, Angélica se va. Roldán y Reinaldos dejan a Bernardo para irse tras Angélica.

(4d) Se queda Marfisa con Bernardo y el vizcaíno. Marfisa quiere saber por qué ha sido la lucha: por celos.

Después de la presentación de los dos paladines (octavas) y de la aparición de Angélica con su comitiva (liras), todo en Palacio, da comienzo la acción en la selva con el largo núcleo de redondillas. Los caballeros—cimera, escudo—, el espíritu mágico—Merlín—, ese caer dormido para que surja todo el ambiente caballeresco: el peligro, la cortesía. La acción, tan rica en motivos, se desarrolla con un movimiento de pura fantasía, de ensueño, para situar el mundo del Gótico en una zona encantada. En esa zona en la cual conservan toda su eficacia poética. Con otras palabras, no estamos presenciando una comedia de materia caballeresca, con sus desfiles, embajadas, palacios y reyes, emperadores, luchas y encantamientos. Sino que ese mundo, que será tratado, como todos saben, de una manera grotesca y burlesca, ahora se le sitúa en una zona poética. Con figuras, motivos y acciones de la tradición, se crea esa fantasía en la que se presentan los encantamientos encantados. No es una comedia en que intervengan elementos mágicos, es una comedia de magia. Los caballeros y su mundo no son representación de una realidad espiritual y moral, sino motivos poéticos.

El acto termina en liras, que ha sido la estrofa del motivo de Angélica; y en la jornada segunda se recoge otro elemento tradicional.

LOS PASTORES Y EL AMOR

Jornada II. (1) Tercetos y verso suelto. (1a) La jornada empieza con la entrada de dos pastores pobres, Lauso y Corinto, que bajan del monte cada uno por su lado. Se disponen a pasar la siesta cantando los desdenes de la pastora Clori, quien prefiere al rico pastor Rústico. Como se ve, es un diálogo en el que se contrastan el ingenio y la discreción con la riqueza. Viene Clori (1b); y después llega Rústico (1 c), a éste le hacen una divertida broma para mostrar toda la estupidez de que es capaz. Sin embargo, antes de pasar por estúpido ha dado pruebas de su capacidad de mando. De no ser un rasgo tradicional, vale la pena de observar cómo Cervantes une al dinero esa cualidad de mando. Dice Clori:

> ¡Mirad si tiene Rústico el ingenio
> para mandar acomodado y presto!

Antes, había dicho de él:

> Mas, por rústico que es, en fin es hombre
> que de sus manos llueve plata y oro,
> Júpiter nuevo, y con mejor renombre.

Versos que conviene recordar para captar la actitud de la imaginación con respecto a la mitología.

La jornada primera comenzaba con la susceptibilidad de Reinaldos, quien cree que se burlan de él por su pobreza. Este comienzo desconcertaba a Menéndez Pelayo, pues creía que la comedia debía tratar el tema de «las pobrezas de Reinaldos,» y que Cervantes se desviaba para ir a dar al puro disparate. Menéndez Pelayo escribe acerca del teatro de Cervantes con las ideas literarias de su tiempo, que en su día quizás eran desacertadas, pero que tenían el valor de lo presente; hoy, trabajar con esas ideas muertas no está justificado. Lo que me parece extraordinario, no obstante, no es la actitud de Menéndez Pelayo, debida a su época, sino los aciertos constantes cuando se deja llevar por su sensibilidad. Por ejemplo, hablando del romance de Lope en *Las pobrezas de Reinaldos,* dice: «a pesar de lo elegante y pulido del estilo y del *primor* de las asonancias, no tiene menos sabor de poesía tradicional.» En Menéndez Pelayo aprenderemos siempre un gran número de hechos y datos significativos, su gusto literario puede ser casi siempre nuestro guía; no es culpa suya que las ideas literarias de su época puedan descarriarnos fatalmente y casi siempre; la culpa es del lector moderno, que no debe ingenuamente dejarse perder, debe aprovechar la ciencia y la sensibilidad del Maestro.

La comedia de Cervantes, como dice el título, se basa en los celos, y el autor los desdobla: celos caballerescos, celos pastoriles, uniendo los dos motivos por medio de la pobreza, la cual se proyecta de dos maneras diferentes, conforme al motivo que introduce. De un lado, inquieta al caballero, quien la siente como un desdoro de su dignidad; de otro, es siempre el peor enemigo del amor.

La burla hecha a Rústico no disminuye el amor de Clori: «... para aquello que me sirves, / más sabes que trescientos Salomones.» Se recordará que la misma fórmula ingeniosa aparece en el *Quijote* de 1605, referida exclusivamente a la vida sexual; en la comedia quizás haya también una alusión al interés; la encontraremos igualmente en los entremeses. (1d) Cuatro estrofas de trece versos heptasílabos y endecasílabos. Angélica entra pidiendo a los pastores que la socorran escondiéndola y que le den otro vestido. Los pastores acceden de buen grado y terminan aludiendo a la burla hecha a Rústico. Todos se entran.

TORTURAS DEL AMOR: DESESPERACIÓN

(2) Quintillas dobles. (2a) Sale Reinaldos quejándose de estar en una selva encantada en donde se le escapa Angélica, cuando, entre crujidos de cadenas y lamentos, aparece una sierpe vomitando fuego, y con ella Malgesí bajo la figura del Horror. Con acompañamiento de la misma música triste que sonó en la escena de Merlín, introduce a todos sus secuaces: el Temor, la Sospecha, la Curiosidad, la Desesperación, ministros todos de los Celos. Las figuras no hablan. Esas personificaciones «feas y tristes» no logran amedrentar al caballero, y Merlín deja oír su voz para decirle a Malgesí que nada ha conseguido con sus encantos. Todo este aparato desaparece, Malgesí se retira y entra Venus en un carro de fuego, tirado por leones. (2b) Ha tenido que abandonar a Adonis para acudir en socorro del enamorado, ya que Merlín, a pesar de su saber, no ha conseguido auxiliarle. Venus llama a Cupido, quien llega vestido, sin venda, y con el arco desarmado. Ayuda a Reinaldos, a quien le dice que bebiendo en la fuente de la selva, su amor se tornará en desdén, pero que esto no acontecerá hasta que haya pasado por una serie de aventuras, que no quiere revelar. Reinaldos se retira, y Venus pregunta:

> ¿No me dirás, hijo amado,
> si es invención de provecho
> andar en traje no usado,
> y el arco roto y deshecho?

Se ha vestido, contesta Cupido, porque en la Corte el Interés le ha usurpado su reino, y no tiene más remedio que usar como armas el dinero, haciendo del carcaj bolsón.

(3) Al entrar Rústico, se cambia de estrofa, redondillas. (3a) El amante de Clori llama a los otros pastores para

que vean esa extraña aparición y le digan si es otro papagayo: así se enlaza la presencia de Cupido con la escena de la burla, y, al mismo tiempo, se mantiene el tema 'Interés y Amor'. Venus se alegra con la llegada de los pastores, esperando de ellos que les proporcionen un buen rato. Los pastores la quieren adorar, pero el Amor lo impide, diciéndoles la suerte que les espera: Lauso no será ni desechado ni admitido; Corinto olvidará; Rústico mientras tenga dinero triunfará; Clori mudará continuamente; Angélica suplicará a quien le ruega. Los pastores cantan, y mientras tanto se va el carro de Venus, y Cupido en él. Los pastores también se retiran, cantando:

> Venga norabuena
> Cupido a nuestras selvas,
> norabuena venga.
> Sea bien venido
> médico tan grave,
> que así curar sabe
> de desdén y olvido;
> hémosle entendido,
> y lo que él ordena,
> sea norabuena.
> Quedan estas peñas
> ricas de ventura,
> pues tanta hermosura
> hoy en ella enseñas.
> Brotarán sus breñas
> néctar dondequiera.
> ¡Norabuena sea!

Esta escena de pastores ha tomado, conservando el aire mitológico, una forma de Representación de Navidad. Siendo Cervantes capaz de unir las dos corrientes literarias de pastores, la antigua y la cristiana; el aire de esta última se debe no sólo a la 'adoración' y al 'villancico', sino a su comicidad.

ENSIMISMAMIENTO DEL AMOR: LOCURA

(4) Continúan las redondillas. (4a) Entra Bernardo con su escudero. Esto nos lleva a la primera jornada. Bernardo le dice al vizcaíno que Marfisa quiere desafiar a solas a los doce Pares de Francia, y él piensa acompañarla. Pregunta qué ha sido de Ferraguto, el escudero le cuenta que después de matar a Argalia se marchó. El diálogo prosigue: ¿Qué se ha hecho de Roldán? El paladín francés aparece: «¡Qué pensativo que viene!» Su corazón lleno de Angélica. Ni sabe quién es, ni reconoce, ni tiene vagar para otra cosa que su amor. *Angélica aparece y desaparece.* Bernardo se asombra de las aventuras que tienen lugar en esa selva, y en medio de su asombro se presenta la Mala Fama (4b), de cabellera negra y alas negras, vestida de una tunicela negra, con una trompeta negra en la mano. En octavas, y poniendo como ejemplos a Hércules, Salomón y Antonio, le dice a Roldán que no caiga en infamia. (4c) Redondillas. Roldán está dispuesto a dejar de amar e inmediatamente reconoce a Bernardo; el caballero español afirma que por amor nadie se deshonra. Roldán se cree curado, cuando entra Marfisa, le reconoce y quiere desafiarle. Roldán que se creía curado, vuelve a pensar en Angélica. (4d) Repentina *aparición y desaparición de Angélica.* Sale la Buena Fama vestida de blanco, corona en la cabeza, alas de colores, y la trompeta. Octavas. Ya que la infamia no ha conseguido desviarle de su camino, la Buena Fama le pone ejemplos de guerreros que supieron vencer el amor. Al desaparecer, Roldán siente no haber destruído una y otra aparición, él sabe que todo es obra de Malgesí. Marfisa se admira. Y mientras, la dama con el español, se marchan a París, hablando de tanto prodigio como han presenciado, Roldán se aleja enamorado.

La jornada llega al final con un verso de romance, que le da al amor caballeresco, gracias a la aliteración entre el adjetivo y el verbo, una suave y graciosa melancolía, consiguiendo encerrar en una actitud ese efecto de horizonte perdido en que se hunde el corazón atormentado:

¡Pensativo iba Roldán!

LA ACCIÓN EN LA SEGUNDA JORNADA

En la jornada segunda nunca hemos visto a los dos caballeros juntos. La separación física expresa su diferente dirección mental y sentimental. Reinaldos vive rodeado de todas las torturas del amor, Roldán ensimismado. Los pastores acompañan estos dos estados con su gracioso diálogo, que sirve de intermedio entre la primera jornada y la segunda; y después, como coro a Venus y Cupido, se interponen entre los dos caballeros. Los pastores integran las figuras bucólicas con las de Nacimiento. La primera jornada nos ha presentado a los caballeros exponiéndose por el amor a todos los peligros; y en la segunda les vemos sufriendo todos los hechizos de la pasión: desesperación, locura. A ese sufrimiento caballeresco le acompaña la queja pastoril. Los encantos dan al amor caballeresco una nota profunda de irracionalidad esencial, mientras que las burlas de los pastores, al transportar de clave el amor, disponen la acción para un análisis del sentimiento y de las fuerzas sociales: Cupido en su profecía va exponiendo la condición del hombre: olvido, mudanza, indecisión o indiferencia, tener que suplicar al que antes se rogaba; y la cualidad del dinero, cuya gran fuerza y poder termina cuando acaba la riqueza.

PASTORES Y CABALLEROS SE ANUDAN POR MEDIO DE DOS SONETOS. LA HERMOSURA Y LA ESPERANZA

Jornada III. (1) Con un soneto en boca del pastor Lauso empieza la jornada. Es el mismo soneto de *El curioso impertinente,* y se impone una breve digresión, pues los editores de la comedia, señores Schevill y Bonilla, fijándose en las variantes, creen poder pensar que la obra dramática es anterior a 1605. Las variantes son dos. En la comedia se lee «al tiempo,» verso quinto, y «gemidos,» verso séptimo, que en la novela se sustituyen por «el tiempo» y «suspiros.» La segunda variante (suspiros) mejora el soneto. En esto se fundan los editores para considerar la comedia anterior a 1605. Siempre podremos preguntarnos, sin embargo, por qué Cervantes no corrigió el soneto al publicar la comedia en 1615. No parece probable que Cervantes quisiera conservar las dos redacciones diferentes; además si la segunda variante (suspiros) mejora el texto, la primera lo empeora. Entonces cabe suponer que «gemidos» es una errata de la comedia, como «el tiempo» lo es de la novela. Los editores modernos del *Quijote* prefieren «al tiempo.» No sé fechar la comedia, y el argumento de las variantes no nos ayuda.

(1a) El recitar un soneto da al comienzo de la jornada última un gran reposo, que dura únicamente catorce versos, porque en seguida se anima con el diálogo en redondillas (Lauso y Corinto) y la entrada de Clori acompañada de Rústico y Angélica en traje de pastora. Clori canta, alabando el interés en el amor; Lauso responde cantando que la firmeza y constancia en el amante superan a toda riqueza. Corinto le hace una segunda burla a Rústico. Angélica está en escena para adornarla con su hermosura y para unirse por medio de su vestido a los pastores. El grupo de figuras bucólicas pone un bello motivo decorativo a la acción con sus canciones y burlas, mientras tanto Angélica, al huir ante la llegada de Reinaldos, da a la pasión amorosa toda su fuga—ese anhelo de la busca incesante. Con Angélica se van todos, menos Corinto, quien se queda acompañando a Reinaldos.

(1b) Lauso, el pastor, empezaba la jornada con su soneto: «En el silencio de la noche, cuando...» Ahora, Reinaldos, el caballero, dice otro soneto—«O le falta al amor conocimiento, / o le sobra crueldad, o no es mi pena /

igual a la ocasión que me condena / al género más duro
de tormento.»—también publicado en el *Quijote* de 1605.
Acabamos de ver cómo Angélica se une a los personajes
pastoriles; con los dos sonetos se anudan las dos clases
de figuras, las dos acciones, la bucólica y la caballeresca.
Esta integración de los dos elementos de la comedia resalta aún más, porque Reinaldos le pregunta a Corinto,
inmediatamente después de decir el soneto, si ha visto a
su amada, y entonces la describe (en seis redondillas y
media) según la tradición literaria:

>   ¿Has visto unos ojos bellos
> que dos estrellas semejan,
> y unos cabellos que dejan,
> por ser oro, ser cabellos?
> ¿Has visto, a dicha, una frente
> como espaciosa ribera,
> y una hilera y otra hilera
> de ricas perlas de Oriente?

En posición paralela, contesta Corinto, de un modo paródico:

>   ¿Tiene, por dicha, señor,
> ombligo aquesa quimera,
> o pies de barro, como era
> la de aquel rey Donosor?
> Porque, a decirte verdad,
> no he visto en estas montañas
> cosas tan ricas y extrañas
> y de tanta calidad.
> Y fuera muy fácil cosa,
> si ellas por aquí anduvieran,
> por invisibles que fueran,
> verlas mi vista curiosa.
> Que una espaciosa ribera,
> dos estrellas y un tesoro
> de cabellos, que son oro,
> ¿dónde esconderse pudiera?

El parlamento de Corinto también tiene veintiséis versos,
y la escena está encuadrada por dos versos que dice el pas-

tor al comenzar: «¡Ta, ta! De amor viene herido; / bien tenemos que hacer;» y otros dos al terminar: «De mis donaires y burlas / siempre tales premios saco.»

Dos sonetos, paralelismo, encuadramiento, pero todavía hay más. La intención paródica no agota el contenido de esta escena, pues la parodia lo que quiere es hacer resaltar el contraste, de larga tradición literaria, pero tan característico del Barroco, entre la figura cortés y la plebeya. La actitud amorosa del caballero indicada por el pastor sirve de introducción a la visión noble de la belleza, y el reflejo paródico en el plebeyo termina con los palos recibidos por la burla.

Si fuera lícito expresarse así, diríamos que hay un exceso de composición y que se comprende, que con el paso de las generaciones, el poeta se sintiera cohibido ante tanto rigor formal y deseara una mayor libertad; lo sorprendente es que la tradición se haya perdido hasta el punto de que la crítica literaria llegara a no ver ninguna composición en el arte barroco en general, y en particular en el teatro de Cervantes.

Al propinarle Reinaldos unos golpes a Corinto, suena la voz de Angélica (1c), en versos sueltos, pidiendo socorro. Dos sátiros la traen, estrangulándola con un cordel. Al acudir en su ayuda, Reinaldos no puede moverse, y recobra la libertad, cuando Angélica ha muerto. (1d) Redondillas. Es el entierro de la amada, que, según la tradición literaria, va a terminar con el suicidio del amante, pero entonces sale Malgesí, quien dice a Reinaldos que todo ha sido un encanto para ver si desistía de su amor al perder toda esperanza. En realidad, pues, la muerte de Angélica en el encanto significaba la muerte de la esperanza:

> Para volverte en tu ser
> hize aquesta semejanza:
> que el amor sin esperanza
> no suele permanecer.

Al ver que la desesperación de Reinaldos le lleva a amar más allá de la muerte, más allá de la esperanza, promete entregarle a Angélica.

EL PAPEL ÉPICO DE CASTILLA.
LA LOCURA DE AUSENCIA

(2) Otra vez la escena en el palacio de Carlomagno como al comienzo de la comedia. (2a) Redondillas. Oyen una trompeta, y Carlomagno se pregunta si será una nueva desventura, lamentándose de no haber creído a Malgesí, cuando le advirtió los designios de Angélica. Galalón no sabe lo que es, pero llega un paje anunciando la venida de dos caballeros, los cuales entran. Son Marfisa y Bernardo a caballo. Comprenden que es un desafío, y Carlomagno lamenta la ausencia de Roldán. (2b) Romance *a-e*. Marfisa desafía a los doce Pares a combate singular (recuérdese que este fué el motivo de la embajada de Angélica) y les da cita en el padrón de Merlín. Al retirarse, Galalón pide permiso para acudir al encuentro, lo cual le es concedido.

(3) De nuevo la selva. (3a) En octavas. Roldán luchando con Ferraguto, a quien recrimina por haber matado al hermano de Angélica. Esta aparece acompañada de un sátiro. Todo se desvanece. Ha sido de nuevo un encanto de Malgesí. Reinaldos era el amante desesperado, la muerte de la esperanza tenía que llevarle al suicidio. Roldán era el loco, le vemos padeciendo su locura en el infierno de la ausencia. Dirigiéndose a Malgesí, exclama:

> Mas dime: ¿de qué sirven tantas pruebas
> para ver que estoy loco y que me pierdo...?

Añadiendo, luego:

> Llévame, primo, en presuroso vuelo
> deste infierno de ausencia a ver mi cielo.

Estamos en la última jornada. Del elemento pastoril se dispuso ya en la segunda jornada, haciéndole cristalizar en la forma de un análisis del sentimiento y de las fuerzas sociales. Reinaldos y Roldán quedan fijados como dos aspectos del amor noble: sin esperanza y sin la presencia de la amada. La comedia para poder llegar al desenlace se va a ocupar del elemento épico.

(3b) La escena junto al padrón de Merlín. Redondillas. Marfisa y Bernardo. Acude Galalón al desafío, que se convierte en una escena muy graciosa a costa del paladín cobarde y traidor, vencido al estrecharle Marfisa la mano. Bernardo dice, comentando el juego escénico:

> ¿Un famoso paladín
> ansí se ha de estar quejando,
> porque le dé una donzella
> la mano por gran favor?

Y versos después:

> ¡Oh desdichado francés!

Los sátiros que se llevan arrastrando a Galalón, han traído un cartel con el resultado del combate: «Estar tan limpio y terso aqueste acero, / con la entereza que por todo alcanza, / nos dice que es, y es dicho verdadero, / del señor de la casa de Maganza.» Marfisa y Bernardo se duermen.

Sin tratar de utilizarla para fechar la comedia, conviene repetir la observación anterior: estos sátiros, este cartel, el movimiento de la fantasía, todo recuerda algunas burlas del *Quijote* de 1615; por ejemplo, la venida de Clavileño. De la misma manera, el lector habrá recordado en el conflicto entre el amor y el interés, las bodas de Camacho y también algún episodio de *Persiles*. Así captamos algunos de los temas que ocupan constantemente la imaginación de Cervantes.

A Bernardo dormido, en la primera jornada, le despierta el espíritu de Merlín, quien le dice que su puesto está en España. Ahora, (3c), aparece Castilla (estrofas formadas por 13 versos de 7 y 11 sílabas) para dejar plasmado el sentido antifrancés de Bernardo en la épica. El rey de Castilla, temiendo que a su muerte el reino caerá en manos de los moros, quiere entregarlo a Francia. Bernardo debe impedirlo. Como se ve, apoyándose en la historia, tratan en el Barroco—siguiendo la concepción del Gótico—de fundamentar la personalidad de Castilla, que ha sido capaz de llevar de frente la guerra contra el moro sin rendir vasallaje a los cristianos. A eso se debe el que Castilla se forjara su puesto como cabeza de España, gracias a la decisión y claridad de visión y de sentimiento políticos de una minoría aristocrática, es decir, creadora. Todo gran país es la obra de una minoría creadora, minoría aristocrática que Castilla ha tenido, que es la que ha dado ser a Castilla. Por eso, Fernán González tiene que luchar al mismo tiempo y sin tregua contra moros y cristianos—navarros y condes del otro lado de los Pirineos. Tiene que hacerlo, como es natural, contra la voluntad de sus vasallos que no están y no pueden estar (por eso son vasallos) a su nivel. Fernán González para batallar y vencer, para forjar a Castilla, tiene una vez y otra que convencer a sus hombres, sin desdeñarlos, de que sólo el esfuerzo es lo digno de ser tenido en cuenta. Los vasallos de Fernán González están agotados, piden un momento de reposo, temen morir (su destino de vasallos es temer morir), pero el Conde contesta con el verso de los héroes, de los creadores:

> Non cuentan d'Alexandre las noches nin los días,
> cuentan sus buenos fechos e sus cavalleryas.

Es la teoría general en la Edad Media, y en esta teoría se formaron los héroes que crearon a Castilla, dándole una realidad geográfica, espiritual y política. En la época de los Felipes todo español tiene una idea clara de este concepto, compartido con el resto de Europa.

En Bernardo del Carpio converge todo el espíritu épico de esta acción heroico-bucólica. Estos motivos caballerescos y pastoriles del Renacimiento se llenan, como lo exige el Barroco, de sentido histórico. Cervantes deja situados a los dos paladines franceses en la zona poético-amorosa, y trasvasa a una figura española todo el sentido épico-histórico de la comedia. En el Barroco el sentimiento religioso del Gótico tiene esta forma histórico-nacional. Castilla le dice a Bernardo:

> Ven, y con tu presencia
> infundirás un nuevo
> corazón en los pechos desmayados;
> curarás la dolencia
> del rey, que, ciego al cebo
> de pensamientos en temor fundados,
> sigue vanos cuidados,
> tan en deshonra mía,
> que, si tú no me acorres,
> y luego me socorres,
> huiré la luz del sol, huiré del día,
> y en noche eterna obscura
> lloraré sin cesar mi desventura.

«Entrase Castilla con Bernardo por lo hueco del teatro.» Esta manera de hacer mutis tiene un significado espiritual. El «hueco del teatro» no es sólo una tramoya, es la boca del «oculto camino / del centro de la tierra,» por donde Castilla se lleva a Bernardo. Nos transmite toda la fuerza oscura del impulso interior, sentimiento que el lector y el actor moderno formados en el ambiente actual de psicoanálisis, con las teorías sobre el subconsciente, etc., pueden captar fácilmente, aunque corren el gran peligro de dar a ese sentimiento de la vida interior una calidad actual completamente ajena al Barroco.

Marfisa despierta, ve llegar a los pastores y echa de menos a Bernardo, entonces se retira, diciendo que va al campo de Agramante.

EL DESENLACE: LA HERMOSURA COMO PREMIO

(4) Redondillas. (4a) Sale Angélica con Corinto dispuesta a escaparse, y el pastor a acompañarla. La presen-

cia de Reinaldos todo lo cambia; el pastor huye, y Angélica, aunque se cubre el rostro, al ser reconocida por Reinaldos, huye también, pero para dar en los brazos de Roldán. Los dos paladines se increpan, ella quiere que la dividan en dos mitades y se la repartan. Una nube se los lleva a todos. (4b) Sale Carlomagno, Galalón miente, Malgesí no le deja terminar sus embustes. Se retira el mal paladín, y Malgesí invita al Emperador a que vea a Roldán y a Reinaldos tratando de retener a Angélica. (4c) Octavas. Un ángel viene volando y anuncia al Emperador sus próximas luchas con los moros: perderá la primera batalla, pero será el vencedor. La aparición del ángel hace juego con la de Castilla. (4d) La comedia acaba en redondillas, dirimiendo el Emperador la contienda entre sus dos caballeros. La hermosura de Angélica será para el que haga más hazañas en la guerra que se avecina. Los dos aceptan el dictamen de Carlomagno. «Despedazaré a Agramante,» afirma Roldán, y Reinaldos: «¡Por mía cuento esta diosa!» Los últimos versos dicen:

> Cuando con victoria vuelvas,
> crecerá tu gusto y fama,
> que por ahora nos llama
> fin suspenso a nuestras *selvas*.

Si antes se indicó que la vida interior tenía una calidad en nuestra época y otra en el Barroco, ahora conviene notar que este «fin suspenso» no tiene nada de la vaga lejanía nostálgica y lírica del Impresionismo. La acción —la contienda entre los dos paladines—termina por completo, lo que queda en suspenso es el premio a sus hazañas futuras en una acción segunda. Futureidad, cuya precisión hay que relacionarla con la del Juicio Final.

SENTIDO Y FORMA DE LA COMEDIA

En la jornada primera, junto al amor que nace de la hermosura, el cual se interpone, dando lugar a los celos, entre la amistad de dos caballeros, tan estrecha que ni la pobreza la pudo romper, se introducía el elemento épico-histórico—Bernardo; en la jornada segunda se presenta el elemento pastoril. En la tercera jornada se integran pastores y caballeros; se diversifica el elemento épico-caballeresco; se nos hace penetrar en la última consecuencia de la desesperación amorosa; se nos muestra lo que es la locura de amor: vivir sin la presencia de la amada, y se conduce la acción hacia su desenlace: la hermosura como premio al valor y las hazañas.

La materia carolingia tal como la elaboró el Renacimiento italiano sirve de base a la comedia, los estudios acerca del teatro cervantino lo advierten inmediatamente, refiriéndose, si no me equivoco, a las figuras y anécdotas. Lo que creo importante señalar, empero, es que Cervantes parte del mundo imaginario renacentista precisamente para llegar al mundo poético barroco.

El sentido de la obra parece que por más que ha sido buscado no se encuentra. Después de la descripción que acabo de hacer, acaso quede claro; sin embargo, me voy a permitir insistir, para ver si logramos librarla del calificativo de disparate con el que ha sido tildada frecuentemente, y sobre todo con la esperanza de restituirla a una lectura gozosa e inteligente—gozo que hasta ahora apenas si se reservaba para alguna de las escenas de pastores, cuyo encanto poético innegable no sé por qué era llamado realista.

El título de la comedia debe relacionarse con el romance de Cervantes, «La morada de los celos.» En esta poesía, un pastor le cuenta a otro la maravilla de una cueva espantosa, en cuya entrada hay un cartel: «Esta es la morada / de los celos y sospechas.» Al terminar la narración, el que oye, le dice:

> Pastor, para que te crea
> no has menester juramentos,
> ni hacer la vista experiencia.

> Un vivo traslado es ese
> de lo que mi pecho encierra,
> el cual, como en cueva escura,
> no tiene luz, ni la espera.

Hace una descripción de su pecho parafraseando los horrores que de la cueva ha contado su amigo, y termina:

> Los celos son los que habitan
> en esta morada estrecha.

La «casa» de los celos es el pecho del hombre, según metáfora corriente. Así nos explicamos la primera mitad del título. Las «selvas de Ardenia»—lugar de encantamientos—es la expresión del hechizo, de la fuerza mágica, del poder del amor.

Utiliza Cervantes las dos clases de figuras de la tradición literaria, confiándolas distintos motivos.

Caballeros: Pobreza-amistad. Hermosura-amor-celos. Desesperación-locura. Sin esperanza-suicidio. Sin la presencia de la amada-locura. El contenido de la épica se presenta desdoblado: de un lado, el poético-amoroso; de otro, el heroico-histórico.

Pastores: Interés y amor. El amor moderno. El corazón humano en la sociedad. Las fuerzas sociales. Con los caballeros se desdoblaba, aclarándolo históricamente, el contenido de la épica; los pastores recogen ambas tradiciones: la greco-latina y la cristiana.

Cervantes coloca a sus figuras en un plano fuera de la realidad. No quiere que aparezcan poetizadas como en el plano imaginario renacentista, sino como entes poéticos.

La estructura de la obra queda ya estudiada, hay que añadir tan sólo, que el Emperador encuadra la acción, compensándose la presencia de esta figura con la de Bernardo, lo mismo que el ángel hace juego con Castilla.

El teatro de Cervantes coincide con el de Lope, pero temporalmente le precede. La acción múltiple de Cervantes queda encerrada en una unidad de ritmo cuya característica es la rigidez. Lope dará al ritmo un movimiento flúido, y en el último Barroco, cuando se vuelva a la rigidez, ésta tendrá una calidad abstracta y mental. Lo mismo acontece con el lugar. El 'Palacio'—el pecho donde habitan los celos—encuadra la acción, pero en la tercera jornada, Cervantes lo entrelaza con la selva, en busca de la intensidad dramática que mantenga el desenlace en constante actividad. Lope y su época se desentenderán de esa arquitectura topográfica. Calderón, en cambio, someterá la acción al lugar, en busca de la belleza abstracta, algebraica. Lo mismo ocurre con la vida interior. Lope entrega el lugar a la palabra—no una palabra descriptiva, sino dramática—y la vida interior también. Cervantes se la confía a las figuras, como hará Calderón. Las figuras morales de Cervantes—las Torturas del amor, la Buena y la Mala Fama—sin embargo, no tienen calidad de abstracciones, son como exteriorizaciones plástico-pictóricas. Se nota muy bien en la escena de Reinaldos (J. III, 1c y 1d), en la que Angélica muerta representa la pérdida de la esperanza, pero se nota aún mejor en la J. II, 4, cuando Roldán, entre la Mala y la Buena Fama, se cree curado de su amor, y aparece y desaparece Angélica, relampagueante aparición que hace visible el pensamiento de Roldán.

No trato de 'defender' a Cervantes: es innecesario; ni tampoco de considerar su arte dramático como el de un primitivo barroco: hoy ya sabemos que no hay progreso en el arte y por lo tanto no hay primitivos. Lo que intento es explicarme los distintos momentos de la Comedia en el Barroco, para no confundir sus calidades y para poder apreciar sus valores diferentes; por eso he advertido también que no se debía interpretar la vida interior con una sensibilidad moderna.

La forma de *La casa de los celos y selvas de Ardenia* quedará aún más clara, si la clasificamos en el género al cual en mi opinión pertenece, el de las églogas o comedias caballeresco-pastoriles.

COMEDIA FAMOSA
DE LOS BAÑOS DE ARGEL

Es una comedia sobre los tratos de Argel. El tema es semejante al de la primera obra de Cervantes, e incluso algunos episodios: cautiverio de niños, amantes cristianos y cruce de parejas, peligros de la huída, crueldades. Pero así como *Los tratos de Argel* había que relacionarla con *El amante liberal*, *Los baños*, aunque tiene unos versos que se encuentran también en esa novela ejemplar, está unida a la historia de «El capitán cautivo,» y no a causa de la gran coincidencia episódica—la mora Zara quiere ser cristiana y libera al caballero don Lope—, sino por el espíritu que anima las dos obras. Tanto en la comedia como en la narración del *Quijote* de 1605, la vida trágica y dolorosa tiene una constante alegría que no se desborda nunca. La grandiosa arquitectura de *Los tratos* está sostenida por la armazón de sus dos temas, el espiritual y el político, que mantienen en alto el espacio inmenso de la caridad, caridad para consigo mismo—salvar su alma—, caridad para los cautivos de Argel—sacarles del cautiverio. En *Los baños* no tenemos esa portentosa construcción. Nada de las estrecheces de una cárcel, la ciudad toda es una prisión; nada de la fuerza paralizante de la tentación. Además la comedia empieza en España, en una playa, con el barullo, la confusión y la sorpresa de un ataque nocturno. En *Los baños* hay un sacristán chistoso como en *El gallardo* había un soldado pedigüeño y comilón, pero la alegría de la obra no deriva de la acción cómica, al contrario es la acción cómica la que recibe su nota alegre del espíritu de la obra; lo mismo ocurre con la acción trágica, que no infunde a la obra un aire de tragedia, sino que toda ella está envuelta en una luz pura e íntimo contento.

Así es el cristianismo, pecado, pasión, sacrificio que inventan el perdón, la resurrección, la salvación. La alegría de *Los baños* como la de «El capitán cautivo» está expresando ese iluminarse del alma. En la noche histórica del mundo pagano alumbra un corazón, en la cárcel del mundo se celebra el nacimiento verdadero, y en los baños de Argel, los cautivos, en ligada comunidad, cantan la alegría del nuevo sábado, del domingo de Resurrección.

Cervantes maneja dos acciones: la vida de los cautivos cristianos, la vida de la mora Zara, y las presenta en un máximo fraccionamiento, que, es claro, nada tiene de común con el fragmentarismo impresionista o la disociación del mundo del siglo XX. Es un fraccionamiento con el cual se abarca la multiplicidad y diversidad de la vida, no porque se representen momentos esenciales en sí mismos, sino porque se les llena de esencialidad. Por eso su rapidez nada tiene de momentáneo o alusivo y sugeridor, ni tampoco produce el efecto de angustiosa desorientación. El instante tiene sentido gracias a la eternidad; la digresión de la vida tiene sentido en la mente del Creador. El sucederse rápido y episódico nos pone ante la presencia de una alegría aparente, de un dolor verdadero, que nos conducen a la salvación, a la libertad.

LOS CORSARIOS EN ESPAÑA

Jornada I. (1) El escenario está dividido en dos partes, una de ellas es la muralla de la ciudad. (1a) Tercetos. Moros argelinos, guiados por el renegado Izuf, que es de la tierra, llegan a una playa española y sorprenden las atalayas. (1b) Cuatro estrofas de cuatro versos de 7 y 11 sílabas. Un viejo en la muralla da la voz de alarma y se dispone a salvar a sus hijos. Aunque su posición es exactamente la contraria de Eneas se compara al héroe—«cual un cristiano Eneas»—, pues, como ocurre frecuentemente en el Barroco, basta la situación—salvar de un incendio a personas amadas—para que surja la comparación. (1c) Cuatro redondillas. Sale a la muralla un sacristán, da la alarma. (1d) Octavas. De nuevo los moros, en seguida el viejo padre con los niños; los hacen cautivos; se van. Sale el sacristán, le hacen cautivo, se va. Salen moros cargados de despojos. Un moro lleva a una joven, Constanza, que sale medio desnuda. Se van todos. (2) Siguen las octavas. (2a) Uno en la muralla dispone la persecución; entra en la parte baja del escenario un arcabucero; llega un capitán doliéndose de su tardanza. Aparece en la muralla don Fernando:

> Puntas de cristal claro, y no de almenas,
> murallas de bruñido y rico argento
> que guardastes un tiempo mi esperanza,
> ¿dónde hallaré, decidme, a mi Constanza?

La visión de Fernando es la del Barroco, mucho más próxima a la de Herrera o la de Góngora que a la de Garcilaso, aunque el estilo no sea herreriano ni gongorino. La luminosidad de estos versos no tiene ningún soporte realista, ya que el sol no ha salido todavía. El capitán va en auxilio de su hermano Fernando, pero éste decide ir tras los moros para rescatar a Constanza. Cuando el capitán llega a la muralla, ya se aleja don Fernando por los riscos. Se van todos, (2b) estrofas de trece versos de 7 y 11 sílabas con rima. «Sale don Fernando, y va subiendo por un risco.» Con rica expresión metafórica, llena de luz y color, se dirige al barco corsario en lontananza. Retórico monólogo, ya que los del barco, aunque no está lejos, no pueden oírle: «Locuras digo; mas, pues no merezco / alcanzar esta palma, / llevad mi cuerpo, pues lleváis mi alma.» Son los versos con que termina don Fernando. La acotación dice: «Arrójase del risco.» Se echa al agua para que le hagan cautivo.

Estos dos núcleos, envueltos en la oscuridad de la noche, tienen, junto al movimiento rápido del ataque y la persecución, el ritmo entrecortado de la entrada y salida de los distintos personajes: padre con dos niños, sacristán, Constanza, en el primero; en el segundo, don Fernando, que aparece y desaparece en distintos planos del tablado. Este movimiento caleidoscópico, según calificativo de un crítico con referencia al teatro barroco inglés, expresa la sorpresa del ataque, al mismo tiempo se utiliza para destacar a algunos de los personajes nodales de la acción. Los dos propósitos son esenciales, aunque el autor a partir de este momento lo utilice únicamente con la segunda intención. El resto del acto, dos terceras partes, está escrito en quintillas dobles.

LOS CAUTIVOS EN ARGEL

(3) Una prisión de Argel. Temprano por la mañana. De la oscuridad pasamos a la luz; de la dramática escena en que se pierde la libertad pasamos a la vida del cautiverio. (3a) Un guardián del baño hace salir a los cautivos, a todos, enfermos y sanos, sacerdotes y caballeros, al trabajo. Otro cautivo con papel y tinta va llevando la cuenta. Es un desfile precipitado y lento al mismo tiempo. Uno para la leña, otro para la marina, treinta al burche (ciuda-

dela), sesenta a la muralla, veinte al horno... El baño se vacía; cuando todos se han ido, salen (3b) dos caballeros cautivos, don Lope y Vivanco, que no han sido llamados al trabajo, e inmediatamente vuelve a aparecer el guardián persiguiendo a un cautivo enfermo. Entre quejas y palos se marchan, y los dos caballeros ven asomar por una celosía una caña con un bulto. No es para Vivanco, sino para don Lope; en el bulto hay once escudos. Apenas han hecho unas reverencias en dirección a la ventana, mostrando su reconocimiento, cuando entra un renegado, Hazén. Quiere que firmen un documento que certifique su buena conducta para con los cristianos, pues piensa aprovechar la primera ocasión que tenga de volverse a España y a su religión. Hazén les informa de quién vive en la casa de la celosía: un moro riquísimo con su hija de gran belleza; una cristiana cautiva la crió, aspira a su mano un rey moro. Al marcharse Hazén, vuelve a asomar la caña, esta vez con un bulto y un billete. Cuentan el dinero y leen la carta, cuando llega el guardián con un desorejado. Se retiran los caballeros. La caña portadora de la libertad—comienzo de la nueva acción—y el renegado que se arrepiente están unidos y son la parte central de la jornada. (3c) El desorejado es un español que, a pesar de todas las torturas, se escapa una y otra vez. Con los españoles es inútil, lo mejor es ponerles en libertad cuanto antes. Un cautivo viene, anunciando la llegada de Cauralí al puerto. Cauralí es el argelino que ha entrado a saco el pueblo español. Se marchan todos, y vuelven (3d) a salir don Lope y Vivanco, leyendo en voz alta el billete de la mora: es cristiana, quiere que la lleven a España y si don Lope lo desea se casará con él. Hazén vuelve: no puede esperar más, desea tener en su poder el documento que certifique su intención. Le preguntan si es verdad que ha llegado Cauralí, y al contestar que sí, añade que desea verse con el renegado Izuf para reprocharle su conducta inhumana: no le basta haber renegado, sino que va contra su misma sangre, vendiéndola (Judas). Al irse Hazén, los dos caballeros temen que se comprometa, y don Lope piensa en escribir a «esta estrella que miramos».

En este tercer núcleo, tenemos rodeada de miseria—trabajo forzado, enfermedad, torturas—la aventura de don Lope, a quien se le aparece la caña como nueva estrella que le conduce a la libertad. Don Lope está acompañado de Vivanco, y en los dos momentos de su actuación llega Hazén, el renegado que se arrepiente, en oposición a Izuf: arrepentimiento de Hazén, cristianismo de una mora.

DOS RENEGADOS: EL QUE VENDE SU PROPIA SANGRE Y EL QUE BUSCA EL MARTIRIO

(4) Para terminar la jornada volvemos a la playa, pero ahora es la de Argel, a donde el Bajá, el Cadí y otros moros salen a recibir a Cauralí y a Izuf. Desembarcan los cautivos que conocemos y además otro, que sirve para que se observe:

> ¡Oh cristiano poco experto!
> No te sacará el dinero
> desta tormenta a buen puerto.
> El que es oficial, no espere,
> mientras que vida tuviere,
> verse libre destas manos.

Testimonio de Cervantes que parece contradecir la general opinión de los historiadores acerca de la superioridad en número y calidad del artesanado moro. La opinión de Cervantes tiene valor por ser suya, pero además hay que tener en cuenta que la superioridad medieval—de la alta Edad Media—del mundo árabe ha terminado por completo en el mundo moderno y ha pasado a los cristianos.

El sacristán dice unas gracias y en seguida se le designa como «hombre de placer» y «bufón.» Al salir los niños, se vuelve a aludir a la homosexualidad; y también se tiene un gran interés en mostrar que los moros engañan al Bajá, pues Cauralí oculta a Constanza. Cauralí ha sido recibido como si fuera un gran capitán, pero este engaño le descalífica y además hace que la religión y el estado árabes—el Bajá y el Cadí por lo primero que se interesan es por los chicos guapos—no inspiren ningún respeto. Cuando la reina Isabel recibe en triunfo a otro corsario—*La española-inglesa*—el estado inglés no produce un efecto cómico, al contrario, se siente la fuerza de un espíritu emprendedor.

(4b) Se retira el Bajá y todos se marchan, menos Hazén e Izuf. Hazén le afea su conducta y le mata. El Cadí vuelve, le prenden y ordena su muerte.

> ¡Buen Dios, perdona el exceso
> de haber faltado en la fe,
> pues, al cerrar del proceso,
> si en público te negué,
> en público te confieso!

Siempre el paradigma de Pedro, su inspirador ejemplo. No basta con ser cristiano en su corazón, es necesario confesarlo públicamente. Y como es natural eso se aplica no sólo a los que viven en tierra de moros, sino a los que están entre protestantes.

Al palo del suplicio, Hazén opone el palo de la cruz. Junto a esas asociaciones verbales—«Por tal palo, palio espero»—, tan dentro de la tradición cristiana, y la exposición clara de la doctrina, tenemos la justificación del dolor y la crueldad en la tierra:

> No le mudes la intención;
> buen Jesús, confirma en él
> su intento y mi petición,
> que en ser el Cadí cruel
> consiste mi salvación.

El Cadí se admira de esta conducta, nada extraña tratándose de un español.

Los cuatro núcleos de esta jornada tienen lugar en dos países (España y Argelia) y en tres sitios diferentes. Los dos primeros en la playa española, el tercero en el baño de Argel, el último en la playa argelina. De una playa a otra, pasamos de la pérdida de la libertad a la liberación de la confesión, del sacrificio, del martirio; y como dos polos, se oponen los dos renegados (las dos direcciones de sus vidas), el que vende a su propia sangre (Judas) y el que confiesa la sangre de Cristo (Pedro). Entre estos dos destinos, toda la corriente turbia del dolor de la vida que sirve de fondo a la alegre aventura de don Lope. Este episodio con sus cautivos está encuadrado entre las dos playas. Es profundamente significativo: la alegría en el dolor. Además, como el episodio de don Lope es largo, el encuadramiento es un procedimiento dramático: el retorno a la presencia en la última playa de los personajes con quienes ha comenzado la jornada. Así podrá continuar la acción sin que el espectador se sienta perdido, y para que el interés se mantenga vivo, el único personaje que no reaparece—Constanza—es el que da comienzo a la jornada segunda.

Como ocurre siempre con la comedia de este período del Barroco, notamos el valor extraordinario otorgado a la composición. El autor se complace en tejer la intriga más complicada y mantenerla dentro de un absoluto rigor formal. Hazén al matar a Izuf nos da a conocer la arquitectura mental de la obra:

> Dejo aparte que no tengas
> ley con quien tu alma avengas,
> ni la de *gracia* ni *escrita*,
> ni en iglesia ni en *mezquita*
> a encomendarte a Dios vengas.
> Con todo, de tu fiereza
> no pudiera imaginar
> cosa de tanta extrañeza
> como es venirte a faltar
> la ley de *naturaleza*.

Vemos las tres leyes—cristiana, judaica, islámica—y la ley natural, es decir, el proceso histórico del hombre como ser religioso. Las palabras de Hazén nos servirán de guía, y no sólo impedirán que nos sintamos perdidos, sino que, dada la riqueza de la acción, no permitirán que un motivo secundario nos retenga y desvíe. Relacionando esta comedia con el tratamiento medieval del tema de los tres anillos, se capta inmediatamente la índole de la época de Cervantes: del plano dialéctico nos hemos trasladado a una zona vital. Extendiéndonos hasta Lessing, penetramos en el ámbito moral del Neoclasicismo.

EL CRUCE DE PAREJAS

Jornada II. (1) Constanza es esclava de Halima, mujer de Cauralí, el corsario que la cautivó. La jornada comienza (1a) dirigiéndose la mora a la cristiana. Quintillas dobles. Halima sabe que no hay mal que se iguale al no tener libertad: «Sólo por estar sujeta / a mi esposo, estoy de suerte, / que el corazón se me aprieta.» Constanza dice que de no haberlo impedido el cielo ya estaría casada. Cauralí viene con don Fernando, y llega hablándole del amor que siente por su cautiva; le pide que sea su intercesor. Halima no recibe con demasiada cordialidad a su marido, y éste, malhumorado, se queja de que, apenas llegado, le mande el rey volver en corso. Don Fernando ve a Constanza: «¿Juzgo, veo, entiendo, siento? / ¿Este es esfuerzo, o temor? / ¿No están mirando mis ojos / los ricos altos despojos / por quien al mar me arrojé?» Don Fernando habla entre dientes; en su sorpresa, no sabe conducirse como es debido, su amo le increpa y Halima se siente inmediatamente enamorada: «Ahora esclavo recibo / que será señor después.» Niega don Fernando conocer a la cautiva, Constanza se duele de esta actitud, aunque piensa que quizá conviene que oculten su amor. Cauralí le dice ahora a Constanza, como antes a don Fernando: «¿Por qué, hablando entre los dientes, / las razones no articulas?» Ya tenemos las dos parejas, la cristiana que se quiere, la mora que no se quiere, y el amor cruzado. Hay que advertir que la pareja mora es siempre un matrimonio, y la cristiana son amantes, aunque alguna vez

(*El amante liberal*) la dama no corresponda al caballero.

Cervantes con este cruce de parejas crea diferentes situaciones, que le sirven para expresar sentimientos diversos; se esfuerza también en dar al entrecruzamiento una función especial, realzada por un medio expresivo particular. Ya se indicó esto al estudiar la novela ejemplar, y ya se ha advertido en *Los tratos de Argel* el sentido de la rima al medio, que hay que compararlo con *La Galatea*. Los pastores Crysio, Marsilio, Orompo y Orfenio discuten en una égloga recitada (ed. Schevill y Bonilla, T. I, páginas 199-222) cuál de sus estados es peor, y cuando llega el debate al punto máximo, se sirven de la rima al medio. Cervantes quiere con este artificio de la versificación dar forma al enredo: enredarse de las ideas, o de los sentimientos, o de los personajes. Dice Orompo:

> Esta *maraña* quedará muy clara
> cuando a la clara mi dolor descubra.
> Ninguno encubra agora su tormento
> que yo del mío doy principio al cuento. (P. 212).

En *Los baños,* comienza por poner como fondo a la escena ese hablar entredientes. Es claro que son apartes, pero no es muy probable que las interrupciones de Cauralí fueran el procedimiento técnico para indicarlo. En *La Celestina,* sí que parece un recurso para señalar el aparte, cuando Calisto u otro personaje dicen: «¿Qué estás murmurando? ¿No te digo que hables alto? ¿Qué dices?» Interrupciones como las de Caurali se encuentran todavía en el teatro del siglo XIX. Dejando ahora de lado la función técnica que puedan desempeñar las interrupciones, lo que conviene es notar que esos apartes son dos murmullos, los cuales van dando a la acción un ligero acompañamiento que se ha de convertir en seguida en un gracioso y rápido juego escénico de situaciones. Esta escena de amor cruzado es siempre triste, a veces llena de sensualidad (*Amante*), otras desbordando pasión (*Tratos*); la comicidad que nunca falta es un fuerte contraste a la situación dolorosa. En *Los baños,* la tristeza no puede desaparecer, pero la arrastra y se la lleva consigo la alegría, porque la tónica de la comedia es esa alegría cristiana que se sobrepone al dolor de la tierra y lo domina. La crueldad del Cadí era la salvación de Hazén, lo que éste teme es la benevolencia del moro, porque quiere «ser con Cristo, / si fuese posible, hoy.»

Así, cuando entra Zara, dice: «Víle morir tan contento.» Es la alegría de morir confesando a Cristo, de tener la esperanza de gozar de su presencia en el cielo; es la alegría del nacer de nuevo, del segundo nacimiento y verdadero, la alegría de la Resurrección. Por eso Zara, que ya anima el escenario con su belleza y su aderezo, ilumina el dolor de los amantes con el heroísmo del mártir. Su breve relato no ensordece la acción, la acentúa brillantemente. Con ella entra la *gracia* en escena. Cauralí le pregunta: «¿Estarás aquí esta tarde?» Y contesta: «Sí, porque he de hacer / con Halima cierto alarde.» «¿De soldados?» «Podrá ser.» La graciosa Zara es la mora que ha socorrido a don Lope y quiere pasar revista a los cristianos de Argel, para que él la vea y hablarle. Zara es la que ha tenido la gracia de recibir una educación cristiana.

Al retirarse Cauralí (1b), desaparece el freno que contenía la acción. Halima coge a don Fernando por su cuenta y con la excusa de ver si es o no es caballero le toma de la mano. Allá, en su rincón, la conversación animada y el estarse mano sobre mano hace que Constanza se desespere, Zara, al advertirlo, le pregunta la causa. El diálogo se llena de equívocos. Amar las moras a los cristianos es cosa de todos los días (Zara lo sabe muy bien), que una cristiana ame a un moro eso no ha ocurrido nunca. Los hombres que han de ver la comedia se sentirán tan halagados como don Fernando, y a las mujeres les hará tan poca gracia lo que ocurre en Argel como a Constanza. Esta le dice a Zara que no es moro el que la fatiga, sino mora. ¿Mora? se sorprende Zara, que es muy vivaracha: «Dislates / dices; de aqueso no trates, / que es locura y vano error.» Se anima el diálogo, se anima la acción con el cruce repetido de los actores, y la escena termina, diciendo don Fernando: «¡Oh, por mi bien, prenda hallada!» y Constanza: «¡Oh, por mi mal, bien perdido!» Recuerdo de Garcilaso que con frecuencia indica en Cervantes un íntimo contento.

EL DÍA DEL SEÑOR DE LA LEY ANTIGUA Y EL DE LA LEY NUEVA. LA ALEGRÍA Y EL DOLOR

(2) Si se quiere se puede suponer que la escena tiene lugar en alguna calle o plaza de la ciudad. Aunque, ahora, como vengo advirtiendo en mis estudios de teatro, lo mismo que en otros muchos casos, el lugar particular sea innecesario a la acción dramática y por eso no se indica. En cambio, el tiempo es necesario y se nos dice el día: los personajes o la acción llevan consigo su espacio y su tiempo. (2a) En quintillas dobles comienza el diálogo entre el viejo (el padre) y el sacristán. El lamento del viejo está haciendo sonar de una manera muy contenida la nota de peligro en que se ven los cristianos en el cautiverio de perder su alma para salvar su cuerpo. El sacristán es muy ancho de conciencia. Si se compara este diálogo con el que tiene lugar entre Saavedra y el cautivo que quería renegar (*Los tratos*), se notará más fácilmente la diferencia entre ambas obras. En *Los baños* no hay la angustia ni la profunda melancolía que sentimos en *Los tratos,* por eso la conducta del sacristán tiene esa ligereza que tan benévolamente perdona la Iglesia, pues su mal no daña las raíces del ser humano. Es la doctrina y la actitud de la Iglesia las que informan a Cervantes, en esto no hay nada sorprendente. Lo importante es darse cuenta de que estamos en dos temas dramáticos distintos y que por eso los personajes son diferentes.

La ligereza se va a convertir en seguida en espíritu cómico y el sacristán lo prepara con unas aclaraciones pintorescas (que es un dabají, los moros y los genízaros).

(2b) Un intermedio en versos sueltos de 7 y 11 sílabas, en que unos morillos persiguen a los dos cristianos diciéndoles que don Juan no vendrá a rescatarles. Esta acción, a diferencia de *Los tratos*, va a dar a un «gracioso disparate» del sacristán, y hay que imaginársela con mucho más movimiento y correrías que la de la primera comedia. (2c) Sale un judío. Junto a los rasgos pintorescos, es una escena de entremés a base de la santificación del sábado. Cómica acción, que no impide que diga el viejo: «Bien se cumple a la letra / la maldición eterna / que os echó el ya venido, / que vuestro error tan vanamente espera.» Versos con los cuales se está indicando el sentido de la comedia: al sábado judío se opone el domingo cristiano. Hazén había presentado el inmenso, trascendente, trágico desarrollo de la vida del hombre. Ahora, cómicamente—y es esencial no cambiar la densidad de la escena, que la acción y el sacristán están manteniendo constantemente en un nivel cómico, aunque el viejo vierta sobre ella su sabiduría—, ahora el judío se niega a trabajar, diciendo:

> Es sábado, y no puedo
> hacer alguna cosa
> que sea de trabajo;
> no hay pensar que lo lleve, aunque me mates.
> Deja venga mañana,
> que, aunque domingo sea,
> te llevaré doscientos.
> SAC. Mañana huelgo yo, perro judío.
> Cargaos, y no riñamos.
> JUD. Aunque me mates, digo
> que no quiero llevallo.
> SAC. ¡Vive Dios, perro, que os arranque el hígado!
> JUD. ¡Ay, ay, mísero y triste!
> Por el Dío bendito,
> que si hoy no fuera sábado,
> que lo llevara. ¡Buen cristiano, basta!

Para la comicidad de la acción, hay que tener presente que el sacristán cautivo no tiene ninguna jurisdicción o autoridad sobre el judío, por lo tanto su conducta es la del pícaro que quiere que otro le haga su trabajo.

(2d) Continúan las quintillas dobles. Con los cristianos cautivos que ya conocemos, vienen los hijos del viejo, Juanico y Francisco. En la acotación se dice: «Don Fernando ha de hacer salida,» lo cual quizás quiere decir que entra impetuosamente, que irrumpe en escena. Compárese: «Un pastor, llamado Vidal, que hace la entrada: y entra cantando y dice.» (*Auto de Clarindo*, ed. Bonilla, «Revue Hispanique», XXVII, 1912, pág. 66.)

En el reparto de personajes se cita a dos: Ambrosio y la señora Catalina. En esta acotación se dice: «Ambrosio, que es la señora Catalina.» Así, pues, los dos personajes son uno solo: una mujer «vestida de garzón.» Pero en la comedia no queda nada claro quién sea la señora Catalina. Después volverá a salir, y la acotación dice algo raro: «que no ha de hablar sino dos o tres veces.» De hecho, pregunta sólo una vez: «¿Para qué?» La señora Catalina quizás fuera la actriz, pero, de todas maneras, el impresor nos ha transmitido un texto viciado.

Los niños llegan con sus galas moras y el padre teme que sean signo de cambio o de vacilación en sus hijos, pero éstos pronto le desengañan: «caso es sabido / que no deshace el vestido / lo que hace el corazón.» Francisco es el menor y el que habla más ingenuamente; Juan parece temer que la presencia del padre no comprometa a todos. Y nos enteramos de que la partida se dirige al jardín de Agimorato, donde piensan pasar unas horas en honesta recreación. Pero don Fernando propone que se celebre allí mismo la fiesta, y Ambrosio canta con todos el romance, que tiene como estribillo «¡Cuán cara eres de haber, oh dulce España!» Sigue un cantar, y, por fin, Ambrosio canta solo:

> Aunque pensáis que me alegro,
> conmigo traigo el dolor.

Entra Cauralí con el Cadí, y a éste le falta tiempo para decirle al padre que se marche. Ante la intervención caritativa de alguno de los presentes, el Cadí se enfurece, y

Francisco dice algo que no deja de ser sorprendente en su boca infantil: «¡Válame Dios, que alterada / está la mora garrida!» Gracia que llena de temor a Juanico, pero que divierte a Cauralí: «¡El tiene gracia extremada!» Y el Cadí afirma: «¿Véisle? Sabed que le adoro, / y que pienso prohijalle / después que le vuelva moro.» Con otras gracias de Francisco que enloquecen de amor al Cadí, termina la fiesta. Todos se retiran, permaneciendo solos por un momento don Fernando y Cauralí, para recordarle éste que le dará la libertad si le entrega a Constanza.

EL AMOR CRISTIANO

(3) La escena anterior ha tenido lugar un viernes: «es la intención / del Cadí que nos holguemos, / y que los viernes tomemos / honesta recreación.» (3a) Don Lope y Vivanco, ya libres, acuden a una cita que les ha dado Zara: «(Dijo) que un viernes quizá saldría / al campo por Vavalvete.» No tarda en llegar acompañada de Halima, de Constanza y de la señora Catalina. Zara se propone hablar con don Lope y al mismo tiempo descubrirse para que él la vea. Es el hecho de quitarse el velo lo que da lugar a una acción tradicional e ingeniosa, llena de gracia y feminidad y de un cierto encanto poético. Zara finge que una avispa le ha entrado por el velo y la ha picado. Después de mostrarse y hablarle, cuando don Lope le dice que en España dará prueba de su firme fe, refiriéndose a que se casará con ella, Zara añade: «Gracias a Ala y a una caña.» Las damas se alejan en una dirección y los caballeros, don Lope entusiasmado con la liberalidad, belleza y religiosidad de Zara, en otra.

(3b) Con Zara tenemos siempre esa alegría espiritual, de un gesto, de una movilidad tan graciosa. Un tono de comedia de la mejor calidad, y contrastando con ella está el sacristán, figura de entremés, que vuelve a salir pesiguiendo al mismo judío de antes. Un poco burdamente ya nos hizo reír al querer que trabajara en sábado, ahora le ha hurtado una cazuela; se la entregará si se la paga; como es sábado, el judío no puede contratar ni tocar dinero. Viernes árabe, sábado (cuya santificación comienza al atardecer del viernes, pero poco importa la cronología) judío. El episodio termina, diciendo el hebreo: «¡Haced, cielos, que me deje / este ladrón de cosillas!» Y el sacristán sola en escena exclama: «¿De cosillas? Vive Dios, / que os tengo de hurtar un niño / antes de los meses dos; / y aun si las uñas aliño..., / Dios me entiende! ¡Vamonós!» En el primer episodio se ha dicho que el Mesías ya había venido, en este se dice que se hurtará un niño. Es el Niño Jesús que los cristianos han quitado a los judíos. En la tercera jornada, la nueva gracia consistirá en robar a un niño judío; por medio de este niño alcanzará el sacristán su rescate—es la jornada del domingo de Resurrección.»

(4) (4a) En cinco octavas, cuenta don Fernando a Constanza lo que le sucedió la noche del ataque de los corsarios. Se ponen ambos de acuerdo (quintillas dobles) en lo que han de hacer con respecto a sus amos y se abrazan, siendo sorprendidos en este momento (4b) por Halima y Cauralí, quienes se encolerizan al verlos, recobrando la calma, cuando les explican que el abrazarse había sido en prenda de haberse concedido el uno al otro lo que se habían pedido. Se retiran las damas, y Cauralí le dice a don Fernando que le acompañe al zoco, donde tiene lugar la próxima escena. La que acaba de transcurrir puede estar situada en casa de Cauralí.

LA ALEGRÍA DE LA VOCACIÓN Y LA FE

(5) (5a) Juanico y Francisquito, el primero triste, el segundo alegre y jugando al trompo. Juanico le reprocha que en medio de tantos peligros se entregue a niñerías. «¿He de estar siempre llorando?» responde Francisquito. Ya tiene la alegría de quien no teme a la muerte, es decir, del mártir, del cristiano. Sus palabras reflejan el gozo

de haber encontrado un modelo: los niños Justo y Pastor.
(5b) El Cadí entra acompañado de Cauralí, y a cada palabra que dice, el niño le responde con gracia y con una de las cuatro oraciones. Es un desafío alegre, con la voluntad de morir por la fe. El Cadí decide que han de morir. Francisquito hace a su alrededor un vacío inmenso, la figura del niño, sin perder nada de infantilidad, adquiere la monumentalidad de su heroísmo. Francisquito «arroja el trompo y desnúdase:»

> Ea, vaya el trompo afuera,
> y este vestido grosero,
> que me vuelve el alma fiera,
> y es bien que vaya ligero
> quien se atreve a esta carrera.
> Ea, hermano; sed Pastor
> con esfuerzo y con valor,
> que tras vos irá con gusto
> un pecadorcito Justo
> por la gracia del Señor.

Se confía a una figura de entremés el ridiculizar el sentido judío de las obras y el de su sábado; Zara, encarnando el espíritu de la gracia (recuérdese a Preciosa, la gitanilla), porque lo encarna, es desenvuelta y alegre; un niño va al martirio como un hombre, como Hazén—por todas partes esa movilidad, esa igualdad y transferencia del cristianismo, que convierte la palabra en un signo espiritual tan maleable. La escolástica del Gótico hace del ejercicio verbal un método filosófico, el Barroco no. La palabra en el Barroco está llena de posibilidades, su plétora de sentidos se ofrece al escritor como la materia—piedra, color—ofrece los suyos al artista. El escritor la domina, juega con ella, muestra su ingenio, en su exultación llega al chiste —«un pecadorcito justo»—. Como el artista hace surgir del mármol calidades de terciopelo o de hierro o de carne, así el escritor con la palabra. El poeta vence a la naturaleza con su arte. Si nos fijamos en la riqueza de la palabra en el Barroco podremos ver la diferencia de esa época con el Impresionismo, cuando la palabra apenas si tiene un valor alusivo. Es claro que lo mismo sucede, por ejemplo, con el silencio: ¡tan estallante de espíritu en el Barroco, tan penetrado de sentimiento en el Impresionismo! En el Cubismo—poesía pura—, la palabra vuelve a recobrar su realidad, no ya con la multiplicidad barroca, sino como una totalidad en sí.

La jornada termina rápidamente con la intervención de Cauralí, quien aun cree poder vencerles, con las dudas del Cadí y con la firmeza de los niños:

> FRANCISQUITO. ¿No le temes?
> JUANICO. No le temo.

La acción de la primera jornada nos llevaba del mar de España al mar de Argel, de la pérdida de la libertad a recobrar la libertad por medio del martirio (Hazén). La segunda jornada ha empezado con el relato de la muerte de Hazén y termina con la llamada («No sé yo quien me aconseja / con voz callada en el pecho, / que no la siento en la oreja, / y de morir satisfecho / y con gran gusto me deja; / dícenme, y yo de ello gusto, / que he de ser un nuevo Justo, / y tú otro nuevo Pastor.») de los niños al martirio. Esa vocación martirial está encuadrando una acción alegre (escenas con moros y judíos), alegría cuyo sentido nos lo da en el centro de la jornada la canción de Ambrosio (la señora Catalina vestida de hombre):

> Aunque pensáis que me alegro,
> conmigo traigo el dolor.
> Aunque mi rostro semeja
> que de mi alma se aleja
> la pena, y libre la deja,
> sabed que es notorio error:
> conmigo traigo el dolor.
> Cúmpleme disimular
> por acabar de acabar,
> y porque el mal, con callar,
> se hace mucho mayor.
> Conmigo traigo el dolor.

Catalina oculta su personalidad con el vestido de garzón, como Francisquito la suya con su traje de moro, como Hazén oculta su corazón cristiano habiendo renegado. La alegría del rostro no aleja la pena del alma. El hombre lleva consigo el dolor hasta que logra desechar todo lo aparente, todos los velos y vestidos, el cuerpo, que ocultan la verdad, que ocultan la alegría esencial.

LA REALIDAD Y MARAVILLA DE LA RESURRECCIÓN

Jornada III. (1) (1a) En la prisión, versos sueltos. Los cristianos se disponen a celebrar la Resurrección. El Domingo de Resurrección se une a la noche de Navidad, dice un moro: «La Pascua de Natal, como ellos llaman, / veinticinco ducados se llegaron.» El moro se refiere a que los cristianos tienen que pagar la entrada para poder asistir a la misa y las ceremonias de dicha fiesta. Una lectura demasiado rápida es lo que le hizo afirmar a Cotarelo que se trataba de la Navidad y no de la Resurrección, pues el mismo moro observa: «Hoy dicen que tornó a vivir su Cristo,» y en seguida un cristiano (1b) añade (redondillas): «Veinte religiosos son / los que hoy la Resurrección / han celebrado de Cristo / con música concertada, / la que llaman contrapunto.» La mala lectura de Cotarelo impediría comprender toda la obra.

El escenario se ha ido llenando poco a poco, primero el guardián y un moro, después Vivanco, don Fernando, don Lope, el sacristán, el padre viejo, estos dos se admiran de tener que pagar. Al pasar a las redondillas llegan más cristianos, los «que haya;» ahora lo que les causa admiración: «es que estos perros sin fe / nos dejen, como se ve, / guardar nuestra religión. / Que digamos nuestra misa / nos dejan, aunque en secreto.» La tolerancia se da en diferentes culturas, y también la vemos en distintas épocas. Por desgracia, el hombre y las culturas que han tenido ese deseo de convivencia de lo diverso—hay hombres y culturas, por el contrario, que sienten la convivencia posible sólo en la unidad—no han encontrado nunca la manera de llevarlo a la práctica. Los árabes no son una excepción. Apenas Vivanco se admira, cuando Osorio dice: «Más de una vez, con aprieto / se ha celebrado y con prisa: / que una vez, desde el altar, / al sacerdote sacaron / revestido, y le llevaron / por las calles del lugar / arrastrando; y la crueldad / fué tal que con él se usó, / que en el camino acabó / la vida y la libertad.» Si Cervantes ha hecho que Vivanco se admirara ha sido únicamente para que Osorio diera cuenta del comportamiento árabe. Pero es claro que no estamos tratando de averiguar la tolerancia o no tolerancia de Cervantes: las palabras de Osorio tiene una función dramática. Con su advertencia (recordemos: «aunque pensáis que me alegro / conmigo traigo el dolor»), se disponen a representar un *Coloquio* de Lope de Rueda. Cómo eran estas representaciones en los baños de Argel, nos lo dice Vivanco.

Con la entrada de Cauralí (1c), después de unas frases de cortesía, se pasa al recitado del *Coloquio* (quintillas dobles). La representación no sólo es pobre de recursos escénicos, sino de recitantes. Lo único que habría en esta fiesta de divertido sería la voluntad de celebrarla, si no estuviera el sacristán, que junto a la comicidad de los malos cómicos pone la suya, que consiste en aludir a la presencia de Cauralí, y éste lo nota en seguida. El *Coloquio* no puede continuar por mucho tiempo, porque llegan (1d) al baño precipitadamente dos cristianos, uno herido: en la ciudad los genízaros borrachos se han dedicado a matar cristianos por temor a una poderosa armada española que está a la vista del puerto. Los del baño dudan que sea verdad lo de la armada, por fin las noticias se hacen más precisas (romance *e-o*). Todo ha sido un fenómeno de espejismo, el sol y las nubes han forjado esa armada, que el temor de unos y el deseo de otros ha contribuído a darle más realidad. Quizás haya una alusión política en esa armada formada de nubes y sol, miedo y esperanzas; de todas maneras, el único barco que llegará al fin de la comedia será el de la limosna; recuérdese *Los tratos*. Pero en *Los baños* no hay una relación entre la armada y el barco del rescate como en *Los tratos*; ni se habla de barco, se dice sólo que «la limosna ha llegado.» Haya o no alusión política, lo cierto es que ahora tenemos un efecto de espejismo, que continúa durante toda la jornada, por lo tanto su función dramática reside en ser una realidad fingida. El que sea una fatamorgana no impide que haya habido matanzas. El romance termina:

> Veinte y más son los heridos,
> y más de treinta los muertos.
> Ya el sol deshizo la armada;
> volved a hacer vuestros juegos.

Y Osorio:

> ¡Mal podremos proseguir
> tan sangrientos pasatiempos!

Otro cristiano continúa:

> Pues escuchad otra historia
> más sangrienta y de más peso.

El romance de este cristiano deja la asonancia en *e-o* por la asonancia *i-o*, que es la de niño, Francisco, bautismo, albedrío, divino, Cristo, martirio. El Cadí, al no querer Francisco ser circuncidado, ha ordenado su muerte:

> Atado está a una columna,
> hecho un retrato de Cristo,
> de la cabeza a los pies
> en su misma sangre tinto.

Es la imitación, el retrato, de Cristo, que tiene lugar en el eterno día del Señor. La resurrección de la carne, la salvación del alma. Resurrección, salvación que es una realidad y una maravilla, una realidad maravillosa, esencial, verdadero milagro posible, sobre el fondo de ese prodigio

de la naturaleza, de esa fatamorgana que prodigiosamente
finge realidades. Todos los circunstantes, que celebran con
regocijo la Resurrección, dan por terminada la fiesta.
(«Aunque pensáis que me alegro, / conmigo traigo el dolor.») El hombre vive aún la Pasión, la vivirá siempre, pues
de la misma manera que la pareja amorosa *es* siempre la
primera pareja, no hay salvación, resurrección, sin pasión.
Dice el Padre:

>¡En la calle de amargura,
>perezosos pies, sed listos;
>veré en su ser a Pilatos,
>y en figura veré a Cristo!

Ahora no hay fatamorgana. El hombre, que ha sido creado
a semejanza de Dios, cuando sufre es un Cristo redivivo.
Cristo ha resucitado de una vez para siempre y Cristo resucita continuamente en el cristiano que sufre por su alma.

LA DESPOSADA EN EL TOCADOR

(2) (2a) Redondillas. Zara en vísperas de su boda. En
el Barroco, tenemos otra gran escena de tocador, la de
La Estrella de Sevilla. Aparte del valor que tenga esta obra
—interesante, pero que no creo merezca estar a la altura
en que un azar histórico la ha puesto—, hay que tener
en cuenta que *La Estrella* es una obra trágica de un Barroco muy avanzado, de aquí sus luces de muerte y de espejo.
La desposada al contemplarse con sus galas se llena de
sombras de presentimiento, cuyos reflejos de desgracia es
inútil querer convertirlos en felicidad. En *Los baños* el
dolor temporal encierra una alegría esencial. Al llegar Halima (la mujer de Cauralí) para adornar a Zara, se sorprende de lo desabrida que se muestra, y la emplaza para
la noche, cuando en la escuela de su esposo aprenda lo que
es el amor dulce: «¡Vos gustaréis de la danza / antes de
mucho, y no poco!» Le pide las perlas para hacer los
lazos de su tocado. Zara se queda sola con Constanza y

ésta le pregunta si la enfada tanto casarse con un rey—su prometido es Muley Maluco—. Zara exclama: «¡Soy cristiana, soy cristiana!» En cuanto ha brillado esta exclamación se retiran, porque Zara va a contar a Constanza su vida.

EL HEROÍSMO DEL BARROCO

(3) En verso suelto, el Cadí informa al Sultán del fenómeno de espejismo que ha causado la muerte de tantos cristianos. Dice el Sultán: «Esos llaman prodigios los cristianos, / que suelen parecer algunas veces.» Continúa contando el Cadí que si ha cesado en el martirio del niño Francisco ha sido sólo por el sobresalto que le produjo el espejismo. En seguida comienza el Sultán a hacer justicia. Primero, un cristiano que ha huído de la manera más insensata; después, el sacristán que ha raptado a un niño judío; por último, otro cristiano que a pesar de los más crueles castigos aprovecha la menor ocasión para huir. El Sultán va realzando cada acusación: «¡En fin, español eres!» «Di, ¿no eres español?» «Y tú, ¿eres español?» El Cadí concluye: «con españoles, esto y más se pasa.» La escena podríamos captarla fácilmente, pero como además tenemos *Los tratos,* la interpretación es segura. El oído debe llenarse con ese «español» constantemente repetido: por la libertad, lo imposible se hace posible para un español. Lo único imposible es pensar que un español se resigne a la esclavitud. Para oídos extranjeros esto debe sonar como una cómica fanfarronada; quiero decir, para oídos extranjeros a la época, en la cual, como es natural y el mismo Cervantes lo dice repetidamente, había cobardes, pusilánimes, traidores, desleales y fanfarrones. Pero en el Barroco había ese ideal de heroísmo, que es lo que caracteriza a la época, y que en España toma la forma de un español. Puede tratarse de Numancia o del cautiverio, es igual; el heroísmo es la forma de virtud católica, ya se trate de la «española-inglesa» o de la «ilustre fregona.»

Este heroísmo barroco—el heroísmo de la Laurencia de *Fuenteovejuna*, de cuya maravilla es un reflejo el heroísmo de todo el pueblo—, esta voluntad de virtud hace que la forma caballeresca del Gótico parezca grotesca: Don Quijote. Obsérvese que la diferencia con el Gótico no consiste en que la proeza barroca sea menos inaudita, sino que en el Barroco se acentúa el carácter espiritual del heroísmo cristiano. Numancia es vencida; los cautivos perecen, si uno se salva es por milagro; el mártir está rodeado de cristianos que reniegan. Es en el mesón del mundo, en donde, no a golpes de espada y de lanza, sino a fuerza de virtud, vence la humildad, la fregona. Y aun a esta fregona ilustre se la rodea de mujeres que caen. La forma expresiva del Gótico será parodiada en el *Quijote*, tanto el habla como la acción. El Barroco tiene un ideal—cristiano— muy semejante al del Gótico, pero se aleja por completo de la Edad Media en la forma particular de expresarlo. La diferencia de estilo—acción y lengua—señala la diferente manera de sentirse el cristianismo en las dos épocas.

Un español y otro y otro que emprenden las más locas aventuras estando cuerdos, y su anhelo las más veces no se ve coronado por el triunfo, sino por el dolor y la muerte —la victoria se encuentra más allá de la Tierra. Dentro del espíritu trágico de *Los tratos*, la justicia del Sultán desemboca en las mayores crueldades; para *Los baños* está reservado un alegre espíritu de perdón.

Observemos también que esta escena no sirve de final a la comedia, es una recapitulación con la cual termina la primera mitad de la jornada: prodigio opuesto a milagro.

MARTIRIO Y FIESTA

(4) Cuando todos se retiran, tiene lugar, muy brevemente en quintillas dobles, la escena del martirio que ha sido narrada en esta jornada dos veces (romance en *i-o*, versos sueltos), ahora es representada. La representación ocupa el centro de la jornada, como el arrepentimiento del

renegado acentuaba el centro de la primera jornada, y la canción, alegría con dolor, el de la segunda. «Córrese una cortina; descúbrese Francisquito atado a una columna, en la forma que pueda mover a más piedad.» Es una estampa de expiración («¡Ay, que expira!» «¡A Dios, que expiro!» desdoblamiento de la rima sostenido por la otra rima de la quintilla: aspira, aspiro, respira, suspiro): «¡Echa tu alma en mi boca, / para que ensarte la mía!» dice el Padre. Quizás a la sensibilidad de hoy le sea difícil sentir la belleza de esta estampa religiosa, pero entonces tiene que declararse incapaz de ponerse a tono con el catolicismo barroco. El Padre abrazado a la columna donde muere el Hijo está centuplicando en un bello gesto el poder conmovedor del sacrificio. Esa belleza plástica se transforma en puro recogimiento interior, el alma se siente inundada de piedad. *Los tratos* movían a compasión, la tragedia llevaba a la acción; *Los baños* mueven a piedad, la contemplación del sacrificio produce en el alma la catarsis cristiana, ese suave sentimiento que mantiene seguro al corazón.

(5) (5a) En seguida la fiesta. Todo el alborozo de un desfile. En andas va la novia, cubierta con un velo, a casarse con Muley Maluco. Para dar más brillantez a la marcha, la escena tiene lugar por la noche con luces de hachas. Don Lope se llena de dolor, al ver que Zara se va a la boda; dolor rodeado de chistes y bromas en las que se habla de las Pascuas de los judíos, cuando de una ventana, ahora, ya no asoma una caña, sino que se oye un ceceo. Es Zara la que llama. Don Lope, al reconocerla, deja oír el alegre desfile de una letanía: «¡Salud de mi enfermedad, / arrimo de mi caída, / de mi prisión libertad, / de mi muerte alegre vida...!» Si Francisco es una figura de Cristo, Zara lo es de la Virgen. ¿Cómo ha tenido lugar el trastrueque de novias? Zara lo explica, y don Lope dice: «¡Este es caso milagroso! / No la apuréis más; (dirigiéndose a Vivanco) callad.» Se van todos los personajes.

(5b) «Descúbrese un tálamo donde ha de estar Halima, cubierta el rostro con el velo; danzan la danza de la morisca; haya hachas; estélo mirando don Lope y Vivanco, y, en acabando la danza, entran dos moros.» Verso suelto. Como se ve esta escena por su disposición hace juego con la del martirio de Francisco. El arreglo escénico equivalente está subrayando la oposición de dos mundos distintos. La escena de la columna infundía piedad, elevando el alma; esta escena del tálamo con su danza debe tener un gran rumor de silencio que sobrecoge el corazón. «La fiesta cese, y a su casa vuelva / la bella Zara, que Muley lo ordena,» dice un moro, y otro pregunta: «¿Ha de volver con pompa?» «¡Ni por pienso!» La cortina del tálamo se cierra, todos se retiran, el alboroto procesional se ha cambiado por unos pasos que se alejan sin ruido. Ante este hecho, en que el rey africano no se ha dado cuenta del cambio de desposada, ese hecho en el que todos hemos vivido sobrecogidos la inminencia de la tragedia, Vivanco exclama: «¡Oh Dios inmenso! / ¡Grandes son tus misterios!» Don Lope se marcha a España para desde allí preparar la expedición con que libertar a Zara; en Argel no se fía de nadie, y sus últimas palabras son para encargar a Vivanco el secreto.

LA LIBERTAD COMO FINAL CON LOS HUESOS
DEL MÁRTIR

(6) La jornada se encamina al final, pero sin ningún apresuramiento. En versos sueltos de 7 y 11 sílabas se cuenta (6a) el cuento «más gracioso que por jamás se ha oído: «que los mismos judíos han rescatado al sacristán; se dice que ha llegado la limosna, y el sacristán que hace chistes con todo y se burla de todo, también hace bromas de la limosna, pues estando ya rescatado declara: «Por lo menos, me ahorro / reverencias y ruegos, / gracias a Sedequías / y al rabí Netalim, que dió el dinero.» No es necesario pensar que esta fuera una actitud personal de Cervantes hacia la obra redentorista de los mercedarios

(se cita una vez más a Fray Jorge del Olivar y también a Fray Rodrigo de Arce), pero sí hay que considerarla como la reflexión de un moralista: el rescate para algunos de los que hacían la caridad podía pasar como un favor que se otorgaba, alguno de los rescatados podía creer que era un deber y podía pesarle el tener que sentir gratitud.

Todos los personajes se dirigen al jardín de Zara. (6b) Redondillas, en casa de Zara. A ésta se le cae un rosario con una cruz, y al verlo Halima sospecha que es cristiana. Constanza dice que ella se lo ha regalado. Entran Vivanco y don Fernando, a quien le ha confiado el secreto don Lope. Halima exige públicamente que don Fernando la ame y el caballero le responde que le dé tres días de plazo, con la consiguiente tristeza de Constanza, quien al ser preguntada por la causa de su melancolía, dice: «Y haber visto una visión / que, si no es cosa fingida / y en buen discurso trazada, / el fin de aquesta jornada / ha de ser el de mi vida.» Interviniendo don Fernando: «Todas son fantasmas vanas; / Constanza no hay que temer.» (6c) Quintilla doble. «Sale el padre con un paño blanco ensangrentado, como que lleva en él los huesos de Francisquito,» se dirige al jardín de Zara. (6d) Vivanco (redondillas) en la playa, cree que don Lope ya está de vuelta. Don Lope entra con el patrón de la barca. Interrumpe las muestras de alegría, es necesario embarcarse rápidamente. Vivanco va a buscar a todos. Se sobresaltan un momento al oír ruido, pero son los cautivos con Zara, que han ido al encuentro de Vivanco. Un cristiano, al ver a todos congregados y a punto de embarcar, exclama: «¡Esta es suerte milagrosa!» La comedia termina con un gracioso diálogo entre los amantes, que la comenzaron con sus lamentos trágicos. Constanza pregunta a don Fernando si siente dejar a Halima, don Fernando contesta que también quisiera que estuviera con ellos Cauralí. Zara reclama el nombre de María, y don Lope sitúa la acción histórica en la verdad poética: «Dura en Argel este cuento / de amor y dulce memoria, / y es bien que verdad y historia / alegre al entendimiento. / Y aun hoy se hallarán en él / la ventana y el jardín. / Y aquí da este trato fin, / que no lo tiene el de Argel.» Algunas escenas ya habían hecho que se relacionara esta comedia con *Los tratos*; los dos últimos versos han inducido a algún crítico a juzgarla como una refundición, juicio en mi parecer erróneo. El trato de Argel, no es el título de la comedia; ese trato es el de la vida del cautiverio, por ser de la vida es por lo que no tiene fin, el trato del arte sí que tiene un desenlace, lo tuvo *Los tratos de Argel* y lo tiene *Los baños*.

La acción de *Los tratos* partía del lamento del hombre cautivo e iba a dar al himno de gracias del hombre rescatado por la limosna. *Los baños* nos lleva de la noche oscura en que el hombre es sorprendido y hecho cautivo a la noche llena de gracia de la libertad. La gracia con esa nota roja del paño ensangrentado. Al comienzo, un fragmentarismo con el cual se presenta a los niños y al viejo, a la mujer y al hombre cayendo en el cautiverio, también un caballero, quien se deja caer en el dolor y encuentra preferible la cautividad a la vida sin su amor. Al final, con el mismo fraccionamiento se van reuniendo los personajes, que ahora tienen la alegría de sentirse salvados; alegría del milagro que los huesos del mártir no contrastan sino que sostienen. Del comienzo al final, tenemos una corriente dolorosa y alegre; una acción sumamente entrecortada, episódica, digresiva, y el mundo del milagro junto al del espejismo prodigioso. Hay un núcleo de dolor: los baños, Argel, pero tiene toda la gracia de una ventana y un jardín. En el centro de cada jornada se dispone el núcleo significativo: (1) arrepentimiento del renegado Hazén; (2) canción; (3) Francisco en la columna. Junto al prodigio de la Naturaleza existe el milagro del Espíritu, bivalencia de la ley natural frente a la ley religiosa, la cual se presenta en sus tres ramas—Viernes, Sábado y Domingo de Resurrección. La superación de la ley antigua y de la ley árabe por la ley de gracia es tan total y evidente que se las puede tratar cómicamente. Eso no excluye la crueldad, los árabes son tan crueles como cómicos; crueldad y comicidad que proviene de estar ciego para la vida espiritual. Esperar al que ya ha llegado es cómico; desde otro punto de vista también puede ser cómico creer que ya ha llegado el que todavía no ha venido.

COMEDIA FAMOSA INTITULADA
EL RUFIAN DICHOSO

Los *tratos, El gallardo español, Los baños* aparecían como obras en las cuales había que ver cuadros de costumbres y datos autobiográficos; *La casa de los celos,* al no dar lo que se le pide, se convierte en una insensatez. Con *El rufián dichoso* acontece lo mismo: se desechan los dos últimos actos, el primero encierra un admirable cuadro de la vida de aquel tiempo (Sevilla, siglo XVI), «es de lo mejor que la pluma de Cervantes ha escrito, por su variado lenguaje, por su brío, por la incomparable pintura de los caracteres, por la naturalidad del diálogo, por el realismo del ambiente.» Este párrafo es de los señores Schevill y Bonilla, quienes continúan diciéndonos que «el primer acto hubiera constituído por sí solo un excelente entremés;» luego añaden que las dos jornadas siguientes pertenecen a un género distinto y que no demuestran el menor conocimiento del medio mejicano; terminan afirmando que esas jornadas no revelan pericia en el arte dramático, «sino piadosa credulidad.» Opiniones tan vulgares y superficiales, tan equivocadas y desorientadoras, que no se justifican por la época, sino por la falta de formación literaria, podrían ser olvidadas, pero es irritante que tanta mediocridad se atreva a opinar, y nada menos que sobre Cervantes.

Cervantes nos ha dicho cómo componía su obra y el tema de cada una de las tres jornadas de su comedia:

> Una de su vida libre,
> otra de su vida grave,
> otra de su santa muerte
> y de sus milagros grandes.

Acertaremos o no, al estudiar el teatro de Cervantes, sin embargo, el tratar de buscar un propósito en la composición de cada una de sus obras no sólo se justifica por sí mismo, sino con las propias palabras del autor. Tiene buen cuidado, también, de advertirnos que no acepta en la comedia de santos nada más que los hechos verdaderos, preocupación que es la de la Contrarreforma; y, como escribe para que sus obras se representen, lleva su atención técnica hasta el reparto de los personajes, pues indica que «las figuras de mujer de esta comedia las pueden hacer solas dos mujeres.» En su teatro, Cervantes se ocupa constantemente del actor. En *El rufián dichoso*, por ejemplo, insiste en que el protagonista ha de llevar daga y no espada.

La primera jornada es la del pecado, la segunda la del arrepentimiento, la tercera la del perdón—santidad y milagros. Dos lugares, Sevilla y Méjico. Para justificar el sustituir la relación por la representación, los cambios de lugar y el adaptar a éstos no a la historia sino a la acción dramática, la Comedia habla interrogada por la Curiosidad.

EL BRAMO DE LA AMBICIÓN INSACIABLE

Jornada I. (1) El verso suelto está puesto al servicio del empaque germanesco. Aun más que el vocabulario, subraya la caracterización de los personajes la entonación y el gesto. Lugo, el protagonista—el rufián dichoso—domina primero (1a) a la gente del hampa, después (1b), la justicia de la ciudad se le humilla en consideración a su señor. El verso suelto se transforma en una octava (1c) para que Lugo solo en escena fije férreamente el sentido de las dos acciones (recapitulación invertida):

> Que sólo me respeten por mi *amo*,
> y no por mí, no sé esta maravilla;
> mas yo haré que salga de mí un bramo
> que pase de los muros de Sevilla.
> Cuelgue mi padre de su puerta el ramo,
> despoje de su jugo a Manzanilla,
> conténtese en su humilde y bajo oficio
> que yo seré famoso en mi *ejercicio*.

Los cuatro primeros endecasílabos están dedicados a su amo, el inquisidor Tello de Sandoval, de quien es familiar; los cuatro últimos se refieren a su padre, un tabernero. La figura de más prestigio de la ciudad, uno de los oficios más bajos, Lugo entre los dos, criado e hijo. Su deseo es ese: ser él mismo, librarse del uno y del otro. Ni quiere ser un reflejo del respeto debido a su señor (Dios), ni aceptar la humildad de su origen (barro). La soberbia le mueve. Todo el problema del actor reside en hacer llegar a cada uno de los espectadores y a todos juntos ese «bramo» de la ambición insaciable.

Lugo ha decidido seguir la carrera de la fama, el título en que quiere graduarse es en el de famoso y busca sobresalir en el mundo maleante. Desde el sentimiento religioso todo heroísmo mundano quizá aparezca igualmente ínfimo y vil. El Barroco católico ha convertido de una manera tan extremada e hiperbólica el mundo en pompa que da por todas partes con el desengaño; para salvar la tierra, para que la vida social no desaparezca, el Barroco protestante tiene que apresurarse a salvar lo relativo y temporal.

Acaso el gesto del actor deba de ser un gesto vil, quizá el endecasílabo deba de sonar de la manera más indecente, pero hay que llenar la sala con esos ocho versos, y junto al tono de descaro y de desafío, junto al tono provocador, se tiene que hacer sentir la diabólica ambición que carcome al hombre, su profunda herida, y hay que hacerlo sin incurrir en el menor romanticismo, nada de Byron ni de Stendhal: conflicto entre el individuo, que ansía lo absoluto, y la sociedad, que es un límite mezquino.

El Barroco protestante ha salvado la sociedad, ha creado el mundo de lo relativo; en la misma medida en que se ha impuesto, nos ha alejado de ese heroísmo de lo absoluto. Es completamente natural que se haya perdido la manera de leer esta octava, pero hoy debemos recobrar su profundo poder.

LA NATURALEZA, LA CIUDAD Y EL HEROÍSMO

(2) (2a) Es necesario insistir en el gesto, porque lo primero que hace el muchacho Lagartija es preguntarle a Lugo la razón de estar tan turbado. Lugo explica que ha tenido que luchar para que le rindan homenaje. Al entrar Lagartija se ha pasado a la quintilla doble, la escena adquiere una gran movilidad y se compone de tres pinturas, la última en romance (*i-o*), todas a cargo del muchacho. La primera es un espléndido bodegón, caza, aves, legumbres, pescados, frutas, pan y vino. Es un momento de gran brillantez y lucimiento para un actor primerizo. Lugo exclama: «¡Lagartija, bien lo pintas!» La invitación que le hace la gente del hampa a merendar es lo que ha motivado esta pintura, la cual termina, humillándose Lagar-

tija a los pies de Lugo: «¡Alza, rapaz lisonjero, / indigno del vil oficio que tienes!» Esta es la naturalidad, el realismo, etc., etc., de la jornada. Con el bodegón se ha puesto a las plantas de Lugo toda la fuerza elemental de la naturaleza, y el primer verso («¡Alza, rapaz lisonjero!») del rufián tiene una gran elegancia poética y cesárea. La segunda pintura (2b) arranca del «vil oficio.» El ideal de Lagartija es ser un perulero sin ir a Indias, enriquecerse en Sevilla jugando con ventaja y cortando bolsas. También ahora señala Lugo el éxito del actor: «¡Mucho sabes!» Después de la llamada de la naturaleza, la fascinación de la ciudad, y, por último, el heroísmo de los jaques. (2c) Ese heroísmo está situado en una zona poética, de aquí que se deje una estrofa por otra, además es un romance que alguien ha compuesto, es decir que no se narra, sino que se recita. Se alaba también esta parte, como se hizo con las dos anteriores, y, al alabarla, se marca irónicamente la diferencia entre el mundo vulgar y el noble: «¿Quién le compuso? —Tristán, / que gobierna en San Román / la bendita sacristía, / que excede en la poesía / a Garcilaso y Boscán.» Se ha pasado a las quintillas y antes de que se diga la última, se intercala una dama, que, al marcharse Lagartija, se queda sola con Lugo.

EL PECADO DE LA CARNE

(3) Redondillas. Esta escena está dividida también en tres momentos: (3a) Dama y Lugo, (3b) Dama aparte, marido y Lugo, (3c) Dama y Lugo. La dama ha venido para entregarse a Lugo, seducida por la valentía del rufián; éste habla de su propia bajeza, pero no tiene que rechazar a la dama porque llega su marido. La tapada se aparta, y entonces, separados, Lugo le dice al marido que su honor peligra, pues alguien se ha propuesto robarle a su mujer. El marido se marcha agradecido, no sin advertir que se llevará a su mujer inmediatamente a una aldea. La dama solicita de nuevo, y Lugo con evasivas consigue

que se retire. La escena tiene acción y dramático interés. En el primer momento, el manejo de la tapada y su pasión, después, la ingeniosidad con que Lugo sortea el encuentro con el marido. El dramatismo y la pasión están situando la escena. No se trata de una debilidad de la carne, sino del fuego que consume la voluntad. La capacidad de Lugo de resistir la tentación le prepara para el posible arrepentimiento.

Observemos que los tres núcleos tienen una división en tres partes, y un final de gran dinamismo: (1) octava, (2) romance del torero, (3) dos redondillas: «Como de rayo del cielo, / como en el mar de tormenta, / como de improviso afrenta, / y terremoto del suelo; / como de fiera indignada, / del vulgo insolente y libre, / pediré a Dios que me libre / de mujer determinada.» Se piensa en Eva, quizás todavía más en la mujer de Putifar.

El resto de la jornada primera, 714 versos (494-1208), está escrita en endecasílabos (sueltos y tercetos) y octosílabos (quintillas dobles y redondillas), tiene también algunos cantares, uno de ellos (30 versos) escrito en octosílabos pareados, quedando el primer verso y el último libres, ofrece la particularidad de que el ritmo sintáctico se opone constantemente a la rima. Como esta estrofa es poco conocida, daré un ejemplo:

> la que llama su pariente
> al gran Miramamolín;
> la que se precia de ruín
> como otras de generosas;
> la que tiene cuatro cosas,
> y aun cuatro mil, que son malas.

Después de los tres núcleos primeros hay una pausa, aunque no muy larga. Es la división del primer acto que encontramos casi siempre en el teatro español del siglo XVII, la cual hay que relacionarla con otra división igual que a menudo presenta la tercera jornada, quedando así la acción desarrollada en cinco tiempos. Son los cinco momentos tradicionales que el teatro barroco español sintió la necesidad de agrupar en tres jornadas. Simplificación que obedece a una manera especial de sentir el ritmo de la acción. Aunque la parte expositiva se presente en acción, siempre tiene el ritmo especial de la exposición y así al terminar ésta se crea un contraste con el ritmo que le sigue, cambio de ritmo que aviva aun más el movimiento de la acción. Por eso al terminar la exposición en acción en la primera jornada de la Comedia tenemos tan frecuentemente esa sensación de un tempo precipitado, el cambio de ritmo hace que nos sintamos cogidos y arrastrados en la acción, llegando al final de la jornada como una pausa necesaria, un necesario descanso para poder continuar. Realza el valor de esta pausa final la pausa medial previa.

LA NOCHE Y EL INQUISIDOR

(4) (4a) Al inquisidor Tello Sandoval, amo de Lugo, le informa el alguacil, en tercetos, de la conducta del mozo: «Esto de valentón le vuelve loco.» «Es de toda la hampa respetado.» En quintillas dobles se duele Tello de ese proceder y piensa llevárselo a Méjico. Este diálogo con que vuelve a comenzar la acción sirve para introducir los episodios siguientes.

(4b) Escenas nocturnas. Primera, (verso suelto) música y bulla a la ventana de una mujer (la composición en pareados), el número termina dando Lugo limosna a un ciego para que rece por las almas del purgatorio. Segunda, (verso suelto) jaleo en la pastelería para que les den de comer y beber (canción de los «consejos vanos»). Tercera, amanece (quintillas dobles), la prostituta Antonia va a buscar a Lugo a su cuarto, la sorprende el Inquisidor. «Y si el mozo da ocasión / que le busquéis, yo haré / que desde hoy más no os la dé,» dice Tello, y contesta Antonia: «El mancebo es de manera / que puede llevar do quiera / entre mil honestos palma.» Al llegar Lugo, esconden a Antonia; el Inquisidor le amonesta y le presenta a la mujer, ésta con su presencia y persecución irrita al muchacho. En este momento entra Lagartija, quien le dice que han cogido a Carrascosa (tiene a su cargo una casa de prostitución); sin más, sale Lugo para salvarle. Cuarta (tercetos y quintillas dobles): Lugo libra a Carrascosa de manos de los alguaciles.

Los dos primeros episodios están escritos en verso suelto y cada uno de ellos tiene un cantar y música, en los dos últimos, quintillas dobles, ni hay música ni cantares y predomina la acción dramática. Los tercetos del cuarto episodio están cerrando toda esta cadena con los tercetos primeros en que el alguacil informa al Inquisidor.

SER RUFIÁN O SER SANTO: LA VIDA EN EL BARROCO ES UNA ELECCIÓN ENTRE DOS EXTREMOS

(5) Redondillas. (5a) Lugo se va a jugar a las cartas con un estudiante, decidiendo si pierde, hacerse bandolero. (5b) Antonia de nuevo, contándole a un estudiante su dolor por no ser correspondida de Lugo, a quien ama por valiente. (5c) Lugo ha ganado, el estudiante que ha perdido le dice: «Hoy de cualquiera quistión / has de salir vitorioso; / y ¡adiós, señor gananciosio! / que yo me vuelvo a lición.» (5d) El marido encuentra a Lugo, le da las gracias por haberle ayudado a proteger a su mujer. (5e) Lagartija viene y le dice que se apresure, no comprende que esperándole los amigos se esté rezando:

O sé rufián, o sé santo.

Lagartija se marcha, la jornada va a terminar. Ha habido en toda ella un movimiento zigzagueante, pero la marcha rápida, rapidísima, está construída con una gran claridad que un mínimo de atención revela. En el primer núcleo, con desgarro de bravo, el rufián ha dicho su octava: de un lado el mundo inmenso, de otro lado su voz y su gesto, voz y gesto que en ocho endecasílabos sacuden, dominan, asombran, suspenden al público. El mundo no es un obstáculo para la personalidad del hombre (Romanticismo), el mundo está ahí para que el hombre triunfe. Después la acción continúa con una gran riqueza de situaciones en que se revela el carácter; a veces el movimiento; otras el recitado, muy abundante en variaciones; otras el diálogo dramático, la música, la intriga que suspende, la acción vertiginosa, y en seguida un remanso todavía muy agitado: perder o ganar; y la reduplicación: Antonia que es rechazada, el marido que recuerda que también la otra dama lo fué. Lagartija, cuya actuación es muy airosa o muy rápida, entra para dar la noticia de que le esperan y se marcha inmediatamente.

LA SOLEDAD

La jornada va a terminar, todos se han ido menos Lugo. La acción tumultuosa, la vida que es tumulto, va a dar a este recogimiento:

> Solo quedo, y quiero entrar
> en cuentas conmigo a solas,
> aunque lo impidan las olas
> donde temo naufragar.

Soledad del Barroco, soledad de plenitud, de confrontación, soledad de náufrago. El Hombre en medio de toda la agitación—del mar—del Mundo: tan atractivo y tan seductor, pero tan loco y tan sin sentido. Lugo que hizo voto de ser salteador, ahora lo hace de ser religioso. Implora a la Virgen que sea su intercesora, llama al Angel de la guarda en su ayuda, suplica a las almas del purgatorio que le socorran. La soledad vibra con ese ardimiento, y mientras Lugo se lanza a la lucha verdadera, la lucha con el enemigo, sobre la desolación de la Tierra se abre la Gloria, y un ángel dice:

> Cuando un pecador se vuelve
> a Dios con humilde celo,
> se hacen fiestas en el cielo.

Este monólogo en soledad, donde hemos presenciado el misterio de la conversión, hay que relacionarlo con la octava primera, [1]. El primer monólogo en una octava y el monólogo final en redondillas, corriendo entre ambos todo el tumulto del Mundo. Pero para el sentido que es forma y para la forma que es sentido de la jornada, hay que tener en cuenta el momento más dramático de la acción.

EL INQUISIDOR, LA PROSTITUTA Y EL CRIMINAL

Los judíos nos han dejado a través de su sentimiento, completamente comprensible, una imagen odiosa del Inquisidor, todavía más odiosa, y eso ya no es tan comprensible, en las plumas al servicio de la burguesía pudiente y democrática. Dostoievsky, para hacer del Cristo ortodoxo puro sentimiento, convierte al Inquisidor en el Anticristo, encarnación de Roma y del Demonio. Al lado

---

[1] A. Cotarelo y Valledor (*El teatro de Cervantes*, Madrid, 1915) fué el primero que indicó la fuente de la parte biográfica de esta comedia: Fray Agustín Dávila Padilla, *Historia de la Fundación y discurso de la Provincia de Santiago de Méjico de la Orden de Predicadores*, Madrid, 1596. Cervantes nos dice que no reprodujo fielmente los hechos de la vida de Cristóbal de Lugo, después de la Cruz (entre otros, por ejemplo, la conversión tuvo lugar en Toledo, en la comedia ocurre en Sevilla). En cambio para las tentaciones y los milagros siempre indica su autenticidad. Era de esperar la actitud del poeta de la Contrarreforma. Hay que indicar, sin embargo, que Dávila hace referencia al carácter mujeriego de Lugo (dos citas en Cotarelo, págs. 352 y 378) y Cervantes no le sigue, probablemente por razones estéticas de su época. La crítica, que yo sepa, no ha hecho notar esta desviación de Cervantes con respecto a su fuente. Y la Inquisición, etc., etc., no pudo ser la causa de que Cervantes inventara así a su protagonista. Es la estética greco-latina de la Contrarreforma la que impone esta concepción del Héroe. Cuando en lugar de un héroe se trata de la condición moral del hombre, el problema es otro; y si dentro de la figura moral se quiere por contraste hacer notar la pusilanimidad y la mojigatería, incluso se subraya la desenvoltura.

de la imagen judía, de la burguesa protestante y de la eslava, tenemos que poner la católica de Cervantes: figura de alto nivel intelectual y moral, contando con el respeto de toda la ciudad; su casa es digna de tal personaje, pero la vida austera de quien la habita la llena de severidad. Son las altas horas de la madrugada, la ciudad con todas sus pasiones rodea esa casa. En el mar del Mundo es la única roca inconmovible. De los labios del Inquisidor van saliendo las palabras de su oración: *Deus in adiutorium meum intende. Domine, ad adiuuandum me festina. Gloria Patri et Filio et Spiritui Sancto. Sicut erat...* La oración en la noche es interrumpida por un ruido que denuncia la presencia de la prostituta enamorada en casa del Inquisidor.

El Realismo-idealista del siglo XIX ha reunido al criminal y a la prostituta en la lectura del Evangelio. Dostoievsky ha hecho —*Crimen y castigo*— que gracias a la miseria humana las palabras de Cristo volvieran a tener sentido —el sentido del Realismo-idealista. En el Barroco vemos a la enamorada prostituta (nada de la suave fraternidad que brota del dolor del corazón del hombre, sino la admiración que despierta la valentía) y al vigilante —en oración y en vela— Inquisidor. Cuál sería la confusión de esa descarriada nos lo dicen las palabras del Inquisidor: «No os turbéis. ¿De qué os turbáis?» Al oírse entrar a Lugo, el Inquisidor oculta a Antonia, y quedan frente a frente el rufián y el Inquisidor. Ambos —prostituta, criminal— hacen llegar hasta él todas las grandes pasiones. No hay nada de la miseria fisiológica y espiritual que más tarde fijará la sensibilidad. En la severidad digna con que la Iglesia condena el pecado no hay crueldad. Ante el pecado no hay que ablandarse sentimentalmente; con mano firme, les deja en libertad, dispuesto a luchar por el bien. Dirigiéndose a la prostituta, le dice: «Ahora bien: *señora,* / id con Dios, que a este mancebo / yo os lo pondré como nuevo.» La moral y la estética del siglo XIX han terminado, como han terminado el sentido religioso y el de la belleza del Barroco, pero tenemos que captar ambos y no confundirlos.

Dostoievsky ha creado—*Los hermanos Karamazov*— una gran figura diabólica. Su Inquisidor es el triunfo de Satanás en Roma, la transformación de la Iglesia en Estado, lo opuesto precisamente a su anhelo: convertir el Estado en Iglesia. Pero la idea del novelista ruso era exacta nada más que para su momento. Evangelio e Iglesia y Estado y Demonio aprehendidos con la sensibilidad del Realismo-idealista. El sentimiento da al Inquisidor su figura diabólica y hace que la miseria florezca en misericordia.

En el Barroco se pueden unir estos tres personajes—la señora enamorada, el criminal y el eclesiástico—sin el menor desdoro para el Inquisidor. El espectador está aterrado ante ese encuentro inesperado, pero necesario, del mal con la figura de la austera dignidad vigilante, que sin la menor violencia, dejando a todos moverse libremente (ni el dogma, ni su autoridad corren el menor peligro) sabe que los va a condenar o salvar para siempre. Ambiente espiritual para su época no menos aterrador que Siberia en el siglo XIX.

La imagen que nos ha legado Cervantes es de un alto decoro, apoyada en la inteligencia y la voluntad. El Barroco encuentra siempre la belleza de la autoridad, belleza que es la forma de su esencia, de su profunda razón de ser. Quizá por eso la actitud con que el Inquisidor acoge a la pecadora es tan semejante a la de Felipe II con sus visitantes.

Junto a la necesidad institucional de la Iglesia, junto a su autoridad, está el arrobo místico. En la segunda jornada veremos cómo esa figura tan noble de la autoridad se somete naturalmente y sin ninguna confusión a la perfección del alma, y en la tercera jornada ya no será la parte estatal de la Iglesia la que se someta, sino el mismo Estado.

En el siglo XIX, con su bella confusión que se resuelve

en libertad, la autoridad es un ente demoníaco, un obstáculo; directamente, la miseria social del corazón humano alumbra el Evangelio. En el Barroco son dos figuras metafísicas las que se ponen en relacióu no con el Evangelio, sino con la figura metafísica del Inquisidor. Después, el alma perfecta, sin suplantar a la autoridad, ocupa el rango que le pertenece; y precisamente cuando la mujer incrédula va a condenarse, el fraile pronuncia el mismo versículo que el starest Zósimo pronunciará en circunstancias semejantes: «Dijo el necio en su corazón: no hay Dios» (Salmo XIV, 1). La incrédula se salva no por la autoridad, sino por el amor.

Al lado de las diversas imágenes históricas, quizás tenga su lugar ésta también, de todas maneras ésta existe porque Cervantes la ha creado. Mi propósito ha consistido únicamente en poner junto a la visión del mundo realista la del mundo barroco; sin negar validez a las otras, hemos de aceptar la española de esa época. Es innecesario advertir, que en todos los casos no se trata de una validez actual, sino histórica.

LA COMEDIA. INQUISIDOR Y PENITENTE: RELACIÓN JERARQUIZADA

Jornada II. (1) Romance *a-e*. Para la larga pausa que separa la jornada primera de la segunda, tenemos el famoso diálogo entre la Curiosidad y la Comedia. Cervantes, al mismo tiempo que expresa su constante preocupación técnica, explica cómo manejó sus fuentes y la composición de su obra, dándonos los antecedentes necesarios para continuar la acción, que empieza (2) en quintillas dobles en cuanto entra Lugo, ahora dominico, acompañado de Lagartija, su hermano de religión. (2a) No hay nada de la evocación impresionista ni de la memoria romántica. La figura fuerte, templada en la lucha constante e incesante, y a su lado el alma inexperimentada, conservando todavía la ignorancia del mundo sobre las cosas espirituales. En la jornada primera, Lagartija había pintado un bodegón y la vida de la trampa, además la proeza de un jaque; ahora, en el convento, junto a la penitencia de Fray Cristóbal, aparece Sevilla en el deseo de Fray Antonio, quien no ha logrado limpiar su corazón, y vuelve el bodegón y la vida de los jaques y, al final, cuando se retira el Padre Cruz, y se queda con un corista, aparecen los naipes. Lugo daba el tono en la jornada anterior y también en ésta, pero antes Lagartija ponía en la pasión por el pecado una nota graciosa a lo Rinconete, ahora sólo introduce una nota de mundanidad. Ni memoria ni evocación, sino la presencia del pasado uniendo las dos jornadas, los dos actos de la vida, que no tendrían sentido el uno sin el otro.

(2b) El inquisidor entra con el prior (tercetos). Acabamos de ver al Padre Cruz, hemos tenido ante nuestros ojos la realización de la llamada. El siglo XIX ha luchado por la rehabilitación social del criminal, ha sido su gran hazaña y aún no terminada. Pero ocurre con esto como con todos los otros aspectos de la vida humana, el siglo XIX trabaja en otra escala, ha reducido el mundo estrictamente a la tierra. El Barroco, el último esplendor del alma cristiana, lo que quería era la conversión del pecador, la rehabilitación religiosa del criminal, es decir, del hombre; rehabilitación que es un misterio, que es una resurrección, y que por lo tanto el siglo XIX ni podía ni quería comprender. Lugo ha acudido a la llamada de Dios, lo hemos visto; y en los tercetos del prior penetra en nuestra alma ese levantarse hasta la altura del Creador:

> En efecto, señor, él hace vida
> de quien puede esperar muerte dichosa
> y gloria que no pueda ser medida.

Vive en continua y fervorosa oración, entregado al ayuno y a la obediencia. Vuelve Cruz con su compañero Fray Antonio para despedir al inquisidor, la figura que dominaba toda Sevilla, aquella cuyo respeto impedía que la justicia echara mano a Lugo. Y ahora el inquisidor humildemente, sinceramente pide su bendición al criminal antiguo y nuevo penitente, a su criado. El hombre actual no puede incorporarse vitalmente a esa situación. Cuando el candidato estrecha la mano del elector modesto, aunque lo presenciemos sin cinismo, sabemos que lo único que hace es pedirle su voto, su infinitesimal poder para conquistar la sociedad. El inquisidor no abandona ni la parte más mínima de su poder en la tierra, pero necesita la bendición del purificado, la necesita plenamente, totalmente para que Dios le ilumine y le guíe. En esta escena de totalidad, Fray Antonio continúa haciendo presente a Sevilla, la nueva Babilonia. Así se completa la religiosidad de la escena—el pecador hace reír: por ingenuo, por ignorante, por plebeyo y bajo. Fray Antonio tiene en el recuerdo la nueva Babilonia, el Padre Cruz contempla la nueva Jerusalén. Entre infierno y cielo, entre pasado y futuro se construye la vida del hombre.

LA MUERTE Y LA TENTACIÓN

(3) El prior se había escandalizado, el inquisidor perdonaba, el Padre Cruz ya solo con Fray Antonio, le amonesta. Las redondillas de ese final nos pasan al núcleo siguiente, al pecado sin remisión. (3a) A doña Ana Treviño le acompaña su médico: «¿Cómo me anuncia tan presto / la muerte?» Es la sorpresa del hombre, constante en la *Danza de la muerte.* Siempre es demasiado pronto, «En los ojos de mi cara / suele mirarse el amor.» Doña Ana ni piensa en morir ni quiere confesarse. El médico, después de su fracaso, se retira. Doña Ana se siente fatigada, pero quiere alegrarse, y piensa en ir al campo, cuando se oye una canción (en la primera jornada también se cantó un breve cantar en relación formal con esta canción): «Muerte y vida me dan pena; / no sé que remedio escoja; / que si la vida me enoja, / tampoco la muerte es buena.» Y doña Ana dice: «Con todo, es mejor vivir: / que, en

los casos desiguales, / el mayor mal de los males / se sabe que es el morir.» ¿Cómo unir su juventud a la muerte? Pero no hay el menor romanticismo.

(3b) Dejamos la cámara de esa joven dama enferma, que escucha impenitente la voz de la muerte, por la celda del Padre Cruz; al umbral de su puerta Fray Antonio. El contraste es de un fuerte valor dramático. La dama tenía consigo dos criados y el médico, Cruz está solo: Fray Antonio subraya la soledad y dirige la acción. Hay también un profundo contraste de significado: en medio de la riqueza mundana, una joven devorada por la fiebre no quiere morir; en la desnudez de la celda, el fraile, sus sentidos inertes, entra en relación con lo sobrenatural.

La dama era invitada a morir, pero se acoge a su juventud y a la vida. Al fraile le rodea la tentación grotescamente lasciva; la algazara aumenta dramáticamente a medida que la mascarada avanza, con gran sorpresa de Fray Antonio que pasa de sus gracias al asombro. Las ninfas lascivas, que son demonios, danzan y cantan (el romance en *a-o*, en parte cantado, hay que relacionarlo formalmente con la canción en pareados de la jornada anterior). Es una canción a Venus, la que transforma las lágrimas en risa, lo amargo en dulzor: «No hay cosa que sea gustosa, / sin Venus blanda amorosa.» En su arrobo místico, contesta el fraile: «No hay cosa que sea gustosa, / sin la dura cruz preciosa.» Es el canto al camino estrecho, a la senda fragosa. La tentación se hace concreta: Sevilla, la libertad y Venus que «se ofrece toda» a todos. La visión lúbrica ha llenado la celda del fraile, quien no tiene más remedio que exclamar: «*Vade retro*, Satanás,» y los demonios salen gritando. La pintura y el grabado de la época nos han dejado la realidad plástica de semejantes experiencias. Cruz sorprende a su compañero (redondillas), y éste deja por un momento de ser la figura cómica. Sobrecogido de temor le cuenta lo que ha presenciado: «Debía estar durmiendo, / y soñaba,» le dice el Padre

Cruz, y Fray Antonio le responde: «No, a fe mía; / Padre Cruz, yo no dormía.»

Las redondillas continúan al llegar nuevas luces, ya no de demonios, sino de unos ciudadanos, que, acompañados del prior, vienen a buscar quien pueda hacer que Ana se confiese. El designado es el Padre Cruz.

EL SACRAMENTO DE LA CONFESIÓN Y SU MISTERIO

(4) Primero, doña Ana y un clérigo; después, el Padre Cruz. La escena en una sala. La dama está acompañada, con el Padre Cruz viene Fray Antonio. La mayor parte de la escena escrita en redondillas, este ritmo se interrumpe cuando Cruz se dirige a la dama: «Mi señora doña Ana de Treviño;» son sólo dos octavas, las redondillas siguen y se termina en endecasílabos sueltos, cuando Cruz se dirige al cielo: «Cielos, oíd. / Yo, fray Cristóbal de la Cruz, indigno...» Las octavas subrayan el ritmo de las redondillas, acompañan el gesto con que Cruz se dirige a la dama, sobre todo, preparan el movimiento del verso suelto.

La jornada segunda ha sido de una gran sencillez de líneas: despedida del inquisidor, la dama enferma, la tentación vencida. Son los demonios los que, hablando por boca de la moribunda o danzando en torno al penitente, han agitado la superficie tranquila de la composición, y esa pasión es la que acaba por imponerse en este núcleo final, preparando el brevísimo sosiego con que termina el acto. Es la gran escena de la obra.

El acompañamiento sirve de fondo mudo al diálogo entre la dama y el clérigo. La dama renuncia a confesarse: sus pecados no pueden ser perdonados. La dama desespera de su salvación y el clérigo angustiado, inútilmente argumenta. Es un diálogo entre dos angustias. Con su pertinacia se tortura a sí misma y al que quiere salvarla; con su porfía, el sacerdote aumenta el dolor de ambos. El Gótico ha expresado alegóricamente esta agonía, esa pelea entre ángeles y demonios, el Barroco nos la hace vivir. Es el sacerdote el ángel que lucha sin cansancio, es el pecador el demonio que se obstina en condenarse. El martirio del hombre; ese misterio impenetrable de la bondad divina y la santificación de la gracia; ese choque entre lo infinito y lo finito es el tema torturador del diálogo. La exaltación del actor es extraordinaria, doña Ana exclama: «No gritéis, que no aprovecha.» En este momento de patetismo ascendente entra Cruz, y el clérigo continúa, glosando tres textos latinos: *Deus cui proprium. Misericordias tuas, Domine. Cor contritum et humiliatum.* Hay una oposición entre el tono apasionado y la claridad de la doctrina. La desconfianza es el mayor pecado, la desesperación de Judas. «El Padre Cruz está aquí; / buen suceso en todo espero,» termina el clérigo, y dice Cruz: «Prosiga, Padre, que quiero / estarle atento.» Esto señala a Cruz la entrada en el diálogo, pero quien da el tono dramático es doña Ana: «No hay Dios, digo...» En seguida interviene el Padre Cruz: *Dixit insipiens in corde suo: non est Deus.* Pero antes de empezar la lucha (siguiendo quizá el ritmo de la predicación) se postra a orar, implorando el auxilio de la Virgen; termina con un texto latino—la última cita bíblica.

El Padre Cruz se dirige (octavas) a doña Ana para replantear el tema: se entra en la vida eterna del paraíso sólo con el alma sin mancha, el alma manchada ingresa en la vida eterna del infierno. El hombre ha de elegir su patria: salvación o condenación; Nueva Jerusalén, Nueva Babilonia. Doña Ana contesta: Dios es justo; el pecador, injusto, Dios no puede perdonarle. Comienza el diálogo de oposición. El moribundo llega al momento de la gran lucha por la vida. Mientras se vive hay que esperar y temer; cuando se muere sólo hay que esperar. ¿Qué sería del caballero que al entrar en el palenque dudara? Pero ¿qué hacer sin armas? arguye doña Ana. Hay que poner su confianza en Dios, replica Cruz.

El autor dramático no está adoctrinando a nadie, pues

la audiencia sabe muy bien esta lección. Es la enseñanza que se han ido transmitiendo los siglos de cristianismo, y la metáfora—palenque, caballero, lucha, armas del cristiano—es completamente familiar, el debate también es conocido. Cervantes lo que quiere es que se vivan estos últimos momentos, esta agonía espiritual; la audiencia tiene que vivir lo sabido—esa es la función del arte. ¿Salvarse por la fe? ¿Salvarse por las obras? La Contrarreforma insiste: por la fe y por las obras.

La Virgen, los ángeles, los demonios tienen la misma corporeidad en el Barroco que en la Edad Media; el Barroco da a esas figuras incluso un sentido más humano, pero con la intención de revelar su contenido espiritual. En la Edad Media parece como si el triunfo consistiera en dar forma visible a la mente y el espíritu; en el Barroco, en cambio, el artista goza haciendo brotar de la naturaleza y de la materia su contenido espiritual. El Barroco usará toda clase de figuras alegóricas y simbólicas, ya de una manera funcional, ya ornamental, pero sin ninguna obligatoriedad. Aunque en esta comedia han aparecido ya ángeles y demonios, quizá precisamente por haber ya aparecido y porque volverán a aparecer, la Virgen, el ángel, el malo, ahora, son sólo imploraciones.

El diálogo de Cruz y doña Ana es una reduplicación del diálogo entre doña Ana y el clérigo, esas reduplicaciones se dan constante y característicamente en el Gótico. La reduplicación obedece acaso a la manera de actuar la mente cristiana, que siempre halla junto a la figura la prefigura. Conviene hacer notar que el Barroco—y creo que a diferencia del Gótico—encauza la reduplicación hacia un climax dramático, marcando así muy claramente el papel de la prefigura y el de la figura. La función secundaria y primera del clérigo consiste en introducir a Cruz, prepara la realización de lo que no fué dado alcanzar. Primero se nos presenta el tender hacia, el anhelo, la realidad en potencia, después, la actualización; se pasa de lo prometido y anunciado a la posesión y a la venida.

Cruz propone a Ana el trocar sus obras de penitencia por las suyas de perdición, si la dama se arrepiente. Ana acepta, pero todavía exige fiadores. Cruz los tiene: la «que fué Madre y doncella;» Cristo, como niño, «perdido y después hallado.» Ana se entrega, la redondilla da lugar al verso suelto. Pasamos del movimiento breve del octosílabo y de la rima circular, a la amplitud del endecasílabo libre, el compás ascendente se hincha en una poderosa y extática armonía: «Cielos, oíd. / Yo, Fray Cristóbal... / ...en esta forma digo: / que al alma de doña Ana de Treviño, / ...doy de buena gana / todas las buenas obras que yo he hecho / ... / y, en contracambio, tomo sus pecados, / ...y me obligo / de dar cuenta dellos en el alto / y eterno tribunal de Dios eterno / ... / Mas es la condición deste concierto, / que ella primero de su parte ponga / la confesión y el arrepentimiento.»

La oposición—buenas obras-pecados, ya en las redondillas: madre-doncella, perdido-hallado—es lo que permite el círculo perfecto, el «concierto»—«*eterno* tribunal de Dios *eterno*»—que se alcanza con el sacrificio personal y voluntario—«Yo» «doy de buena gana»—junto a la confesión (es decir, reconocimiento, conciencia de la falta) y el arrepentimiento.

Las dos figuras principales del «coro»—Fray Antonio, el clérigo—subrayan la maravilla del suceso y la fuerza que lo ha hecho posible: «¡Caso jamás oído!» «Y caridad jamás imaginada.»

Ana pide confesión, los personajes se dispersan. Todavía se indica otro requisito de la confesión, el secreto: «vamos do estemos solos.» Rápidamente la jornada ha impuesto el sosiego, y puede terminar en seguida con el verso luminoso que levanta todos los corazones:

¡Oh bienaventurada pecadora!

Para el Barroco es clarísimo, y los espectadores no hubieran hecho otra cosa que vivir lo completamente sabido.

Con todas las diferencias, lo mismo que acontecía con la tragedia griega.

El lector moderno no debe olvidar que este caso jamás oído de caridad jamás imaginada no es otra cosa que el sublime acto de amor de la redención de la humanidad, posible sólo al tomar sobre sí voluntariamente el pecado del hombre.

El alto sentido de la jornada segunda, que quizás haya pasado inadvertido hasta ahora, queda completamente claro. El lector ya habrá captado la forma de la comedia. La jornada segunda termina exactamente como la primera, con el arrepentimiento, la conversión del pecador. En la primera se nos presenta en acción la vida del pecador, del rufián que va a dar a la conversión; en la segunda no vemos la vida del pecador, en cambio se nos hace penetrar en la lucha entre las fuerzas del mal y del bien, y en el misterio del perdón. La pareja humana ha sido rescatada: pecador, pecadora. El oxymoron—rufián dichoso, bienaventurada pecadora—encierra el destino contradictorio de la humanidad en el pecado original, la *felix culpa*, la culpa dichosa, causa de la venida del Redentor, que ha tomado sobre sí los pecados del mundo. El sacerdote en el acto simbólico, pero real, de la confesión no hace sino repetir el rescate del pecador por Cristo.

APOTEOSIS, JOB Y DEMONIOS

Jornada III. La jornada última es relativamente corta. Poco más o menos, la mitad está escrita en verso italiano, y como casi todas las escenas en octosílabos tienen una función secundaria, la impresión que produce es la de que predomina el endecasílabo. El terceto, el verso suelto, la octava dan una gran amplitud a la brevedad de la acción y a lo reducido del espacio.

(1) (1a) La jornada comienza (tercetos) elevando a un plano apoteósico el significado del arrepentimiento y la maravilla del perdón: la caridad alumbrando en el corazón

del hombre la fe que fortalece la esperanza de ser salvado. Esta trabazón de las virtudes teologales es la acción que acabamos de presenciar en la jornada segunda, y el ciudadano que ahora la narra cuenta la alegría del cielo:

> Oyéronse en los aires divididos
> coros de voces dulces, de manera
> que quedaron suspensos los sentidos;
> dijo al partir de la mortal carrera
> que las once mil vírgenes estaban
> todas en torno de su cabecera;
> por los ojos las almas destilaban
> de gozo y maravilla los presentes,
> que la suave música escuchaban;
> y apenas por los aires transparentes
> voló de la contrita pecadora
> el alma a las regiones refulgentes,
> cuando

se vió cómo se le cubría al Padre Cruz el rostro de lepra. (1b) Con los versos finales se da la entrada al Padre Cruz, al héroe cristiano: «Acompaña a la lepra la flaqueza; / no me puedo tener. ¡Dios sea bendito, / que así a pagar mi buen deseo empieza!» Es la resignación, la paciencia del justo, según el paradigma de Job, que aun tiene que soportar las adulaciones del mundo. (Adán es la causa del dolor en la tierra, Job es la aceptación del dolor. En el Barroco aparecen constantemente estos dos símbolos, de manera tácita o explícita, para dar razón de la muerte y para indicar al hombre cuál debe ser su sumisión y agradecimiento.)

La jornada segunda transcurría en Méjico y ésta también. No hay ninguna nota pintoresca, nada local, pero sí la esencia de la colonización española. Le dice al Padre Cruz un ciudadano: «Venistes para bien de aquesta tierra.»

(1c) Verso suelto. Dos demonios—«esta visión fué verdadera, que así se cuenta en su historia»—son los encargados de discutir el misterio de la relación entre la gracia y la culpa. Junto a cierta forma de milagros, que la Contrarreforma, sin herir abierta e inútilmente las creencias populares, quiere mantener dentro de la más estricta autenticidad, suprimiendo con tacto los hechos creados por una determinación histórica, surge el milagro de los milagros, el de la gracia que rescata la culpa, el milagro del amor y su actuación misteriosa.

El Barroco, aunque muy alejado (incluso el católico) de la Edad Media, todavía podía aceptar, porque las necesitaba, ciertas formas irracionales de la vida espiritual: sale uno de los demonios «con figura de oso, y el otro como quisieren.» La aparición de estas dos figuras es un hecho «verdadero;» lo que hoy hay que notar es que este milagro nos hace vivir, en una forma adecuada a la época, el misterio que atormenta con nueva fuerza a protestantes y católicos durante el Barroco.

Los demonios no se retiran de escena sin deducir lógicamente la vida que le espera al Padre Cruz, primero será prior, luego, provincial.

LA IGLESIA

(2) El segundo núcleo de la jornada, en redondillas, tiene tres partes también. (2a) Fray Antonio (Lagartija) y un novicio dialogan graciosamente; se vuelve a recordar la vida de Sevilla y, como en el núcleo precedente, se habla del origen más que humilde del Padre Cruz. En una postura de desafío les sorprende el leproso (2b), quien se queda solo y en seguida tras él el oso. La continua compañía del demonio. La tentación incesante. Débil y enfermo, la duda de su salvación le carcome, pero su fe es inquebrantable. El alma puede luchar, y adonde ella no llega, acude Dios. Es el sentido de la lucha con los gigantes descomunales del Gótico, y de la victoria. El cristiano no tiene un instante de reposo.

(2c) Vuelve Fray Antonio para curarle (ha de verse bien la relación con el episodio anterior). El Padre Cruz le dice que es inútil la cura. ¿Desespera? pregunta Fray Antonio. No, pero ese dolor lo envía el cielo. Es posible, insiste Fray Antonio ingenuamente, que el cielo disponga tanto mal para el hombre. Constante tentación, constante misterio de la vida cristiana. No hay respuesta, porque viene el novicio anunciando que le han elegido prior. Pero no se crea que se cambia la acción huyendo del misterio, no. La respuesta es una respuesta viva: el Padre Cruz, su paciencia, su fe. Y en relación con ese misterio, la paradoja de la vida de la iglesia: ese hombre de ínfimo origen es elegido a la prelacía, ese enfermo de cuerpo podrido es al que se considera apto para la carga del gobierno.

Este concepto del mundo es medieval por ser cristiano, pero creo que se nos escapará su sentido barroco si no lo vemos iluminado, dirigiendo la pompa de la sociedad circundante, que es precisamente el desenlace de la comedia. Pero éste no llega todavía.

Viene el Padre prior (verso suelto) y con su presencia se da todo el decoro a la voluntad de Dios, cuyo misterio hace sobresalir la calidad de criatura que tiene el hombre, al cual no le conviene otra actitud que la de la obediencia y humildad. El Padre Cruz, que ya tuvo que obedecer y bendecir al inquisidor, ahora se somete una vez más y da su bendición al Padre prior. Pocas veces hemos vivido tan intensamente la paradoja esencial del cristianismo, el misterio insondable que lo sustenta, lo inescrutable de la voluntad divina que siempre se manifiesta, la posición de criatura del hombre ante lo Santo. En esta dependencia absoluta, se le da al hombre el dolor para que pueda crearse su personalidad, para que pueda forjarse con su voluntad su salvación. El Padre Cruz está abrumado por la inmensidad de sus culpas y la bajeza de su linaje. El Padre prior le dice: «a lo que ha sido, / ha borrado lo que es.»

(3) Otra vez la lucha del agonizante, quien muere ahora es el Padre Cruz. No presenciamos su muerte; sus últimos momentos están representados alegóricamente. (3a) «Lucifer con corona y cetro, el más galán demonio y bien vestido que ser pueda,» sale a decir su gran monólogo (octavas). Su presencia no es un milagro, es la realidad metafísica de la vida cristiana. Por su pecado de soberbia está condenado para siempre, y la envidia le atormenta sin fin, al ver que el hombre, que pecó también, puede salvarse. Desfilan en sus versos Adán, el buen ladrón, la Magdalena, el cambiador, que dejó sus libros de usurero para ser divino cronista (San Mateo), con este último llega el rufián. Así vemos el impulso verbal del pensamiento y sentimientos barrocos; por eso el otro demonio ya llamó al Padre Cruz cambiador. Le llamó así por el cambio que había hecho de sus buenas obras por los pecados de doña Ana y al mismo tiempo para que se le pueda relacionar verbalmente con San Mateo en este monólogo. Además se puede asociar el evangelio con la historia que se escribirá del santo: «y que su vida y muerte nos la cuente / alta, famosa, y verdadera historia.» Hay que recordar siempre la Edad Media, sin olvidar que estamos en otra época del cristianismo. Basta la presencia de Lucifer para encadenar una época a otra, pero en la forma como se presenta vemos el cambio de la concepción de la vida.

Lucifer continúa su monólogo: es el eterno angustiado. La soberbia le hizo caer, la envidia le tortura. Ya que no pueda quebrantar la fe del moribundo, quiere amargarle sus últimos momentos, turbándole los sentidos y entibiándole la esperanza. El rencor le mueve, y su voz de mando tiene una gran fuerza dramática: «¡Ea!, que espira ya.» Lucifer se retira, y en seguida salen las almas del purgatorio (3b) (redondillas): Fray Cristóbal ha muerto y las almas del purgatorio le acompañan. Su devoción, su penitencia le han salvado. La presencia de Lucifer, su libertad, era necesaria para la libertad del pecador, para el ejercicio de su voluntad, para su salvación.

LA NUBE OSCURA SE CONVIERTE EN NORTE

(4) Cuando muera el starest Zósimo no habrá milagro, con escándalo de todo el monasterio y la ciudad. (4a) Al morir el Padre Cruz, la tierra ha florecido en milagros. Su cuerpo, que ayer era «espectáculo horrendo,» hoy es «bruñida plata;» los enfermos recobran la salud, el convento y la ciudad se sienten edificados. Todo eso lo cuenta Fray Antonio en un monólogo (versos de siete y once sílabas), cuya religiosa ingenuidad no sólo es (1.º) la que corresponde al personaje, sino que (2.º) forma un espléndido contraste con la majestad luciferina. Este monólogo es una gran estampa de conmovedora religiosidad barroca:

> ¡Oh padre, que en el siglo
> *fuiste* mi nube oscura,
> mas en el fuerte asilo,
> que así es la religión, mi norte *fuiste!*

En los versos pasamos de la miseria y el dolor—podredumbre, llagas, sangre, carbuncos, grietas y aberturas, vertía podrición—, por medio del fuego purificador en que se ardía, a la plata y el limpio cristal del cuerpo convertido en reliquia, donde se imprimen los labios más ilustres.

(4b) El alma se ha ido al cielo, el cuerpo se queda en la tierra. Un pasaje muy breve en redondillas: toda la ciudad ha invadido el convento, despojan al muerto.

(4c) Más llagas, más sangre, más reliquias. Verso suelto. Los ciudadanos prefieren cualquier cosa del santo a una mina. Hay una conmoción religiosa, cuando uno dice: «Música suena; / parece que es del cielo y no lo dudo.» Comienza el desfile funeral; el grupo muy apiñado de frailes y el virrey se mueve en un espacio muy reducido, se oye

aún la voz de Lucifer que se siente rechazado del cuerpo
del muerto por los rosarios que lo cubren.

El virrey pide que le dejen contemplar otra vez el rostro
del santo. Todo el poder del Estado se rinde y postra ante
este destino humano, y es el virrey el que da la orden:

> Hagan su oficio, padres, y en la tierra
> escondan esta joya tan del cielo.

Tierra y cielo unidos por esta joya de perfección. Cervantes ha dramatizado una vida, en donde convergen la Iglesia y el Estado, centrándola en el arrepentimiento; y, conservando toda la fuerza del misterio y del milagro, toda su perspectiva dudosa y confusa para la mente humana, ha situado el perdón en el plano trascendente religioso: un acto de amor, que de manera incomprensible pero real hace que la gracia venza a la culpa.

El sentimentalismo del Realismo-idealista quería convertir el Estado en Iglesia; esta confusión no era posible en el Barroco, con su aguda sensibilidad para los valores: Espíritu, Iglesia y Estado se presentan en su esencia y en su relación necesaria.

*COMEDIA FAMOSA INTITULADA
LA GRAN SULTANA
DOÑA CATALINA DE OVIEDO*

EL TONO DEL INTERÉS

Jornada I. (1) (1a) La comedia empieza en tercetos, haciéndonos presenciar la pompa y majestad del Sultán turco y una escena pintoresca: la manera de demandar justicia. Dos renegados, Salec y Roberto, hablan, explicando la acción. El demandante se pone con una caña y estopas por donde ha de pasar el Gran Señor, y cuando el Sultán llega, enciende las estopas para llamar su atención y entrega su memorial a la persona de la comitiva nombrada para recibirlo. Apenas se ha contado lo que va a acontecer, comienza el desfile y se nos dice que el Gran Turco se dirige a hacer oración a Santa Sofía. Termina este movimiento de tanto aparato y pasamos a las quintillas dobles (1b). Los renegados se quedan solos, y uno de ellos, Roberto, cuenta por qué está en Constantinopla. Ha venido en busca de Lamberto (al final de la comedia, Alberto), que, enamorado de Clara, desapareció cuando cautivaron a la muchacha. Todos ellos—Clara, Lamberto, su ayo y maestro Roberto— son de Praga. Lo que era Argel para los Habsburgos del Mediterráneo, era Constantinopla para los Habsburgos de la Europa central. La universalidad española de esa época proyecta su imaginación hacia un exotismo que no le es ajeno, nota que conviene tener presente para captar la calidad de lo exótico. Constantinopla, Praga, ciudades completamente extranjeras y al mismo tiempo familiares.

La pompa del desfile, lo pintoresco de las costumbres están dando el tono del interés. Sobre ese fondo deslumbrador se cuenta la historia que se apodera del sentimiento. Cuanto la imaginación ha sido transportada a este mundo de la maravilla, entonces comienza la acción de la comedia.

LA POMPA DE LA BELLEZA, LA COMICIDAD DE LO PINTORESCO

(2) (2a) Las quintillas dobles continúan, en lugar de dos renegados, dos eunucos, Mamí y Rustán. El primero ha descubierto que en el harén hay una cautiva española y que durante seis años se le ha ocultado su hermosura al Sultán. No está dispuesto a ser cómplice y va a delatar al culpable. Rustán dice: «Por empalado me doy.» (2b) Llega doña Catalina vestida de turca, el eunuco la informa del peligro en que están; ella se salvará por su belleza, pero a él le matarán. Doña Catalina, con gran candor y de una manera conmovedora, suplica a Dios:

> esta rosada color
> que tengo, según se muestra
> en mi espejo adulador,
> marchítala con tu diestra;
> vuélveme fea, Señor:
> que no es bien que lleve palma
> de la hermosura del alma
> la del cuerpo.

Al retirarse, sale el Turco acompañado de Mamí (2c). El eunuco aviva el deseo de su señor con la descripción de la española:

> Es tan hermosa,
> como en el jardín cerrado
> la entreabierta y fresca rosa
> a quien el sol no ha tocado;
> o como el alba serena,
> de aljófar y perlas llena,
> al salir del claro Oriente;
> o como sol al Poniente
> con los reflejos que ordena.

No tiene nada de extraordinario esta descripción, sin embargo es de un delicioso color y la sencillez de la comparación tiene su encanto; el verso se desliza con un movimiento que, aunque sin nada de particular, se presta a ser recitado. El Sultán acaba por interesarse, pregunta el nombre, se sorprende de que sea cristiana; irritado, decide ir esa misma tarde al harén.

En el primer núcleo se nos ha situado en un cierto nivel de imaginación y se ha dirigido nuestro interés hacia un punto del cual se nos desvía en seguida. Al principio ya se nos habla de los renegados e incrédulos (ateístas), ahora hemos visto a esa graciosa española, de tan espléndida hermosura, dispuesta a sufrir cualquier tormento antes que someterse. Podemos, pues, esperar una acción trágica. En verso suelto comienza una escena de gran fuerza cómica (3). La acción cómica corre a cargo de Madrigal, más que un gracioso, un tipo de entremés. (3a) Madrigal, español, sale acompañado de Andrea (por errata Andrés), espía. La escena tiene lugar en la judería; los judíos hablan dentro y alguna vez se asoman a una ventana. El elemento pintoresco de la acción se resuelve en comicidad, porque Madrigal se ha apoderado de una cazuela, que estaban guisando los judíos, echando en ella un pedazo de tocino. El que ha gastado la broma es el español, pero el espía griego les insulta. La acción no tiene nada de antisemita, sentimiento inexistente en España. Conviene hacer esta advertencia, para no desvirtuar la escena: Madrigal con estos judíos ejecuta una acción de entremés. Terminado este movimiento, pasamos al segundo (3b). Andrea le propone que se escape (Madrigal es un cautivo), no quiere hacerlo por estar enamorado de una alárabe. Un tipo cómico enamorado ya sabemos que ha de ser divertido, pero además empieza a tratar el tema del heroísmo español en el cautiverio con tales bravatas que resulta de una gran comicidad: «¡Español sois, sin duda!» le dice Andrea, y Madrigal contesta: «Y soilo y soilo; / lo he sido y lo seré mientras que viva, / y aun después de ser muerto ochenta siglos.» Este movimiento termina, y el tercero (3c) consiste en otro gran desfile, esta vez de un embajador, el de Persia. Con este segundo desfile, la comedia aparece ya encauzada como una acción de gran aparato. Olvidémonos del paso de los judíos, pero recordemos el amor de los transilvanos y el amor de Madrigal, que acompañan a la bella española del serrallo. La jornada termina con una acción dividida en tres partes; por la acción podemos suponer que pasa en el harén.

LA GRACIA EN EL MUNDO

(4) (4a) El Sultán recrimina (quintillas dobles) al eunuco que haya tenido a una de sus mujeres oculta. En balde se disculpa el servidor, diciéndole que cuando la cautiva llegó a palacio se hallaba en un estado que no merecía ser vista y que apenas hace tres días que ha recobrado con la salud la belleza. El Gran Turco se indigna ahora, no tanto porque Rustán se la haya ocultado como por pintarla tan bella, y promete que le condenará al fuego si no es cual la ha pintado. Se marcha Rustán a buscarla, y Mamí advierte al Sultán que si la vida del eunuco depende de la hermosura de Catalina, puede estar tranquilo.

(4b) Toda la dispersión episódica de la jornada desaparece ante el asombro (en redondillas), que produce la hermosura de la española en el Sultán. El Gran Turco llama a sus servidores gente indiscreta, ignorante, loca; los eunucos se aterran ante el temor de que le haya parecido fea, y el Turco continúa: «¡Cuán a lo humano hablasteis / de una hermosura divina, / y esta beldad peregrina / cuán vulgarmente pintasteis!» Los servidores se disculpan, no han podido encomiarla más de lo que han hecho: «¿Pudiera decirte más / un mentiroso poeta?» Toda alabanza le parece poca al Sultán, y la española, que hasta ahora no ha hecho nada más que mostrarse, habla pidiendo favor para los servidores. Todo lo concede el Turco, quien inmediatamente la eleva al rango de Sultana. Es cristiana, dice ella. Todo lo acepta el Sultán. Tres días pide de plazo; tres días que serán un tormento para el Gran Señor. La variedad episódica ha ido a dar a ese éxtasis ante la belleza. La pompa de los desfiles, lo pintoresco, lo cómico sostienen esa embriaguez que produce la belleza en una suspensión que no se puede saber si irá a dar a la tristeza o a la alegría.

Todos se retiran, queda la Sultana sola (4c), y la nota estática, la nota de recogimiento se acendra aún más, terminando la jornada en un soneto. Creo que es obligatorio sentir este contraste, es necesario captar cómo la chispeante variedad se funde en una contemplación embelesada. Todo el movimiento centelleante, pintoresco y exótico del Gran Señor, con las notas cómicas, con las intrigas amorosas, afluye al soneto, que dice sola en escena, con su deslumbrante hermosura, la española vestida de turca.

¡A Ti me vuelvo, gran Señor, que alzaste,
a costa de tu sangre y de tu vida,
la mísera de Adán primer caída,
y, adonde él nos perdió, Tú nos cobraste!

Gran Señor, Divino Pastor, implora Catalina; pide que Dios la ayude a vencer la serpiente. De un Gran Señor al gran Señor: es completamente necesario someterse a ese ritmo

si queremos penetrar en la comedia, cuyo tema no puede
ser otro que el del pecado original. La acción consistirá
en vencer la serpiente con la gracia divina, en tomar cristianamente
posesión del mundo.

> ¡A Ti, Pastor bendito, que buscaste
> de las cien ovejuelas la perdida,
> y, hallándola del lobo perseguida,
> sobre tus hombros santos te la echaste;
> a Ti me vuelvo en mi aflicción amarga,
> y a Ti toca, Señor, el darme ayuda,
> que soy cordera de tu aprisco ausente,
> y temo que a carrera corta o larga,
> cuando a mi daño tu favor no acuda,
> me ha de alcanzar esta infernal serpiente!

La Constantinopla turco-mahometana es el aprisco extraño
donde se encuentra descarriado el cristiano, es decir, es la
tierra, que, por la culpa, ha dejado de ser el Paraíso.

FANTASÍA POÉTICA Y GRAN APARATO PARA SITUAR LAS VERDADES ETERNAS Y EL SENTIDO HISTÓRICO

Jornada II. (1) La jornada segunda empieza con la
misma forma estrófica (redondillas) de la escena amorosa
entre el Gran Señor y Catalina en la jornada anterior.
(1a) A Madrigal le traen atado dos moros, y con ellos
sale el Gran Cadí. Le han cogido «cometiendo el gran
pecado.» Se recordará que Madrigal estaba en amores con
una alárabe. Los turcos castigan las relaciones entre personas
de distinta religión con la muerte de ambos amantes,
a no ser que se casen por la ley de Mahoma. El Cadí lo
dice: «Dad con ellos en la mar, / de pies y manos atados,
/ ...pero si moro se vuelve, / casaldos y libres queden.»
Madrigal aprovecha la ocasión para decir unas cuantas
gracias sobre la carga del matrimonio y para asegurar
que ni se casará ni le matarán. El Cadí pide que le explique
eso y Madrigal ruega que le desaten y les dejen solos.
Entonces (1b), le cuenta (romance) que sabe la lengua de
los pájaros y que por ella se ha enterado que su juez ha-

bía de morir y condenarse dentro de seis días a menos que enmendara tres desafueros cometidos (a dos moros, a una viuda) y se lavara con cierta yerba. También puede hacer hablar a un elefante. La ingeniosidad es divertida, pero más divertida es todavía si se piensa que el Gran Señor está haciendo el amor a una cristiana.

Como se ve, la comedia se sitúa de repente en un plano completamente burlesco. No importa tanto señalar la antigua tradición de las burlas como indicar que estamos en la línea que ha de conducirnos a la comedia del último Barroco (Molière) y del Rococó, y que, pasando por Mozart, entrará en el siglo XIX.

La primera jornada nos mantenía en un estado de suspensión, no ya por lo que se refiere a la intriga, sino respecto a la dirección de la acción, la cual lo mismo podía derivar hacia la tragedia que hacia la burla. La escena entre Madrigal y el Cadí es sumamente graciosa, no tanto por el engaño como por la calidad de éste, por hacernos penetrar en ese mundo de la fantasía donde se entiende la lengua del jilguero y del ruiseñor. Es una comicidad que tiene un gran halo poético, que se mueve en ese mundo donde las cosas existen gracias a unas leyes que su propia existencia crea. Entre esa imaginación, que seduce tan fuertemente a nuestra ingenuidad, se dejan oír aquí y allí, entre risa y risa, como mundos relampagueantes, las verdades eternas. Un ruiseñor pequeñuelo cantaba con armonía divina: «¿Adónde vas, miserable? / Tuerce el paso, y hurta el cuerpo / a la ocasión que te llama / y lleva a tu fin postrero. / Cogeránte en el garlito, / ya cumplido tu deseo; / morirás sin duda alguna, / si te falta este remedio.» Y cuando el Cadí le deja en libertad y le encomienda su vida, Madrigal no habla de pájaros o de yerbas, en un ritmo rápido y alegre dice:

¡Penitencia, gran Cadí,
penitencia y buen deseo
de no hacer de aquí adelante
tantos tuertos a derechos!

Ese mundo turco con sus notas pintorescas y sus transilvanos, sus pájaros y sus elefantes, sitúa para el público de la época lo universal en la zona de la imaginación, no sólo por lo que se refiere a las verdades eternas, también pueden quedar prendidas las verdades particulares, lo único necesario es mantenerlas dentro del tono de la obra.

(2) El segundo núcleo es otra escena pintoresca y de gran aparato. (2a) El embajador de Persia viene a ofrecer la paz al Sultán. Las octavas continúan al retirarse el embajador (2b) y quedar el Sultán en consejo para tomar una decisión. Si en la primera parte, un bajá ha caracterizado inmediatamente a Persia dentro del Islam, diciendo:

> Ese cabezarroja, ese maldito,
> que de las ceremonias de Mahoma,
> con depravado y bárbaro apetito,
> *unas cosas despide y otras toma;*

y de la política internacional, al afirmar que busca la ayuda del rey de España; en la segunda parte, otro bajá, al discutir las relaciones de Persia con Turquía, puede observar:

> que a nosotros la Persia así nos daña,
> que es lo mismo que Flandes para España.
> Conviene hacer la paz.

No es frecuente que los historiadores, con referencia a los hechos contemporáneos a ellos, sean capaces de captar, con tanta precisión, una relación general y de verla con tanta claridad que puede ser expresada muy brevemente. La anécdota de una española elevada a sultana seguramente es pura invención; se trate de un hecho falso o cierto, es de importancia nula para la comedia; la cual si se ve trascendida de sentimiento y contenido histórico es en esta escena, en donde queda establecida una relación general entre dos situaciones políticas y en donde se trata de uno de los problemas centrales de la vida de España en esa época: la guerra con Flandes—las guerras de religión

de España. Ese sentimiento no queda agotado con hacer
la paz o la guerra, el bajá partidario de la paz termina la
defensa de su actitud diciendo:

> Mahoma así la paz dichosa ordene,
> que se oiga el son del belicoso Marte,
> no en Persia, sino en Roma, y tus galeras
> corran del mar de España las riberas.

También ahora está expresando Cervantes un sentimiento
compartido: el anhelo de terminar con las guerras intestinas. Era el sentimiento de toda Europa, por eso la paz
del reinado de Felipe III. Desgraciadamente no basta desear la paz. La paz, el orden no pueden reinar hasta que
no se encuentre un desenlace al conflicto, que en el siglo XVII (quizá hoy también) no se sabía encontrar nada
más que con las armas; de aquí que a ese período de paz
—un interregno—siguiera la guerra de Treinta Años.

En la jornada primera, la acción pintoresca y los amores de los transilvanos mantenían en suspenso la acción
principal; en la jornada segunda, los amores de Madrigal
y el elemento pintoresco dan el tono a la acción principal.

DIOS NO EXIGE LA MUERTE, SINO QUE EL HOMBRE VIVA Y SE SALVE

(3) (3a) Sale por fin la Sultana, Catalina, acompañada
de su confidente, el eunuco Rustán (redondillas). Catalina
está resuelta a morir, antes que casarse, pero Rustán, observando que su intención es excelente, le advierte lo innecesario de acudir a esos extremos, pues no le exigen que
abandone el cristianismo. Catalina quiere ser mártir. Está
muy bien, contesta Rustán; pero para ser mártir se tiene
que presentar la ocasión, y además Dios concede la gracia para ser mártir «a quien El quiere.» Cuando llega el
Gran Turco (3b), Catalina pone de nuevo sus condiciones,
que de nuevo son aceptadas, y Rustán acaba por aconsejarla que cese en su actitud. Antes, Mamí ha dicho: «Caso

grave, / y entre turcos jamás visto, / andar por aquí tu Cristo.» Y Rustán:

> El mismo lo sabe.
> El suele, Mamí, sacar
> de mucho mal mucho bien.

Ya se había dicho que si Catalina hubiera podido huir, hubiera debido hacerlo. Donde la intención es buena, donde la voluntad no se tuerce, cuando se mantiene dentro del cristianismo, no hay pecado. Tenemos además la presencia del mal, del cual Dios suele sacar mucho bien. El sentido de esta escena se completará al llegar al final de la jornada, y, recordando siempre el soneto, podremos darle forma al terminar la comedia.

El Gran Turco quiere que todo el serrallo rinda acatamiento a la sultana (3c), y al anunciarle que vienen sus mujeres elige a dos para que por todas la den obediencia. Son Zayda y Zelinda, es decir, Clara y su amante Lamberto, los dos jóvenes transilvanos. Así la intriga secundaria se une a la principal, y al quedarse ellos dos solos (3d), se vuelve a la burla. Bastaría con ver a un muchacho vestido de mujer y además en el harén. Quizás hay que imaginar que el actor debe ocultar su personalidad hasta este momento, precisamente para hacer la situación más cómica, comicidad que se aumenta, cuando Clara dice:

> ¿Yo preñada, y tú varón,
> y en este serrallo? Mira
> adónde pone la mira
> nuestra cierta perdición.

No se nos prepara para un desenlace trágico; se mantiene nuestro interés para ver cómo se deshará ese enredo, que tiene que ser de manera parecida a como Madrigal ha logrado conservar la vida. Madrigal no quiso hacerse «moro,» y esta pareja advierte que pase lo que pase han de morir cristianos. (4) Continúan las redondillas, al marcharse la pareja amorosa y entrar Andrea (el espía) con Madrigal. (4a) En buena está metido, le dice Andrea; peor sería haber perdido la vida, contesta Madrigal; tiene diez años por delante y en ese tiempo muchas cosas pueden ocurrir, puede morir el Turco, o el elefante, o él. (Cuando se trata de la vida eterna nunca hay que dejar las cosas para el momento próximo—si tan largo me lo fías—, pero con referencia a la vida terrenal, el hombre no debe nunca perder la esperanza.) La broma prosigue por ese camino, hasta llegar el Cadí (4b), que es cuando adquiere la máxima gracia: lenguas para el elefante, lenguas de los pájaros. El Cadí, como es natural, tiene que hacer siempre de engañado y permitir a Madrigal que desarrolle su fantasía con toda brillantez, complicación y alegría. Rustán llega (4c) buscando un sastre cristiano para vestir a la Sultana. El juego de la fantasía no cesa, pero cambia el motivo, que coge entre sus nudos al asombro del Cadí: «¿Ya hay sultana, y que se viste / a la cristiana?» El asombro es parte de ese movimiento burlesco. Rustán no encuentra un sastre, sino dos, porque Madrigal se ha ofrecido inmediatamente y, por fortuna, también un viejo cristiano que se encuentra allí, porque Madrigal nada sabe de coser y cortar.

Todos se retiran, el aire burlesco, que ha de reaparecer todavía un momento antes de que termine la jornada, es sustituído por el tema religioso.

(5) (5a) La Sultana entra con el rosario en la mano, y tras ella el Gran Turco escuchándola. La oración en liras, el resto de la jornada en redondillas. «¡Virgen, que el sol más bella!» implora Catalina, y prosigue:

> En mi aflicción te invoco;
> advierte, ¡oh gran Señora!, que me anego,
> pues ya en las sirtes toco
> del desvalido y ciego
> temor, a quien el alma ansiosa entrego.
> La voluntad, que es mía
> y la puedo guardar, esa os ofrezco,
> santísima María;
> mirad que desfallezco;
> dadme, Señora, el bien que no merezco.

Termina esta oración dirigida a la gran Señora, y en seguida Catalina se da cuenta de la presencia del Sultán; se cambia de estrofa, y el primer verso de sorpresa es: «¡Oh Gran Señor! ¿Aquí vienes?» El Turco la exhorta: «Reza, reza, Catalina, / que, sin la ayuda divina, / duran poco humanos bienes.» Además, también los mahometanos reverencian a María, y de ser Virgen le dan «la palma en primer lugar.» Por eso antes ha dicho la española:

> No hay generación alguna
> que no te bendiga, ¡oh Esposa
> de tu Hijo!, ¡oh tan hermosa,
> que es fea ante ti la luna!

(5b) Los sastres entran, la escena de tomar las medidas es como siempre divertida. Madrigal no hace más que estorbar, al Sultán le parece indecente tanto acercarse y tanto ir y venir; para acabarlo de arreglar, la Sultana se desmaya, pues en el viejo ha reconocido a su padre. Inmediatamente manda el Gran Señor que maten a los dos sastres y la jornada termina con una redondilla de final, que dice el Sultán mientras se lleva a la Sultana en los brazos.

EL ESPÍRITU RELIGIOSO DE SALÓN

Jornada III. (1) (1a) Mamí le cuenta a Rustán (estrofas de 3 heptasílabos y 1 endecasílabo sin rima; hay alguna irregularidad estrófica) cómo llegó a tiempo de transmitir la contraorden del Sultán y de salvar la vida al viejo y a Madrigal; Rustán dice que han comprado un vestido español a un judío (los críticos no deben escandalizarse, pues ya se afirma que «será indecencia grave / vestirse una sultana ropa ajena,» de segunda mano, que diríamos hoy; pero nos lo explica Rustán: «Tiene tanto deseo / de verse sin el traje / turquesco, que imagino / que de jerga y sayal se vestiría, / como el vestido fuese / cortado a lo cristiano.»), y que ha preparado la fiesta y baile que va a tener lugar en el serrallo. El diálogo es breve, entramos en la acción rápidamente (1b), el padre habla (redondillas) con su hija. El tema del diálogo es el mismo que el de la jornada anterior, sólo que ahora la Sultana se defiende: «¿será justo que me mate, / ya que no quieren matarme?» No, aunque no le parece bien la conducta de su hija, el padre no puede aconsejar el suicidio: «El matarse es cobardía, / y es poner tasa a la mano / liberal del soberano / bien que nos sustenta y cría.» El debate termina, porque la muchacha tiene que prepararse para el sarao; el padre le da el último consejo: «Guardarás de honestidad / el decoro en tus placeres, / y haz aquello que supieres / alegre y con brevedad; / da indicios de bien criada / y bien nacida.» La Sultana responde que se comportará bien y que procurará hacer todas las gracias que sepa, aunque no sabe ninguna. El tema religioso, que empezaba en la primera jornada, recogiéndose en el soneto, y pasaba a la segunda para ir a dar a la oración a la Virgen, termina ahora con esta nota social, con esta actitud de salón; porque quizás hoy ni en la iglesia se tenga una experiencia religiosa, pero en el Barroco, la conducta siempre y en cualquier parte es una expresión religiosa.

(2) (2a) Todos los preparativos para la fiesta (verso suelto): desde decir el programa—bailes, se recitará un romance—, hasta arreglar la sala—alfombra, cojines, flores, pebetes. Los músicos, los criados y Madrigal están en escena; llega el Gran Turco a echar un vistazo, dice una palabra amable a éste, otra a aquél, y por fin da la orden: «Mirad si viene Catalina.» Acompañada de los amantes transilvanos y de unos garzones, llega Catalina vestida a lo cristiano. El Gran Turco se adelanta a recibirla (quintillas dobles) y comienza la fiesta con toda la cortesía y pompa de la época; Madrigal dice una gracia, pero la entrada del Cadí ensombrece por un momento la alegría. Después de asombrarse, se sienta y permanece callado. La

entrada del Cadí ha sido sólo la interrupción necesaria
—un silencio, una pausa, un compás de espera—para que la
fiesta verdaderamente comience, lo cual tiene lugar inmediatamente: Madrigal canta el romance—unos cien versos—, contando la historia de Catalina, desde que la cautivaron siendo muy niña. Luego viene el baile cantado,
con una graciosa mudanza, y como fin de fiesta el Sultán
da la libertad a todos los cautivos presentes, exceptuando
a Madrigal, a la pareja de transilvanos y, como es natural, a la Sultana. El Cadí reconoce la belleza de Catalina,
pero aconseja al Sultán que no deje de tener descendencia
en sus otras mujeres. El Sultán promete obedecer al Cadí,
y es claro que esa sumisión es muy divertida.

EL HOMBRE EN EL MUNDO. FARSA FINAL

(3) (3a) En quintillas dobles primero y luego en verso
suelto, Mamí y Rustán comentan la decisión del Sultán y
la visita que se propone hacer al harén. Piensan llamar su
atención sobre la pareja transilvana, especialmente quieren
que se fije en Zelinda (Lamberto): «muéstrale el vivo /
varonil resplandor de tus dos soles; / quizá te escogerá,
y serás dichosa / dándole el mayorazgo que desea.» La
situación es de una hilaridad cada vez mayor; en el segundo momento (3b), cuando entra el Sultán y echa el
pañuelito a Zelinda en señal de ser ella la favorecida, la
acción esperada hace subir la comicidad de punto. Se llevan a Lamberto, (3c) y sale la Sultana, dando apenas
tiempo a Zayda (Clara) a que la ponga al corriente de
todo, porque en seguida aparece indignado el Sultán (3d).
La comicidad que desde los consejos del Cadí ha sido
continua, yendo cada vez en aumento, en la última parte
alcanza su límite máximo, pues Lamberto le dice que era
una niña, pero deseaba convertirse en varón, y siendo
cristiana no se hizo el milagro, Mahoma, en cambio, enternecido, lo ha hecho:

Turco.   ¿Puede ser esto, Cadí?
Cadí.   Y sin milagro, que es más.

La farsa y sobre todo su ritmo son los que tienen que ser, y Cervantes la maneja como en cualquiera de sus mejores momentos. La hilaridad va cediendo, aunque la presencia de la Sultana, que se finge celosa, la mantiene constante. Ella no quiere ver fantasmas y pide que nombren a Zelinda o Zelindo bajá de Chío y que se vaya pronto con Zayda.

Todo lo concede el Sultán, muy contento de ver a su Sultana celosa y ya—es la última gran carcajada—con un largo embarazo. Entre esta clase de personajes ya hubiera sido gracioso lo del embarazo, pero la gran comicidad está en «largo,» pues el tiempo necesario no ha sido reflejado por el ritmo dramático; no lo ha sido voluntariamente, es claro. Así hemos llegado al desenlace de los amores de Clara y Lamberto.

(4) Madrigal (verso suelto hasta el final) decide escaparse: «que muero / por verme ya en Madrid hacer corrillos / de gente que pregunte: ¿Cómo es esto? / Diga, señor cautivo, por su vida: / ¿es verdad que se llama la sultana / que hoy reina en la Turquía, Catalina, / y que es cristiana...?» Se hará comediante y tendrá al mosquetero boquiabierto oyendo tantas verdades. Termina con la despedida a Constantinopla: Adiós, Constantinopla; Pera y Permas, adiós... «Salen Salec, el renegado, y Roberto, los dos primeros que comenzaron la comedia,» y que la encuadran. Roberto se ha enterado del milagro de la transformación de los sexos y ha reconocido a Lamberto.

La comedia termina como empezó, con otro movimiento de gran aparato, luminarias, chirimías, mientras el pueblo grita: «¡Viva la gran sultana doña Catalina de Oviedo! ¡Felice parto tenga, tenga parto felice!» Toda esa algazara la dirige Rustán, quien, acompañado de Mamí, dice: «Alzad la voz, muchachos; viva a voces / la gran sultana doña Catalina...» comunicando la exultación al público, que queda de esta manera prendido en el ritmo cómico y cogido en su acorde final.

Cervantes nos sitúa en una acción burlesca de pura fantasía, calidad de la acción que ha llegado hasta nuestros días, pero que es muy típica de los siglos XVII y XVIII. Durante los siglos XIX y XX, la burla en este tema va acompañada de una nota sensualmente lírica, en cambio en el Barroco, el Rococó y el Neoclasicismo se acentúa lo decorativo. La burla en esta comedia da lugar a dos motivos, confiados a Madrigal y a Lamberto [1]. El cautivo no ha tenido inconveniente en hacer el amor a una mujer árabe, y Lamberto en el serrallo no ha sentido la necesidad de respetar a su amada. Son dos conductas antiheroicas.

Son dos hombres, dos cristianos que sucumben a la sensualidad, y el peligro en que se encuentran es lo que precisamente da lugar a la burla. No sólo Cervantes no quiere tratar el tema de una manera trágica y heroica, sino que convierte lo trágico en burlesco. La historia de Catalina entra en la burla al final de la comedia, cuando interviene para salvar a Clara y a Lamberto y al hablar de su embarazo. En el curso de toda la obra, Catalina ofrece delicadamente una nota de gracia, con la cual presenta su perplejidad y dilucida su conducta a seguir. Es un tema religioso, presentado con gentil donaire, gracia que se resuelve en un gesto de estrado. Se habla del martirio; Catalina empieza diciéndonos que no puede encontrar otra solución a su vida que la muerte, y después de dirigirse a Cristo—gran Señor—en un soneto, y a la Virgen—gran Señora—en la estrofa de Fray Luis (siguiendo el verso de

---

[1] Por cierto que el motivo de la metamorfosis del sexo, lo utilizó Lugo y Dávila al tratar el tema del 'celoso extremeño', y lo desarrolló de manera parecida a Cervantes. La novela de Lugo y Dávila, *El Andrógino*, sigue muy de cerca la novela ejemplar, pero se coloca en un plano completamente diferente y su textura es también muy distinta. Lugo trata el tema cómicamente; su narración es divertida y se lee con interés.

su *Canción*: «Virgen que el sol más pura»), acaba aceptando su situación y se retira para ir al baile, donde, observa con modestia deliciosa, no podrá lucir gracias que no tiene. Y el padre, después de reconocer que no se impone la muerte, le aconseja cómo debe comportarse en el salón. Es un tema religioso, pero religión para el mundo, casi, casi mundana. Y el tema es éste: vivir cristianamente en el mundo. El pecado original ha hecho del mundo un enemigo del hombre, pero en el mundo hay que vivir, aunque sin entregarle la voluntad ni abandonar el cristianismo. El Gran Señor nos arrastra y con él, con el mundo hay que vivir, esperando que Cristo nos dé su gracia. Los apelativos de Cristo y la Virgen son intencionales, y en la oración a María se ve muy claramente ese contraste, que es una dirección.

Esta religión para el mundo no es nada excepcional en el Barroco; al contrario, es algo típico de esa época. Cervantes trata el tema de una manera heroica, cuando quiere presentar el ideal de acendrada pureza que debe iluminar al hombre; cuando trata sólo de ofrecernos el nivel general de la humanidad le da un aire de burla. Esta es la razón, me parece a mí, de la fantasía burlesca de la comedia, de esa burla que acompaña la acción principal y con ella se enlaza. Como la misma visión del hombre se encuentra en las *Novelas ejemplares*, ya estudiadas, no es necesario insistir. Conviene, sí, llamar la atención acerca de la diferente manera de tratar este tema—el Mundo y el Hombre—en el Gótico y en el Barroco. También hay que subrayar el deseo de Madrigal de hacerse cómico. La Comedia, el actor, nos indican la presencia de lo social en Cervantes.—recuérdese el *Quijote* de 1615, y el *Persiles*—; por lo que se refiere al teatro, con *La Gran Sultana* nos situamos en un nivel social, en el cual permaneceremos hasta la última comedia, donde el deseo de Madrigal se hace realidad en Urdemalas.

*COMEDIA FAMOSA
DEL LABERINTO DE AMOR*

LA IRRACIONALIDAD DEL AMOR EN
EL RENACIMIENTO Y EN EL BARROCO

Esta comedia es tan clara y su tema tan evidente que se hace innecesario seguir el desarrollo de la acción paso a paso. El título es explícito, y la obra termina, diciendo uno de los personajes:

> Estas son, ¡oh amor!, en fin,
> tus disparates y hazañas;
> y aquí acaban las marañas
> tuyas, que no tienen fin.

La acción nos ofrece las marañas, los enredos que hace surgir el amor, esa pasión alejada por completo de toda lógica racional. El autor lo que se propone es tenernos cogidos durante el mayor tiempo posible en un intrincado movimiento, que se va desenredando poco a poco, hasta que, al llegar al final, el desorden de los hilos amorosos puede ordenarse en parejas.

La irracionalidad del amor—¡Amor loco, amor loco, yo por vos y vos por otro!—ha sido sentida y expresada siempre, pero en cada época a su manera. En los límites últimos del Renacimiento, Montemayor, aprovechando un antiguo recurso, logra, como correspondía a su época, dar al tema una forma clara y constantemente ordenada de una manera estática. Me refiero a ese juego de dos parejas prendidas en la cadena amorosa.

Amor, por deífico capricho, ha enredado los hilos de los cuatro pastores, Selvagia e Ysmenia, Montano y Alanio. La pastora Ysmenia favorecía a Alanio y rehuía a Montano. Selvagia se enamora de Alanio, y él de ella por culpa de Ysmenia. Quiere ésta atraer de nuevo a Alanio, y, al no conseguirlo, acepta a Montano; Alanio, entonces, vuelve a Ysmenia, pero no logra ser oído, porque está enamorada locamente de Montano, quien acude, cansado de Ysmenia, con su amor a Selvagia, quien no piensa sino en recobrar a Alanio:

«Ni yo a Alanio, ni Alanio a Ysmenia, ni Ysmenia a él (Montano), no era posible tener mayor afección. Ved qué extraño embuste de amor. Si por ventura Ysmenia iba al campo, Alanio tras ella, si Montano iba al ganado, Ysmenia tras él, si yo andaba al monte con mis ovejas, Montano tras mí, si yo sabía que Alanio estaba en un bosque donde solía repastar, allá me iba tras él. Era la más nueva cosa del mundo oír cómo decía Alanio sospirando, ¡ay Ysmenia!, y cómo Ysmenia decía ¡ay Montano!, y cómo Montano decía ¡ay Selvagia!, y cómo Selvagia decía ¡ay mi Alanio!» (*Diana, Orig. nov.*, II, 264 a.)

Montemayor ha querido presentar graciosamente, pero con todo vigor y eficacia, la arbitrariedad del amor y su alejamiento de todo mundo racional, en este tema con variaciones, variaciones cada vez más depuradas hasta llegar a la última, en que el tema cristaliza en forma clara, suave y perfecta. Después de «¡ay mi Alanio!» las variaciones continúan y se deshacen en poesías con lágrimas.

Si el amor podía enlazar y desenlazar ciegamente a los hombres, la maga Felicia sabía darles consuelo, y Selvagia lo logra gracias al filtro de amor, como también logra olvidar, con el agua encantada, Sireno a su Diana.

Cervantes no acepta (*Quijote*, 1605) el agua encantada de la maga Felicia, y en el *Persiles* (1616. Libro II, capítulo X) sustituirá a Felicia por Auristela (Sigismunda); es decir, al agua encantada, por el prestigio (belleza), la autoridad (virtud) y la capacidad de aconsejar y persuadir. En su última novela, dispondrá las parejas en una armonía de contrastes (claro-oscuro): hermosa-fea; el enamorado de la fea tiene que casarse con la hermosa y al contrario. La fuerza que dirige esas vidas es la voluntad de los padres y el espíritu de obediencia de los hijos. No se trata de un trueque sentimental, sino del matrimonio. ¿Habrá que obedecer cuando se trate del matrimonio? Recuérdese a Cardenio y Luscinda, recuérdense las bodas de Camacho. En el *Persiles*—cuando ya se ha mostrado el dolor y la desgracia que puede producir la obediencia sometida a una voluntad arbitraria, *Quijote*, 1605; cuando se han presentado las prerrogativas de la ley y de la autoridad y los derechos del sentimiento, *Quijote*, 1615—en el *Persiles* se declara: «no puedo yo pensar en que razón se consiente que, la carga que ha de durar toda la vida, se la eche el hombre sobre sus hombros, no por el suyo, sino por el gusto ajeno.» Antes, Cervantes ya había publicado *La fuerza de la sangre*, en donde nos encontramos con ideas parecidas; pues no quiero dar a entender que se trate de un desarrollo cronológico del pensamiento del novelista, sino, a la vez, una necesidad de explorar todas las situaciones posibles y de utilizarlas según las exigencias de la obra que está escribiendo.

Con las voluntades trocadas de Carino y Solercio, de Leoncia y Selviana, el autor barroco expone complicaciones de índole muy diferente de las que presenta el autor de fines del Renacimiento.

EL RITMO RENACENTISTA Y EL BARROCO

Pero Cervantes no sólo quiere, como exige su época, abarcar un mundo complejo, también rechaza la composición y el movimiento renacentistas. La claridad de Montemayor, el orden de sus variaciones, la armonía estática de la correspondencia, que nosotros gozamos y penetramos en toda su belleza, a Cervantes le parecían una simplificación ingenuamente inexpresiva. El sentía cómo se podía convertir el movimiento de este orden seleccionador en el movimiento de un orden complicadamente desordenado; sentía la necesidad de sustituir la claridad de la razón por el claro-oscuro de los sentidos, manejando todos los efectos que así se podían conseguir, y es seguro que consideraba sus hallazgos como incapacidades y limitaciones del Renacimiento. De la misma manera que es frecuente censurar a un autor por no poder hacer lo que en una época pasada se hacía, también es corriente que autores y críticos se enfrenten con la obra de otra época y que en lugar de contemplarla en sí misma, la consideren o como una frustración o como una preparación para el futuro. Cervantes, teniendo que dar forma al sentimiento urbano de su época, censuraba la figura de la sabia Felicia; y ya sabemos cómo prefería ciertos elementos formales del Gótico a la sencillez del Renacimiento. La disposición de las parejas de Montemayor es sustituída por otra sumamente dinámica. El ritmo lineal se cambia en uno radial. La duquesa Rosamira es el centro hacia el cual tienden los duques Dagoberto, Manfredo y Anastasio.

EL MOVIMIENTO LABERÍNTICO

Rosamira debe casarse con *Manfredo* a quien no conoce; la comedia empieza cuando Manfredo está a punto de llegar para la boda.

A Rosamira le acusa *Dagoberto* de tener un amante, en el preciso momento en que va a llegar Manfredo.

De Rosamira está enamorado *Anastasio*, a quien no conoce la duquesa, y con el cual comienza la comedia, preguntando si es verdad que Manfredo llega y oyendo después la acusación de Dagoberto.

La disposición radial se proyecta hacia tres figuras diferentes: Acusador, Prometido, Enamorado. A los duques se les puede llamar por su nombre o por su título, Dagoberto, duque de Utrino; Manfredo, duque de Rosena; Anastasio, duque de Dorlán.

Anastasio está vestido de labrador, Manfredo también se disfraza, Dagoberto aparecerá al final en hábito de peregrino.

Este enredo no basta para crear el laberinto. Rosamira ni afirma la acusación, ni la niega. Dos damas más se introducen, Julia y Porcia, vestidas de pastorcillos, y haciéndose llamar Camilo y Rutilio (a Rosamira se le llama una vez Celia). Son duquesas. Porcia está enamorada de Anastasio; Julia, de Manfredo. Anastasio y Manfredo no se conocen, los caballeros no conocen a las damas. Las damas se conocen y son amigas, con su vestido de pastor encuentran a Manfredo, cuando se dirige a la boda; le encuentran en el momento en el que le dicen que Dagoberto acaba de acusar a Rosamira; inmediatamente después un embajador le acusa a él (a Manfredo) de haber robado a Julia y a Porcia. Como una última complicación hay que añadir que Porcia es hermana de Dagoberto, y Julia es hermana de Anastasio, y son primos hermanos entre sí. Ahora, tenemos todos los elementos, el laberinto aparece con todo su enredo. Un personaje exclama: «¡Oh caso increíble!»

        Julia y Anastasio, hermanos.
            ↗ Dagoberto
   Rosamira → Manfredo
           ↘ Anastasio
        Porcia y Dagoberto, hermanos.

Además, Julia y Anastasio son primos de Porcia y Dagoberto. La acción de la comedia avanza hacia la salida del laberinto por medio de un gran número de disfraces y de situaciones equívocas, hasta que se consigue formar las parejas:

> Rosamira — Dagoberto
> Julia   — Manfredo
> Porcia   — Anastasio

Unas escenas de entremés a cargo de dos estudiantes, Tácito y Andronio, sirven en cada jornada para que el enredo pase de una situación a otra.

Dos acusaciones, una semifalsa, la hecha contra Rosamira, otra falsa por completo, la dirigida contra Manfredo; seis personajes, en lugar de los cuatro de Montemayor; el parentesco de los personajes sumado a su relación sentimental; el conocerse y no conocerse; los cambios de traje, la confusión de los nombres y el trueque del nombre verdadero por el falso, todo ese volumen lo ha manejado Cervantes para llegar a la armonía. Montemayor, por el contrario, se servía de la cadena amorosa para expresar armónicamente la inarmonía de «los cuatro *discordantes* amadores.» Cervantes no cesa hasta formar las parejas, hasta lograr convertir el desorden en orden. Montemayor formará también parejas, y es entonces cuando podemos apreciar mejor la diferencia entre la armonía orgánica del Barroco y la armonía mecánica del Renacimiento. Montemayor desarticula el movimiento, casa a Ysmenia con Montano, a Silvia (nuevo personaje, hermana de Ysmenia) la casa con Alanio, y a Selvagia, al final de la novela, con Silvano. La cadena amorosa la hemos visto en el primer libro de la *Diana*.

Creo que la diferencia entre la claridad lineal y rafaelesca de Montemayor y el tumulto enredado y rubeniano de Cervantes se capta inmediatamente, hemos también de tratar de ver qué es lo que da lugar a esa concepción laberíntica del mundo del sentimiento.

EL SENTIMIENTO EN EL RENACIMIENTO Y EN EL BARROCO

Hemos visto la perfección de la cadena amorosa en Montemayor, pero bajo esa armonía hay una multiplicidad de intención que el novelista del Renacimiento no siente la necesidad de reducir a unidad. Se parte de un capricho, de una broma de Ysmenia, que haciéndose pasar por hombre disfrazado de mujer enamora a Selvagia. No vamos a contar la historia, basta con advertir que de ese juego—con su carácter intelectual y académico de planteamiento de un problema y con su perversidad como base del interés—arranca una vida del corazón que permite al poeta ir presentando diferentes estados y situaciones amorosas, gracias a las cuales se van definiendo una serie de puntos esenciales en el mundo del amor: función de la presencia y de la ausencia; valor de lo que se goza y de lo que se pierde; la actitud hacia los favores recibidos, según se sea un espíritu superior o inferior; los celos, la memoria, el olvido, la saturación sentimental—hasta llegar a aislar la característica esencial del amor, su irracionalidad. No sólo la combinación de estas parejas nos facilita claramente la excursión por la zona de los sentimientos, sino que el efluvio erótico—caricias, soledad, pensamiento—no menoscaba el decoro de tanta libertad. (Apuntemos que en el Renacimiento, el hombre pasa de los sentidos a la razón; en cambio en el Rococó, el hombre utiliza la razón para profundizar las delicias de los sentidos.) Del mundo renacentista—donde las lágrimas se convierten en risas, y unas y otras en canciones y bailes; donde la palabra y lo sensual se mueven con la misma naturalidad que la noche y el día, sin que nada les constriña ni haga surgir el dolor, a no ser que se cruce otro amor—, del Renacimiento pasamos al Barroco, donde por todas partes se erigen leyes y reglas, donde la naturaleza es límite y obstáculo al espíritu, donde las fuerzas tensas se entrecruzan y chocan y junto a lo irracional está la voluntad, sin que ambos elementos puedan desligarse, de la misma manera que hay destino y libre arbitrio. La exploración perspectivista del mundo sentimental en el Renacimiento se transforma en la penetración dramática del Barroco.

LA COMEDIA Y LOS PERSONAJES. EL MUNDO DE CERVANTES

Cervantes reserva la primera jornada para situarnos en el enredo:

> Ya en el ciego laberinto
> te metió el amor cruel;
> ya no puedes salir de él
> por industria ni distinto.
> El hilo de la *razón*
> no hace al caso que prevengas;
> todo el toque está en que tengas
> un gallardo *corazón*,
> no para entrar en peleas,
> que en ellas no es bien te pongas,
> sino con que te dispongas
> a alcanzar lo que deseas,
> cuéstete lo que costare.

La jornada tercera va desenredando el enredo, hasta lograr que del desorden del laberinto pasemos al orden de las parejas: el desenlace. Las damas son tres, y hay dos acusaciones. Rosamira sirve para encuadrar la acción—comienzo de la jornada primera, final de la jornada tercera— y dar lugar a la peripecia—se escapa de la cárcel, dejando a otra dama en su lugar. Lo mismo ocurre con las acusaciones: la comedia comienza con ellas, al final se muestra que son infundadas, y en el centro son la causa de riñas y golpes.

Desde el primer momento, las damas que solicitan todo nuestro interés son Porcia y Julia. A Rosamira la vemos desaparecer cuando iba a casarse, cayendo sobre ella la acusación de que tiene un amante. Aunque hemos de esperar hasta el final para enterarnos de «que tu hija escogió lo que quizá tú no le dieras casándola contra su voluntad;» desde el comienzo podemos darnos cuenta de que el padre no había consultado a su hija. Si este es un tema cervantino, Porcia y Julia son la constante pareja de Cervantes, en este caso un redoblamiento. Primero, nos enteramos por Porcia: «Nuestro mucho encerramiento / y libertad oprimida» causó su disfraz y el abandonar la casa; después, aclarará Julia:

> Teníame mi padre
> encerrada do el sol entraba apenas,
> era muerta mi madre,
> y eran mi compañía las almenas
> de torres levantadas,
> sobre vanos temores fabricadas.

El matrimonio contra la voluntad de los hijos encuadra la escapatoria de las dos muchachas y se enlaza a ella. Porcia y Julia han abandonado la casa porque las han privado de libertad, teniéndolas encerradas por vanos temores. Esa desconfianza en el ser humano, de un lado; de otro, esa confianza en lo puramente externo (encierro, torres; hay que relacionarlo con *El celoso extremeño*) dan lugar a la conducta tan indecente de las dos muchachas. Solas por los caminos y las calles, cambiando de disfraz a cada momento, ocultando su sexo y su nombre, persiguen al hombre y le declaran su amor. Ya sabemos que el matrimonio contraído sin consultar la voluntad de los contrayentes, según Cervantes, sólo puede causar dolor; y sabemos también que nada material guarda a la mujer, sino su propia voluntad de virtud. De aquí que las tres figuras femeninas no presenten ninguna sorpresa al lector de la Obra de Cervantes, tampoco debe desconcertar el que todas ellas encuentren la felicidad.

El autor del *Persiles* ha estado creando durante toda su obra el ideal de virtud, ideal para los seres heroicos, por lo tanto para los menos; a esa figura perfecta se opone la imagen de la lujuria. Entre estos dos extremos se puede encontrar y se encuentra situada la inmensa mayoría de la humanidad, humanidad para el mundo. No es posible negar la existencia de la virtud ni la del vicio, tampoco es posible dudar de la realidad entre esos dos polos. Y no debemos asombrarnos hipócritamente de la presencia del mundo. A veces, lo ha declarado Cervantes de una manera directa, otras, como aquí, de una manera irónica. Habla la pareja de estudiantes; uno de ellos quiere ir a la prisión de la duquesa, el otro le dice que quién le mete a curiosear y a juzgar al duque:

Necio llamaré del todo,
no curioso, al que se mete
en lo que no le compete
ni toca por algún modo.
Hay algunos tan simplones,
que desde su muladar
se ponen a gobernar
mil reinos y mil naciones;
dan trazas, forman Estados
y Repúblicas sin tasa,
y no saben en su casa
gobernar a dos criados.
De aquéllos mi Andronio es,
y esto lo sé con certeza,
que emiendan a la cabeza,
y apenas son ellos pies.
Llaman con su ceguedad
y mal fundada opinión,
al recato, remisión;
al castigo, crueldad.
El gobierno no les cuadra
más justo y más nivelado;
siguen del vulgo engañado
la siempre mudable escuadra.
El que es buen vasallo, atiende
a rogar por su señor,
si es bueno, que sea mejor;
y si es malo, que se emiende.
De los viejos que enterramos,
fué sentencia singular

> que el mundo hemos de dejar
> del modo que le hallamos.
> ¿Qué te importa a ti si hace
> bien o mal el duque en esto?

En este movimiento estrófico, que, como sabemos, tan bien se adapta al tono sentencioso, ha ido vertiendo Tácito toda su sabiduría, que habrá recordado al lector el *Quijote* de 1615, tanto cuando el caballero andante arremete contra el clérigo de la casa ducal como cuando defiende a Camacho. Tácito habla para defender al padre de Rosamira, pero al oírle no tenemos necesidad de guiarnos por su intención, podemos aplicar sus sentencias a otro objeto, por ejemplo, precisamente el opuesto, a defender a Rosamira. Podemos llamar necio al que se mete en lo que no le compete, esto es, al que se mete a juzgar la conducta de otro, no sólo la del duque, también la de Rosamira. Y efectivamente, cuando Tácito ya no defiende al padre, sino que ataca a la hija, diciendo: «Pague la niña; / que, a buen bocado, buen grito. / Quien de honestidad los muros / rompe, mil males se aplica.» Andronio responde: «Cuando la zorra predica, / no están los pollos seguros.» Cervantes no deja la menor duda: no es el ladrón el que debe predicar, no es el hombre—siempre un pecador—quien debe juzgar.

De Rosamira no se nos dice nada, pero es claro que con Porcia y Julia se nos habla del deseo y el gusto, del amor y sus clases, de la voluntad y el libre albedrío, de que el hombre y la mujer se buscan necesariamente: son los lugares comunes y corrientes, que no sólo giran alrededor del sentimiento, pues el criado de Anastasio observa una vez que el desafío no tiene ninguna capacidad judicial probatoria. Al afirmar que estos puntos morales surgen con la pareja de damas y no con Rosamira, no se quiere decir que sean más adecuados a unas figuras que a otras, sino que así lo decidió el poeta dramático.

La diferencia con el Renacimiento consiste en la calidad de la unidad lograda, en trasladar la vida del sentimiento de la zona de definición a la de la conducta y en exponerla de una manera dramática. Además, dentro del mundo de Cervantes hay una divergencia esencial. Porcia, Julia y Rosamira no son pastoras que viven fuera del mundo social entregadas únicamente a seguir los dictados de su corazón, son damas nobles a quienes las circunstancias y los sentimientos les impelen a llevar una vida sin decoro y llena de peligros: la vida del mundo, la vida de la sociedad, la vida de los sentimientos. Y lo que se presenta como censurable no es la conducta de esas damas, sino lo irrazonable—religiosamente irrazonable—de la actitud paterna. El padre debe utilizar su autoridad para guiar y persuadir, para aconsejar, no para imponerse y contrariar o ignorar la voluntad de los hijos. La ley no es un palo en manos de ciego, sino una concesión divina que ilumina al hombre y le conduce a la felicidad. Tampoco es el encierro el medio para conseguir la virtud, ésta florece únicamente en la libertad, la libertad es el requisito esencial de la virtud; y, esto es muy importante, hay que tener la esperanza de que florecerá, hay que confiar en que el hombre que implore la ayuda de Dios recibirá su gracia. Porcia, Julia, Rosamira pasan por momentos desagradables y por muchos peligros —eso es la vida—, pero encuentran lo que iban buscando: la felicidad. El nivel mundanal en el que conscientemente sitúa Cervantes su tema es lo que hace que tenga un aire de alegría y comedia.

Si en la primera jornada entramos en el laberinto amoroso y en la tercera salimos, en la segunda deambulamos por él. Las dos muchachas tienen que separarse para ir a formar pareja con los caballeros. La enredada madeja va mostrando su hilo conductor a través de una serie de equívocos, disfraces, confesiones, que parecen ir enredándose más cuanto más se aproximan a la solución. Este enmarañado hacerse de las parejas es un lento proceso que no se puede comparar ni con los cambios de sentimiento que produce la maga Felicia en la *Diana* o los matrimonios que se celebran sin que sepamos cómo, ni con el juego del último

Barroco (*El desdén con el desdén*) o del Rococó (*Love for love*). En el Renacimiento es una línea que se mueve en un mundo casi mental, sin el menor apoyo de la sociedad; en el último Barroco y en el Rococó se desliza en la fantasía para convertirse en un arabesco decorativo, en una danza; en Cervantes se desarrolla en un medio imaginario, novelesco, italiano, que tiene un gran poder de sugestión y de aventura, de caso increíble, de maravilla que espanta y admira, y hace que el mundo del sentimiento eche sus raíces en la sociedad, preparando, así, el último Barroco y el Rococó. Pero la diferencia entre la época de Cervantes y finales del siglo XVII y, especialmente, de todo el siglo XVIII (Rococó, Neoclasicismo) es que la irracionalidad del mundo no se supera por medio de la razón, sino con el corazón, es decir, con la voluntad. Por eso el mundo de Cervantes o tiene una magnitud de maravilla heroica o una magnitud de maravilla novelesca.

COMEDIA FAMOSA
DE LA ENTRETENIDA

MEDIO NOVELESCO Y MEDIO
URBANO

A *El laberinto de amor*, con sus tres matrimonios, le sigue una comedia también de enredo y de equívocos; pero Cervantes ni utiliza los recursos pasados ni la hace terminar en boda, pone toda su ingeniosidad precisamente en que nadie se case. Esta ingeniosidad se basta a sí misma, pero, es claro que leída en la colección, colocada inmediatamente después del *Laberinto*, tenemos un efecto de contraste—buscado y querido por el autor. Naturalmente establecemos la relación de dos opuestos, que podríamos establecer siempre, aunque las comedias no se hubieran impreso en el mismo volumen; pero como fué Cervantes el que dió este volumen a la prensa, se puede suponer que el orden en que se publicó la colección lo dispuso él mismo y que se daría cuenta de este contraste. Sin embargo, lo único que nos interesa señalar es que el contraste existe.

La entretenida no está situada en un medio italiano, novelesco y de fantasía como la obra anterior. La acción tiene lugar en Madrid y los personajes no pertenecen a la alta nobleza, son damas y caballeros de la corte. Es una comedia, y el motivo principal que la hace entretenida es el enredo, conseguido con un gran número de ingeniosidades, pero procurando separarse lo más posible de *El laberinto*. Y si en ésta se utilizaba el recurso de la cadena amorosa, ahora, Cervantes se sirve de un tema muy en boga en el Renacimiento: la cuestión de amor; tema tratado paródicamente dentro de la acción secundaria a cargo de los criados, la cual dobla el conflicto de los señores, el cual, sin embargo, es completamente diferente.

También se acude para divertir a recursos verbales, y, es claro, a la mentira. *El laberinto de amor* nos trasladaba a un mundo de fantasía, con sus duques y princesas y disfraces, sus juicios de Dios, sus cárceles, sus amores; tiene la alegría de tantas altas damas hermosas cogidas en la madeja del amor, que deliciosamente enredan y felizmente consiguen desenredar. La doble acusación con que comienza la comedia está puesta al servicio del interés, de la suspensión, sin velar por un momento el conflicto con un tinte dramático.

DISPOSICIÓN DE LA MATERIA DRAMÁTICA

La entretenida, en cambio, pertenece a un medio urbano y real, en el sentido de que los personajes están al nivel de los espectadores—una criada, unos caballeros, una dama. No se trata del amor, aunque todos aman, sino de la gracia, del equívoco, de la ingeniosidad, que plasma en la escena de la 'cuestión de amor', y sobre todo en el desenlace sin matrimonios. La acción se dispone así:

```
                    ╱ Ocaña, lacayo
   Cristina, fregona → Quiñones, paje
                    ╲ Torrente, criado
```

Marcela Osorio ⎰ Don Antonio
⎱ Don Ambrosio

Marcela Almendárez ⎰ Cardenio
⎱ Don Silvestre

(El último grupo presenta también el equívoco por suplantación de personalidad.) Cristina enamora a los criados; de Marcela Osorio están enamorados dos caballeros. De Marcela Osorio se habla mucho, pero nunca sale a escena: esta es la primera ingeniosidad; además tiene el mismo nombre que la otra dama, lo cual da lugar al equívoco del nombre y, como Marcela Almendárez y don Antonio son hermanos, este equívoco hace surgir el tema del incesto, tratado muy cómicamente, por los aspavientos que hace Marcela al creer que su hermano está enamorado de ella, y luego al consultar con una confidente, y, por último, cuando don Ambrosio cree que Marcela Osorio le ha sido confiada por su padre a don Antonio y que éste trata de abusar de la confianza puesta en él; como su error se mantiene hasta finales de la jornada segunda, su manera de hablar parece indicar que se refiere a una relación incestuosa.

El motivo del incesto es muy divertido y cómico, para una buena actriz es una ocasión de gran lucimiento, desde que en la primera jornada, ante la duda de su confidente, poniendo los ejemplos obligados, dice:

¡Y cómo si puede ser!
¿Ya no se sabe que Amón
amó a su hermana Tamar?
¿Y no nos vienen a dar
Mirra y su padre ocasión
de temer estos incestos?

Hasta el final de la comedia:

Yo quedaré en mi entereza,
no procurando imposibles,
sino cosas convenibles
a nuestra naturaleza.

Ni por un momento se corre el riesgo de penetrar en este motivo de una manera trágica, pues no sólo los actores deben dar el tono del tema con toda claridad, sino que la acción, que comienza cómicamente, en seguida nos orienta hacia el plano cómico.

DESARROLLO DEL ARGUMENTO. LOS SONETOS. RECURSOS CÓMICOS

La comedia empieza con los celos del lacayo Ocaña, quien echa en cara a Cristina sus amores con el paje. En esta escena ya tenemos el juego verbal sobre el cual insistiremos más tarde:

> CRISTINA. Eres loco y laca...
> OCAÑA.   Bueno;
> pronuncia de lleno en lleno,
> aunque el yo no es menester:
> que el ser lacayo no ignoro,
> sin rodeos y sin cifras.

Hablan del decoro de las fregonas, del linaje, y los dos criados se disputan a la criada sin que haya desafío de ninguna clase, como es natural. Este motivo se vuelve a repetir, tampoco luchan Ocaña y Torrente. Se aplaza tanto la reyerta, para que cuando luchen, alarmando a todos, resalte más la gran broma del encuentro.

La acción de la comedia parte de una situación muy graciosa, y por lo tanto cuando llegan los dos hermanos, don Antonio y Marcela, estamos en un plano, en el cual, si no se nos desplaza, no podemos considerar seriamente ninguna situación. El diálogo de los hermanos se entabla también con mucha gracia, recurriendo al motivo, tan antiguo en la literatura amorosa, de la declaración indirecta: tiene tu nombre, se parece a ti, etc. Tradicionalmente, esa declaración va acompañada siempre de una gran delicadeza, de una inquietud muy reservada, en la que la confesión de amor, por una razón o por otra, creída imposible, hace que el sentimiento florezca en toda su intensidad y ternura con un acompañamiento de temblores.

La escena entre Antonio y Marcela comienza, diciendo Antonio:

>¡Porfiada, hermana, estás!

Se informa a los espectadores del lazo familiar para que se den cuenta inmediatamente del cómico engaño en que cae Marcela, además la rima es graciosa:

MARCELA. (*Aparte.*)   ¡Válame Dios! ¿Qué es aquesto?
>¿Si es amor este de incesto?

Y al marcharse la hermana, cuando llega don Francisco, el espectador y el lector se dan cuenta de todo, pues los dos caballeros hablan de la otra Marcela y también con mucha gracia. Nadie puede dar con su paradero, el padre se la ha llevado y por más diligencias que ha hecho don Francisco, no ha conseguido saber dónde la tiene encerrada. Don Antonio se pregunta:

>¿Si podrá la astrología
>judiciaria declarallo?

Y don Francisco responde que ni hay que acudir a la astrología ni a los santos. Si se tratara de una joya perdida, sí que se podría apelar a un santo, pero tratándose de buscar a una muchacha:

>... no querrán los santos
>curarnos de mal de amores.

Los motivos literarios, los motivos cultos, los sociales van desfilando con gran rapidez; al marcharse los dos caballeros, aparecen Cardenio, que es un estudiante, vestido de manteo y sotana, y su criado Torrente, capigorrón, comiéndose un membrillo. La entrada de amo y criado debe producir su efecto, además mientras Torrente hinca el diente en el membrillo, Cardenio recita un soneto. La obra está llena de sonetos—seis—todos ellos una parodia del soneto amoroso y de su uso en el teatro. En la primera jornada, junto a este soneto sobre la esperanza—«Vuela mi estrecha y débil esperanza,»—tenemos otro de Antonio sobre la ausencia—«¡Ay dura, ay importuna, ay triste ausencia!»—. Recuérdese que la ausencia consiste en que el padre ha encerrado a la dama y no se sabe dónde. Estos dos sonetos son cómicos por quien lo dice (Cardenio) y por el tema (llamar ausencia al encierro). En la segunda jornada, es Torrente el que está a cargo del primer soneto sobre la fuerza del amor, y mientras lo va diciendo, otros personajes van intercalando redondillas, además es un soneto con estrambote, a éste le sigue otro también con estrambote, recitado por Ambrosio; el tema es el mismo, tratado seriamente. La jornada termina con un tercer soneto, en boca de Ocaña, en cabo roto, al medio y al final del verso, y también sobre la fuerza del amor; no hay que advertir que es cómico. Después de tanta fuerza del amor, en la última jornada, vuelve Antonio con otro soneto, encareciendo la fuerza de los celos y dicho seriamente.

A Cardenio se le confía el enredo a base de la suplantación de la personalidad. El estudiante está enamorado de Marcela Almendárez, pero un criado, Muñoz, le cuenta que Marcela va a casarse con un primo suyo, don Silvestre, muy rico y que ha de llegar de Lima de un momento a otro; si no ha llegado con la flota que acaba de arribar, puede hacerse pasar por el primo, para lo cual le dará todos los datos necesarios. Sin esperar la flota, se deciden a poner en obra el plan, y esto les obliga a tener que inventar toda una historia con tormentas y naufragios para explicar su falta de dinero. En Roma se ha de tramitar la dispensa para el matrimonio, y mientras tanto se presenta el verdadero primo, descubriéndose el engaño. Es un día que hace bastante frío, dice la confidenta:

¡Que tirito, ti, ti, ti!

Los amores de don Antonio, que a causa del nombre y el parecido de su amada con su hermana dan motivo al tema del incesto, se complican cuando aparece don Ambrosio, enamorado igualmente de Marcela Osorio. Si esta dama no sale nunca a escena, los otros papeles femeninos no son muy importantes, con la excepción de las divertidas escenas de temor al incesto y especialmente con la figura de Cristina, criada de una gran agilidad y esbeltez, que solivianta a todos los criados, enzarzando a unos contra otros, pues, no bastándole Ocaña y Quiñones, cuando viene Torrente, acompañando al estudiante embustero, también a él le engatusa y le propone que dé una buena tunda a Ocaña, en una escena muy cómica: el lacayo les está oyendo, escondido tras un tapiz que deja ver sus pies. Ellos no lo saben, pero dicen que las paredes oyen, lo cual, junto a los embustes de Torrente, el retrato que hace ella del lacayo, el propósito de paliza, da a la escena un gran movimiento cómico.

Sin embargo, no es ni en esta escena ni al empezar la obra, cuando se le ofrece a la actriz el mejor momento, sino al principio de la jornada segunda. Cristina recita el romancillo sobre los sufrimientos de las mozas de servicio, de gran ligereza y desenvoltura.

> ¡Tristes de las mozas
> a quien trujo el cielo
> por casas ajenas
> a servir a dueños,
> que, entre mil, no salen
> cuatro apenas buenos,
> que los más son torpes
> y de antojos feos!
> ¿Pues qué si la triste
> acierta a dar celos
> al ama, que piensa
> que le hace tuerto?

Cristina continúa así, y en una de las estrofas dice:

> Eres, en fin, pu...
> el ta diré quedo,
> porque de cristiana
> sabes que me precio.

Como se ve, Cervantes insiste en el mismo procedimiento, y emplea la acumulación para obtener un efecto cómico tradicional y de buena ley, al cerrar la jornada nada menos que con un soneto de veintiocho palabras rotas:

> Que de un laca la fuerza podero,
> hecha a machamarti con el traba
> de una frego le rinda el estropa,
> es de los cie no vista maldicio, etc.

El manejo de la acumulación es evidente. Ese amontonamiento, como la aceleración, hace triunfar el esfuerzo y la habilidad del actor y el poeta, uniendo a todo el público en un acorde de gran intensidad.

También en la jornada tercera, donde hay un divertido diálogo entre don Antonio y don Francisco, Cristina tiene otra graciosa actuación. Se trata de la «cuestión de amor.» Torrente y Ocaña le piden que se decida por uno de los dos, y Cristina toma un pañuelo de Ocaña, ofreciéndole uno de ella a Torrente. La escena paródica tiene mucha gracia de gesto, y logra conservar la delicadeza al mismo tiempo que el confuso asombro.

La última jornada es muy larga, porque en ella tiene lugar la representación de un entremés y además se baila. Es en el entremés donde se forma un gran alboroto, ya que los dos criados se desafían, causando gran alarma y terminando todo con la venida de los alguaciles y el descubrimiento de la broma. En esta acción se utiliza el mismo recurso que en las bodas de Camacho.

Cervantes durante toda la comedia se sirve de procedimientos cómicos tradicionales, lo cual hace resaltar aún más la ingeniosidad muy literaria del desenlace. Si siempre en el enredo amoroso la acción consiste en ir saliendo del embrollo para formar las parejas, ahora también se desenreda esa madeja de nombres, personalidades, malicias; todo queda en claro, pero cada figura se queda sola. Se retira Muñoz, el criado que había imaginado la intriga de Cardenio:

>   Camina, Muñoz, camina
>   pobre, sin bayeta y sastre. (*Entrase.*)
> DOROTEA. Sin Marcela, don Antonio,
>   se entra amargo el corazón. (*Entrase.*)
> SILVESTRE. Y yo sin dispensación. (*Entrase.*)
> CRISTINA. Cristina sin matrimonio. (*Entrase.*)

De esta manera van marchándose todos los personajes, hasta que le llega su turno al lacayo Ocaña:

> Esto en este cuento pasa:
> los unos por no querer,
> los otros por no poder,
> al fin ninguno se casa.
> Desta verdad conocida
> pido me den testimonio:
> que acaba sin matrimonio
> la comedia entretenida.

Este juego final que se usará en todas las épocas, a veces abandonando la escena como aquí, otras sin abandonarla, pero diciendo igualmente unas palabras un personaje después de otro, no es solamente propio de la comedia o el entremés, pues también lo ha utilizado el auto sacramental (por ej.: *El gran teatro del mundo*).

EL MATRIMONIO EN LA CIUDAD

La acción entretenida ha ido a dar a esta ingeniosidad final. Parodiando motivos literarios—incesto, sonetos, «cuestión de amor»—recurriendo a temas conocidos—queja de las mozas de servir; «que los yerros por amores / son dignos de perdonar»—dispone una intriga urbana en la cual van apareciendo todos los obstáculos que debe ir sorteando una muchacha que vive en sociedad y quiere casarse.

> Doncella de escritorios,
> de públicas audiencias,
> de pruebas y testigos
> no es para mí,

dice un caballero: por eso Marcela Osorio no se casa.

> La honra de mi prima
> ha de ir contino adelante,
> sin que haya otro estudiante
> que la asombre o que la oprima,

esta es la razón de Silvestre para dejar a Marcela de Almendárez. Cristina ha encontrado a tres mozos con quienes divertirse, por eso no encuentra a uno con quien poder casarse. Y hasta se hace alguna observación de índole general, al representar el entremés, que nos recuerda *El curioso impertinente*:

> Verdad dices:
> que el ama de quien sabe su criada
> tiene fragilidades, no se atreve,
> ni aun es bien que se atreva a darle voces,
> ni a reñir sus descuidos, temerosa
> que no salgan a plaza sus holguras.

Muchos peligros se corren en el mundo, pero en ese nivel social nada llegará a la tragedia, en manos de Cervantes ni al drama. Lo heroico sólo cabe en lo trascendente; el mundo limitado de lo social basta mirarlo con ojos alegres, y la alegría envuelve ciertas situaciones que sería muy fácil —como siempre ocurre con la comedia— hacerlas ir a dar al drama:

> Nunca he sido requebrada,
> ni sé amor a lo que sabe;
> mas esto y mucho más cabe
> en la ventura quebrada.

Muchas no se casan porque se han enredado demasiado en la madeja del amor, otras hay que no llegan al matrimonio porque el amor no ha querido detenerse en ellas. Existe la virtud heroica, existe el pecado abismal, la naturaleza humana situada entre estos dos extremos no debe ser contemplada hipócritamente, pues, con sus caídas y debilidades, ha sido creada para salvarse y puede salvarse; pero, y esto parece decirnos, ingeniosamente, risueñamente, Cervantes en *La entretenida,* hay que tener cuidado con no tropezar en los mil obstáculos que a cada caso presenta la sociedad.

COMEDIA FAMOSA
DE PEDRO DE URDEMALAS

LA FIGURA FOLKLÓRICA
Y LA DEL ACTOR

JORNADA I. (1) (1a) A Pedro de Urdemalas, mozo labrador, le pide Clemente, otro zagal, que le ayude con su ingenio a recobrar el amor de Clemencia, hija del amo de Pedro. El primer verso de la comedia dice así: «De tu ingenio, Pedro amigo...» Se presenta al protagonista como un ser ingenioso, y en seguida tenemos una doble prueba, directa y por contraste, de su ingenio. Le pregunta a Clemente hasta dónde ha llegado en sus relaciones con Clemencia, viéndose obligado a repetir varias veces lo mismo, porque no le comprende; por fin, tiene que decirle con toda claridad:

>   Pan por pan, vino por vino,
> se ha de hablar con esta gente.
> ¿Haste visto con Clemencia
> a solas, o en parte escura,

donde ella te dió licencia
de alguna desenvoltura
que encargase la conciencia?

La ingeniosidad va acompañada de la gracia en la acción y en el diálogo, características que se mantienen durante las tres jornadas. Llega Clemencia con su amiga Benita, el zagal dice dos octavas, que separan las quintillas dobles de las redondillas, y los amantes vuelven a su antigua amistad.

(1b) En la acción precedente se había dicho que el labrador negaba su hija al zagal, porque éste era pobre. Ahora Pedro tiene que solucionar esta dificultad. Se cambia de estrofa repetidamente—tercetos, quintillas dobles. versos sueltos, octavas, liras, octavas, quintillas dobles—. cambio que va indicando los distintos momentos de la acción: el labrador, Martín Crespo, ha sido elegido alcalde, y al darle la enhorabuena se habla del mando y de las elecciones; el alcalde se confía a su criado, Pedro, para poder salir adelante en su oficio; los que le felicitan hablan de la necedad del elegido; empieza la audiencia, y el alcalde tiene que oír las querellas y fallar. Los primeros que llegan proponen una especie de charada y además todos estropean las palabras, Pedro da con la solución. La manera de pronunciar juicio—sacando al azar una sentencia—también tiene gracia. Unos embozados vienen para quejarse del padre de la muchacha, que, aunque se quieren, no permite que se casen. La sentencia que saca, dice: «Yo, Martín Crespo, alcalde, determino / que sea la pollina del pollino.» Al leer el pareado, la muchacha se descubre, Martín Crespo reconoce a su hija y confirma lo dicho. Las bodas se harán inmediatamente, pero no esa noche, por ser la de San Juan. Se termina hablando de la buena suerte de un matrimonio acertado.

(2) (2a) Se pone de nuevo a contribución la industria de Pedro. Esta vez para arreglar los amores de Pascual y Benita: pasando esta noche por su calle, donde Benita estará esperando las señales de su boda, y diciendo él su

nombre, se remediará todo. Pero el sacristán lo ha oído y piensa ir él rápidamente para quitarle la moza a Pascual.

(2b) Sale Maldonado, conde de gitanos, ceceando, y le pregunta a Pedro si ya se ha decidido a hacerse gitano; en caso de que se vaya con ellos se podrá casar con una muchacha muy hermosa que está en el aduar, pero que no es gitana, y parece ser hija de gente principal. En el acontecer episódico de la comedia, la acción de esta muchacha es la única que ofrece una continuidad dramática. La razón de por qué esto sea así, nos la explicamos al oír la contestación de Pedro al gitano. De las quintillas dobles se pasa al romance en *i:*

> Yo soy hijo de la piedra,
> que padre no conocí...

Cervantes parte del origen desconocido de esta figura folklórica, que ha ido creciendo de amo en amo y de oficio en oficio hasta abarcar toda la experiencia del mundo en un nivel bajo, es decir, no de tragedia, sino de comedia. Un día le leyeron las rayas de la mano, y le dijeron su suerte:

> Añadióle Pedro al Urde
> un malas; pero advertid,
> hijo que habéis de ser rey,
> fraile, y papa, y matachín.
> Y avendraos por un gitano
> un caso que sé decir
> que le escucharán los reyes
> y gustarán de le oír.
> Pasaréis por mil oficios
> trabajosos; pero al fin
> tendréis uno do seáis
> todo cuanto he dicho aquí.

En vista de este pronóstico, Pedro acepta el irse al aduar. Como se ve, esta figura en manos de Cervantes está muy lejos de convertirse en un pícaro, pues la ingeniosidad del

autor, según un criterio que ha expuesto muchas veces
(*Quijote* 1615; *Persiles*), consiste en hacer de esta experiencia múltiple, de este cambio constante, la figura ideal,
esencial, del actor.

(2c) «Tus alas, ¡oh noche! extiende,» dice Benita, puesta en la ventana para la noche mágica de San Juan, y la
sorprende el sacristán que se llama Roque, y así se pueden
hacer todos los juegos necesarios a base del ajedrez. Pero
son más que chistes, es que toda la acción se resuelve en
un gracioso movimiento, en un retroceder y avanzar, en el
cual se habla de celos y angustias, de amor y zozobras, y
hay músicas y cantos, y flores y plantas bajo el cielo estrellado de la noche mágica:

> Niña, la que esperas
> en reja o balcón,
> advierte que viene
> tu pulido amor.

El sacristán lo había hecho todo por juego, y Pascual consigue a su Benita. Benita y Clemencia eran amigas, Pedro
ha urdido la boda de la una y de la otra.

EL ACTOR ES EL HOMBRE, UN HOMBRE ES UN ACTOR

(3) (3a) El autor indica que las mismas actrices que
hacen los papeles de Benita y Clemencia, pueden hacer los
de Inés y Belica. Aquélla cecea, ésta no. Hay que observar
que en la comedia la parte de los gitanos no siempre está
escrita con ceceo, quizá porque Cervantes se limitaba a
apuntar unos guiones, dejando al cuidado de los actores
la ejecución del texto.

> INÉS. Mucha fantasía es esa;
> Belilla, no sé qué diga:
> o tú te sueñas condesa,
> o que eres del rey amiga.
> BELICA. De que sea sueño me pesa.

Todos los que han leído la comedia han recordado, al oír los juicios de Martín Crespo, a Sancho en la ínsula. Los gitanos tienen que recordar *La gitanilla* y el *Coloquio de los perros,* no sólo por la semejanza de alguno de los elementos de la acción, sino también por las palabras de Maldonado. En ambos casos, al lector le conviene captar la importancia de esta repetición temática, que reside a mi parecer en la diferente manera como son tratados, debido a la diferente función que el tema de los juicios y el de los gitanos tienen en cada obra. En la comedia se presenta primero a Pedro de Urdemalas, esto es, el actor, en el cual están en potencia todas las formas posibles del hombre; el actor en su unidad contiene en representación imaginativa la multiplicidad humana. Después, aparece Belica con sus sueños, es decir, el hombre que, según el «ejemplo», representa en el teatro del mundo un papel. En *La gitanilla* la anagnórisis expresaba la teoría platónico-cristiana del alma.

Pedro entra con Maldonado, y éste le muestra a Belica—la muchacha que será suya si se hace gitano.

EL HOMBRE Y LAS OBRAS

(3b) Llega una viuda con su escudero. Inés le pide limosna y ella se la niega. «¿Veisla, Pedro? Pues es fama / que tiene diez mil ducados / junto a los pies de la cama... / sólo a un ciego da un real / cada mes, porque le reza / las mañanas a su umbral / oraciones que endereza / al eterno tribunal, / por si acaso sus parientes, / su marido y ascendientes / están en el purgatorio, / haga el santo consistorio / de su gloria merecientes; / y *con sola esta obra piensa / irse al cielo de rondón, / sin desmán y sin ofensa.*» Sacarle el dinero a la viuda será un episodio de la próxima jornada, a cargo, es claro, del ingenio de Pedro. Se le saca el dinero por su burda manera de sentir la devoción por las almas del purgatorio (problema, como es sabido, muy de la época de Cervantes), pero especialmente por su manera de creer hacer buenas obras para merecer el cielo. Junto a la firmeza de la creencia católica en la necesidad de la fe y de la gracia (constante en la obra de Cervantes, pero véase *El celoso extremeño*), el catolicismo barroco acentúa la necesidad de las obras, de aquí la sátira de los que tontamente usan mal de esta doctrina bíblica (judíos; católicos ignorantes y egoístas), que implica la de los que perversamente la niegan.

Todo el mundo sabe cómo la doctrina de la fe y de la gracia y de las obras forma parte del cristianismo, y cómo en diferentes épocas ha sido sentida de diferente manera. Si es característica de esta época (1545-1660) se debe a la presencia de los protestantes con su manera de replantear estos problemas. Esto es muy sencillo y fácil de comprender; por ejemplo, si Fray Luis de León expresa una idea pitagórica, es claro, que esto no quiere decir que sea un pitagórico, sino que expresa su emoción y sus sentimientos con una fórmula conocida. El cambio de sentido de las palabras, de las ideas y de los sentimientos no debe confundirse con ciertos convencionalismos literarios y artísticos como la persistencia de la geografía antigua o de algunas figuras mitológicas, etc.

La viuda dará lugar a una burla, nada más; lo mismo que Clemencia y Benita. La burla de Clemencia se basaba en la oposición de los padres a la voluntad de los hijos respecto al matrimonio. A los padres que piensan principalmente en el interés se les hace ver que es mucho mejor un matrimonio acertado. Con Benita nos reímos de las supersticiones; de la viuda nos burlamos por su inteligencia elemental y sobre todo por su carácter egoísta. Son tres bromas para reír, nada más; esto no impide que se pueda derivar una enseñanza. Lo más importante, sin embargo, es que veamos cómo la conformación espiritual del poeta sostiene el trazado de estas acciones burlescas.

La jornada termina pidiéndole Belica a Pedro que no se burle de sus deseos, «que de lejos se me muestra / una esperanza en quien veo / cierta luz tal,» que la guía y conduce al bien que anhela. Pedro le responde que de su hermosura se puede esperar ventura igual.

EL TEMA ARTÍSTICO Y EL RELIGIOSO

Jornada II. (1) Empieza en quintillas dobles como terminó la anterior. El alcalde Martín Crespo, cuenta al alguacil y a un regidor que Pedro se ha ido de la casa, pero, antes de marcharse, le aconsejó que preparara una danza para recibir a los reyes, y que en lugar de ser de doncellas, cosa muy vista, fuera de muchachos vestidos de serranas. Al alguacil le parece una idea descabellada, el regidor la aprueba. Hay que destacar estos dos versos: «porque invenciones noveles, / o admiran, o hacen reír,» pues no es solamente una observación moral; habla el alto poeta, el gran inventor, el creador de escenas, ritmos y figuras. Cervantes siempre orgulloso de sus novedades e invenciones, no contento con su creación novelesca acaso pensaba en algún escritor de su época.

(2) Va a empezar el engaño de la viuda. (2a) Sale un ciego y junto a él Pedro que finge no ver. Pronto se entabla un breve diálogo, en el cual el ciego le pide que se marche, pues la limosna de la viuda le pertenece. Han hablado en tres estrofas de ocho versos, siete octosílabos y uno de pie quebrado, el sexto. A estas estrofas le sigue una quintilla, en que Pedro dice que sabe muchas oraciones y que se las da a todos. Se vuelve a la estrofa anterior cuando Pedro empieza la enumeración. Tanta abundancia, le hace exclamar al ciego: «Ya por saberlas suspiro.» Y la viuda que ha estado oyéndoles, dice: «Hermano mío, esperad.» La viuda sale para apremiarle a que la haga partícipe de tanta riqueza (quintillas dobles), y Pedro responde que si despide al ciego oirá maravillas. El ciego se marcha, no sin antes decirle que le pagará bien las oraciones, tanto las de sanar como las de milagro.

Esta escena en su época debió de ser muy graciosa, pues como todo el mundo sabe hacía alusión a una costumbre muy extendida entonces y a la cual se alude frecuentemente en la literatura del tiempo; el mismo Cervantes la aprovecha más de una vez. En *Pedro de Urdemalas* se utiliza con un gran sentido rítmico y con una gran capacidad para agrupar las figuras correspondientes a un tema. Toda esta escena de oraciones y milagros, que ofrece al actor una excelente ocasión de lucimiento y que da lugar a un arabesco muy gracioso y movido, sirve de preludio al engaño de la viuda, el cual como es natural tiene que estar al nivel de su inteligencia, es decir, que no puede tener nada de sutil; cuanto más desorbitado y absurdo se presente, mejor. (2b) El lector debe dejarse arrastrar por el movimiento siempre en aumento de esa burla, que disminuye sólo para volver a empezar. Alelada ante el gran prodigio, la viuda exclama: «¡Oh, qué albricias te prometo! / ¡qué de cosas te daré!» Y Pedro le contesta a la viuda roñosa, mezquina y estúpida: «En las cosas semejantes / es bien gastar los dineros / guardados de tiempos antes.» Pronto vendrá a verla un alma del purgatorio, que se parece mucho a Pedro, para que le entregue todo su dinero y así no pasarán en el otro mundo tanto frío ni calor. La viuda no ve llegado el momento de darle todo lo que ha atesorado con tanto afán.

DE LO QUE SE ENAMORA UN REY

(3) (3a) Maldonado, el gitano, le propone a Belica que se case con Pedro, cantándole sus alabanzas: será el mejor cuatrero, en imaginar engaños es único. Y recibe como respuesta:

> BELICA. Fácilmente te acomodas
> a tu gusto y a mi afrenta.
> ¿No se te haya traslucido
> que, el que a grande no me lleve,
> no es para mí buen partido?

Maldonado se desespera ante la fantasía de esa muchacha de origen desconocido, que aspira a remontarse a una gran altura en lugar de casarse con su igual—también de origen desconocido, como recordará el lector. Con su entrada, interrumpe Pedro las recriminaciones de Maldonado, y al seguir lamentándose—«veo en lo flaco lo fuerte, / en un bajo un alto estado; / veo que esta gitanilla, / cuanto su estado la humilla, / tanto más levanta el vuelo, / y aspira a tocar el cielo»—Pedro corta sus quejas diciéndole:

> Déjala, que muy bien hace,
> y no la estimes en menos
> por eso: que a mí me aplace
> que con soberbios barrenos
> sus máquinas suba y trace.
> Yo también, que soy un leño,
> príncipe y papa me sueño,
> emperador y monarca,
> y aun mi fantasía abarca
> de todo el mundo a ser dueño.

Estos dos seres de origen desconocido, a quienes el gitano desearía ver casados, están ya unidos por su fantasía, por ese anhelo de remontarse hasta las más altas cumbres. Y en ese momento llega el rey.

Las mismas ingenuidades que escribió algún crítico acerca de *La española-inglesa*, con respecto a la reina de Inglaterra, sirven de modelo para juzgar las figuras reales literarias en esta comedia. La suficiencia de la burguesía es sorprendente por lo ingenua. Ni se da cuenta de que le está vedado penetrar el círculo de la aristocracia, ni de que la monarquía de su época como la aristocracia son sólo formas de la vida político-social burguesa; y esos críticos burgueses, con su imaginación burguesa, se atreven a dar lecciones—lo cual es muy burgués—de aristocracia a Cervantes, quien peleó a las órdenes de Don Juan de Austria, y que viviendo en el Barroco tenía constantemente la plena intuición de lo aristocrático y de la monarquía absoluta, pues pertenecía a una sociedad exclusivamente aristocrática, como toda su obra lo demuestra en todas sus líneas, desde la figura de Monipodio hasta la de Persiles. Esta actitud, por otra parte limitada a ciertas personas, aunque vemos que se extiende a una zona proletario-capitalista, se equivoca en su enfoque social (lo que no me interesa ahora) y además literario (lo único que me interesa señalar). Ya que el rey entra en escena como rey y como enamorado, y se presenta como rey enamorado según el convencionalismo tradicional. (3b) Siguen las quintillas dobles, y dice Belica, al ver al rey: «Hoy subirá mi deseo / de amor la fragosa cuesta,» y el rey pregunta: «¿Vistes pasar por aquí / un ciervo, decid, gitanos, / que va herido?» Apresurándose a contestar Belica:

> Señor, sí:
> atravesar estos llanos,
> habrá poco que le vi;
> lleva en la espalda derecha
> hincada una gruesa flecha.

Es el diálogo tan líricamente apasionado y tan contenido del mal de amor, que con gran frecuencia vemos representar por medio del ciervo herido y del cazador. Este tema tradicional llega, por lo menos en la literatura española, hasta el realismo-idealista (Bécquer), y ha servido con frecuencia, incluso cuando se trataba de la pasión de la carne, para situar el amor en una zona trascendente. Belica al encontrarse con el cazador real se enamora inmediatamente de su sueño, y el rey se enamora de lo que tiene que enamorarse un rey y de lo que hace rey a todo el que se enamora de ello: de la belleza.

Se retira el rey con su criado, y Pedro le dice a Belica: «Mira, Belica: yo atino / que en poner en ti mi amor / haré un gran desatino, / y así, me será mejor / llevar por otro camino / mis gustos.» Cervantes nos conducirá por dos caminos diferentes al desenlace único.

(3c) Un alguacil de la corte ordena a Maldonado que prepare a su gente para danzar delante de los reyes en el palacio del bosque. Belica se interesa por la reina, ¿es todavía celosa? El ser reina y hermosa, ¿no la hacen confiada? La perturbación del amor no tiene en cuenta estados, dice el alguacil, y termina Belica: «A amor son los sobresaltos / muy anejos, y el temor.» En cuanto ha salido a escena Belica, hemos visto sus altos pensamientos y cómo ha sido solicitada, en esta jornada la tenemos ya situada en el plano amoroso que anhelaba: enamorada de un rey y objeto de una pasión real.

EL JARDÍN DEL AMOR. LA MUJER ANTE EL HOMBRE

(4) (4a) Se pasa a las redondillas para llegar sin precipitación al final del acto. El criado del rey previene a una gitana que lleve a Belica a la presencia de su señor, y advierte que la reina es celosa. Pedro se presenta vestido de ermitaño; ha conseguido engañar a la viuda y sacarle su dinero, que empleará en que Belica haga alarde de su hermosura. (4b) El rey entra con el criado hablando de su pasión, y alude a la reina, «mujer celosa.» Esta llega, subrayando con su presencia todo el aparato del gran amor: «Señor, ¿sin mí?» El rey se alegra en la soledad de un puesto fresco y hermoso. La reina teme que su compañía sea molesta, habla de su deseo encendido. Se anuncia las danzas, e inmediatamente transforma el rey el escenario en un jardín de amor, le dice a la reina:

> Verémoslas, si os parece,
> entre estas rosas y flores:
> que el sitio es acomodado,
> espacioso y agradable.

(4c) Viene el bueno de Martín Crespo para contar que los pajes le han desbaratado las danzas que tenía preparadas. Es la escena literaria del simple en la corte. No solamente hace reír con su descripción de los pajes persiguiendo a los mocetones vestidos de doncellas, sino que se insiste en que por lo menos muestre a uno de ellos, el cual se presenta vestido de mamarracho, y, baldado por los golpes, no puede ni moverse. Este momento cómico realza con su contraste la entrada de las gitanas, dirigiendo el grupo Belica. Pedro presenta la compañía a la corte, y las danzas comienzan. Al compás del baile y la música, como si jalearan, Maldonado y Pedro van haciendo observaciones sobre las bailadoras, que en esta comedia, donde, como es conocido de todos, se hacen tan importantes acerca del actor, conviene señalar:

> MALDONADO. Largo y tendido el cruzado,
> y tomen los brazos vuelo.
> PEDRO.   ¡Llevad los brazos airosos
> y las personas enteras!

Pedro teme que no bailando en salón tropiecen y caigan, lo que efectivamente sucede, Belica tropieza y cae... en los brazos del rey. La reina se indigna, Belica se defiende con gran altivez, el rey no logra calmar tanta agitación. La reina da orden de que prendan a las gitanas y antes de retirarse, Inés, la gitana solicitada por el criado del rey, le pide permiso para hablarla. Cuando los reyes se retiran, el desconcierto se muestra por todas partes. (4d) Maldonado quiere retener a su compañía, pero, vencidos por el temor, todos quieren marcharse. Pedro piensa dedicarse a la Iglesia para salvarse de toda persecución, y, sin salirse del lugar común, nos hace penetrar en el mundo de la autoridad absoluta: «las iras de los reyes / pasan términos y leyes, / como es su fuerza suprema.» Maldonado reconoce que lo mejor es ponerse fuera del alcance de la pasión del rey y los celos de la reina.

DEFECTUOSA TRANSMISIÓN DEL TEXTO

Jornada III. En la jornada anterior, Pedro había dicho que había conseguido engañar a la viuda y sacarla el dinero, el cual pone a disposición de Belica para que se engalane y luzca en las danzas ante el rey. Al terminar el baile con tanto revuelo y llenarse todos de temor, Pedro dice que se dedicará a la Iglesia: «Un bonete reverendo / y el eclesiástico brazo / sacarán deste embarazo / mi persona, a lo que entiendo.» Sin embargo, la jornada tercera comienza con Pedro vestido de ermitaño, es decir, tal como estaba en la anterior, y tiene lugar el engaño de la viuda, que acabado con éxito le hace exclamar en un soliloquio: «Belilla, gitana bella, / todo el fruto deste embuste / gozarás sin falta o mella, / aunque tu gusto no guste / de mi amorosa querella. / Cuanto este dinero alcanza, / se ha de gastar en la danza / y en tu adorno, porque quiero / que por galas ni dinero / no malogres tu esperanza.» Como se ve todo esto se refiere a la jornada anterior. Hay que suponer, creo, que el editor traspapeló los pliegos. Esta escena del engaño debe ir en la jornada segunda, probablemente entre el diálogo del comisario de las danzas con Maldonado y Belica y el próximo diálogo entre el criado del rey y la gitana Inés (página 178 de la edición de Schevill y Bonilla, quienes, a no ser que yo esté equivocado, hubieran debido observarlo). Ya al terminar el primer diálogo hay un error, pues la acotación dice «éntrase el alguacil» y debiera decir: éntranse todos.

El engaño de la viuda es más bien largo y bastante gracioso, pero no era estrictamente necesario representarlo; hubiera sido suficiente, acaso, con los dos versos de la jornada segunda que dice Pedro vestido de ermitaño: «Aunque yo pintara el caso, / no me saliera mejor» (página 179). De todas maneras Cervantes escribió la escena y su lugar apropiado es el que acabo de indicar. En la jornada tercera no tiene sentido, pues, además de representar una escena ya pasada (el engaño a la viuda), se refiere a las danzas como una acción futura, cuando acaba de tener lugar en presencia y con la intervención del mismo Pedro, quien al volver a entrar en escena (esto es, la primera vez que debiera entrar) lo hace no como ermitaño, sino como estudiante, con manteo y bonete, según prometió al terminar la jornada II.

ANAGNÓRISIS: BELICA PRINCESA, PEDRO ACTOR

(1) La jornada tercera debe comenzar (por eso señalamos este núcleo con el número 1) al entrar la reina, que «trae en un pañizuelo unas joyas, y sale con ella Marcelo, caballero anciano.» Después de unas redondillas, Marcelo narra en romance el origen de Belica, hija de Rosamiro, hermano de la reina, y la duquesa Félix Alba. Lo dicho por Marcelo completa lo sabido por la reina, y así reconoce en seguida a Belica como su sobrina, y sorprende al rey con la noticia. También la reconoce el rey, pero el parentesco no amengua la pasión. Belica no sale de su asombro al ver que la realidad confirma sus sueños, y cuando Inés le pide que no se olvide de que se han criado juntas, le contesta: «Dame, Inés, un memorial, / que yo le despacharé.» Con igual altivez vuelve a tratarla más tarde y lo mismo hace con Maldonado. Este despego como signo de la condición humana, lo estudiaremos en seguida, cuando indiquemos su complejidad, y veamos que subraya la rapidez con que accede al favor pedido por Pedro.

(2) «Sale Pedro de Urdemalas, con manteo y bonete, como estudiante.» Antes de decirnos que va huyendo de la reina, se ha llamado Proteo segundo, y exclama:

> ¡Válgame Dios, qué de trajes
> he mudado, y qué de oficios,
> qué de varios ejercicios,
> qué de exquisitos lenguajes!

En la primera jornada ya nos contó que le profetizaron una multitud de cambios; ahora, con más precisión, se presenta como una figura proteica y en cuanto le ha gastado a un labrador la broma, que consiste en quitarle unas gallinas medio a la fuerza medio embobándole con sus palabras (lo cual da lugar a que aluda Cervantes a la figura del sacristán de sus otras comedias), unos farsantes que lo han presenciado le admiten en su compañía. Entonces el protagonista hace coincidir su nombre con el de un actor de la época: Nicolás de Ríos. «En las chozas y en las salas, / entre las jergas y galas / será mi nombre entendido, / aunque se ponga en olvido / el de Pedro de Urdemalas,» y después de cantar la gloria del nombre, da sentido a la profecía:

> Ya podré ser patriarca,
> pontífice y estudiante,
> emperador y monarca:
> que el oficio de farsante
> todos estados abarca;
> y, aunque es vida trabajosa,
> es, en efecto, curiosa,
> pues cosas curiosas trata,
> y nunca quien la maltrata
> le dará nombre de ociosa.

Al entrar el autor, se nos habla de la dificultad de congregar a los representantes para los ensayos, Pedro se presenta, habla de dos figuras más del teatro, la del 'embustero' y la del 'hablador', y pasa a exponer los requisitos que ha de tener un farsante. Es innecesario citar un texto tan conocido, que ha sido justamente alabado y bien interpretado. Nos limitaremos a indicar que, como correspondía a su época, Cervantes nos da la esencia del actor y su función. El siglo XIX (Tamayo y Baus, en España; Goncourt, en Francia, por ejemplo) lo que se propondrá será mostrarnos el esfuerzo doloroso gracias al cual el actor o la actriz encarnan su papel, la encarnación del arte en la realidad, la comunicación y *confusión* de ambos mundos.

El alguacil de las comedias llega para decir a los comediantes que los reyes están prontos para oír la representación; cuando habla de la sobrina, Pedro adivina la transformación de Belica. La gitana como Pedro encarna diferentes papeles. Todos se retiran y sale el rey con Silerio.

FINAL: LA LEY. LA SUPERACIÓN DE LA NATURALEZA

(3) El rey quiere soledad para su deseo, cuando oye su pasión iluminada en un cantar. Se nos explica (y así todos pueden comprender la función de reyes y aristocracia en el arte antes del siglo XIX) que la reina estaba celosa pues es «hechura de la mujer / tener celos del marido.» Entran la reina con Belica que ya es llamada Isabel; los gitanos; Martín Crespo, el alcalde; el autor y Pedro de Urdemalas. Pedro y Belica están frente a frente. Pedro, que en esta obra ha hecho la figura del embustero, nos da la esencia de la comedia como desenlace, cuando le dice a la gitana sobrina de reyes:

> Tu presunción y la mía
> han llegado a conclusión:
> la mía sólo en ficción,
> la tuya como debía.

Con Belica-Isabel vemos la comedia de la vida, el hombre es un representante hasta que llega el momento final; con Pedro-Nicolás vemos la esencia de la comedia: abarcar todas las formas de la vida. Es aquella comparación que tanto le gustara a Sancho Panza, aunque no tan nueva que no la hubiera oído antes de que don Quijote la hiciera.

Pedro le pide a Isabela que interceda con el rey para que no permita que cualquiera pueda salir a las tablas. Cervantes aquí como en el *Quijote* de 1605 parece estar sintiendo la necesidad de esas instituciones que se van a fundar en Francia: la Academia, la Comedia francesa, esos Vaticanos que velan por la verdad del arte y suprimen o lanzan extramuros toda expresión popular o espontánea, toda forma que no obedece las reglas porque no las conoce y que se separa de la tradición porque la ignora.

Isabel consiente, y el rey concede la petición. Los gitanos—Maldonado, Inés—también quieren que Belica les acoja, pero ella se aleja rápidamente: «La reina espera; dejadme.» Se marcha, y Pedro—el actor, la comedia—les explica esa actitud y les consuela: «La mudanza de la vida / mil firmezas desbarata, / mil agravios comprehende, / mil vivezas atesora / y olvida sólo en una hora / lo que en mil siglos aprende.» Este motivo no se agota al señalar la ingratitud de la condición humana. Cervantes, en esa trayectoria: gitana-sangre real; falsa gitana-verdadera princesa, muestra el proceso del destino humano: separarse del estado de naturaleza para elevarse al estado superior, ya que los gitanos, tanto aquí como en la novela ejemplar, representan, según mi interpretación, el estado de naturaleza. También hay que considerar que el actor, el arte, debe partir de la naturaleza para remontarse inmediatamente a la zona de las esencias—según la teoría cristiana y barroca, que vale tanto para la vida como para la literatura: el hombre tiene que vencer su naturaleza, tiene que superarla; el poeta no debe imitar la naturaleza (Renacimiento), partiendo de la naturaleza debe inventar un mundo nuevo (Barroco). La industria del hombre, el arte del poeta.

Así, la comedia termina advirtiendo el protagonista que la obra que van a representar delante de los reyes se separa de lo común, estando libre de impertinencias y llena de artificio, industria y galas. Los últimos cuatro versos dicen:

> Destas impertinencias y otras tales
> ofreció la comedia libre y suelta,
> pues llena de artificio, industria y galas,
> *se cela* del gran Pedro de Urdemalas.

Rosell imprimió: «saqué la;» Schevill y Bonilla proponen: «sacó la.» La lectura que ofrezco es: «cese la.»

ENTREMESES

EL JUEZ DE LOS DIVORCIOS

Tres matrimonios y un hombre solo se querellan ante el juez, el cual está acompañado del escribano y el procurador. Al final llegan unos músicos. La primera pareja está formada por un vejete y su mujer, Mariana; la segunda, por un soldado y Doña Guiomar; la tercera, por un cirujano y Aldonza de Minjaca; al marido que acude solo se le designa por su oficio: el Ganapán.

A cada uno de los grupos corresponde un tipo. Las dos primeras parejas están enlazadas por la intervención de Mariana al comienzo de la segunda demanda: «Esta (Doña Guiomar) y yo nos quejamos, sin duda, de un mismo agravio.» Los dos últimos grupos quedan unidos con las palabras que dice el cirujano al final: «Ya conozco yo a la mujer desde buen hombre, y es tan mala como mi Aldon-

195

za: que no lo puedo más encarecer.» Además, hay que tener en cuenta que con los dos primeros son las mujeres las que se querellan, y los hombres incitan al juez a que conceda el divorcio; en los dos últimos, en cambio, son los hombres los que presentan la demanda, incitando la mujer al juez a que los separe. Como el ganapán está solo, no hay intervención femenina. Se ve, pues, que dentro del orden de los cuatro grupos, que a su vez se unen de dos en dos, tenemos una variación, reforzada por la duración de la querella, igual en las dos primeras parejas y disminuyendo gradualmente en las dos últimas. Se compensa esta disminución final con la llegada de los músicos, los cuales vienen para invitar al juez a la fiesta que da un matrimonio: «Señor juez, aquellos dos casados tan desavenidos que vuesa merced concertó, redujo y apaciguó el otro día, están esperando a vuesa merced con una gran fiesta en su casa, y por nosotros le envían a suplicar sea servido de hallarse en ella y honrallos.»

A los cuatro grupos del divorcio se opone como final feliz la pareja que se ha concertado. A la mala solución del divorcio se opone la solución, que tampoco es buena, de «más vale el peor concierto / que no el divorcio mejor.» Pero la canción con que termina el entremés no es más que un final, es el regocijo por la voluntad ideal de avenencia. En oposición a las fuerzas disolventes, se pone, con toda la ironía humana que abarca incluso a la justicia, la dirección que lleva a la armonía, que convierte la riña en paz. Ese final feliz es eficaz estéticamente, porque, siempre dentro de la comicidad del entremés, se ha presentado el desbarajuste extraordinario de la vida matrimonial. A ese desconcierto real se le encauza hacia la aspiración de una paz ideal.

El entremés, dentro de la unidad del tema, está formado por cuatro episodios y la canción final. En cada episodio tenemos un tipo: viejo, soldado galán, cirujano y ganapán. Es un entremés de figuras y de canción. A los juegos verbales (paronomasia y repetición), por ejemplo: «Habla paso, por la pasión que Dios pasó» «Y con una comisión, y aun comezón» «Señor, ¿divorcio, divorcio, y más divorcio, y otras mil veces divorcio?» «Sea servido de descasarme déste.—¿Qué cosa es déste? ¿No tiene otro nombre? Bien fuera que dijérades siquiera deste hombre.» «Si él fuera hombre, no procurara yo descasarme,» se une la interrupción del diálogo y los elementos pintorescos para dar lugar a la comicidad de los dos primeros episodios, la cual reside esencialmente en las figuras. La mujer que se querella del viejo marido es distinta de la de *El celoso extremeño* y de la de *El viejo celoso*, pero quien sobre todo es distinto es el marido. Es una disputa entre un «marido prudente» y una «mujer libre,» la prudencia, sin embargo, no da gravedad a la escena, pues el marido no ha podido impedir que surja la situación ridículamente escandalosa en que le pone su mujer. Una primera liviandad quizás se encuentre ya en el hecho de que sea la mujer la que pide el divorcio, de todas maneras el modo como describe sus noches no deja lugar a dudas de cuál es una de las razones principales para poner fin al matrimonio. Si Mariana da a entender que se trata de una contrariedad sexual, Doña Guiomar mantiene el equívoco desde el comienzo (deste hombre, leño) y así surge el diálogo lleno de verbo y movimiento. Su marido es un soldado holgazán, chismoso, mirón, poeta y por último hidalgo pobre. Para la mujer que protestaba de sus noches, el viejo marido cree haber encontrado la mejor solución al proponer que cada uno se retire a un convento. A esta gracia de la tontería del viejo hay que comparar la que dice la mujer del soldado, pues se vanagloria de no remediar la necesidad del marido por no cometer vileza. Es claro que al soldado no le hace gracia que su mujer vaya diciendo en público los medios como podría remediarlo para poco que es su marido, y a esa tontería se une que le da por ser celosa.

Con las otras dos figuras—cirujano y ganapán—la comicidad reside en la manera de argumentar. Cuando el cirujano dice: «Por cuatro causas» vengo a pedir el divor-

197

cio, el número no establece un orden, y además con una de esas causas habría de sobra para descasarse. Pero en seguida aprovecha esa corriente la mujer, que insiste en que se les divorcie, pues «si mi marido pide por cuatro causas divorcio, yo le pido por cuatrocientas.» El juez tiene que interrumpirla. En estos tres episodios ha habido diálogo, en el del ganapán, en cambio, tenemos una exposición relativamente breve y muy cómica por quien la hace, por la manera de hacerla y por el tipo de mujer que pinta.

La disminución de la duración de los episodios se contrapesa, como ya he indicado, con el momento final: la canción, la cual sirve para terminar el entremés más que con una moraleja con una especie de recapitulación y resumen. Los músicos que entran son dos, y mientras cantan han quedado agrupados los personajes en las tres parejas y en el número par de actores; juez, escribano, procurador y ganapán, pues los personajes no se retiran a medida que terminan su papel, sino que permanecen en el escenario. El escenario se va llenando, la acumulación de personajes está en relación con la disminución del papel, y la canción agrupa en un gran final a todos los que han tenido parte en el entremés.

EL RUFIÁN VIUDO,
LLAMADO TRAMPAGOS

Con ocho hombres y tres mujeres se desarrolla el entremés, cuya unidad temática—el «viudo» que se «casa» de nuevo—se presenta en cuatro momentos: 1) elegía del rufián Trampagos, acompañado de su criado Vademécum, 2) visita del rufián Chiquiznaque, 3) las tres mujeres que vienen a ofrecerse acompañadas del rufián Juan Claros, 4) dos músicos y Escarramán, bailarín.

Como siempre con estos personajes, el tema tiene un gran empaque y nobleza, y esa dignidad está acompañada de una gran elegancia y viveza de gesto que desemboca naturalmente en el baile. En el bailarín y en su baile se encarna el ritmo de este mundo, todo él desenvuelto y con mucha prestancia de gesto, con una feminidad y masculinidad bellamente elementales. Esta gente cervantina de la vida libre, lejos de aparecer como los seres de la picaresca, están

imbuídos de belleza, de la belleza sensual de la naturaleza.
Del baile dice Cervantes:

> No se puede desear
> más ligereza o más garbo.
> más certeza o más compás.

Ligereza, garbo, certeza, compás, así es el ritmo del entremés. Y todavía continúa:

> ¡Oh, qué desmayar de manos!
> ¡Oh, qué huir y qué juntar!
> ¡Oh, qué nuevos laberintos,
> donde hay salir y hay entrar!

Todo el movimiento del baile—el juego de las manos, el separarse y reunirse, ese bello laberinto de geometría musical—nos aleja del naturalismo positivista del siglo XIX, nos aleja de lo plebeyo. Estas figuras tienen la forma baja, pero bella, de lo elemental. No hay que situarse ante ellas como si estuviéramos delante de un cuadro de la «realidad social,» sino delante de una estilización de arte.

El llanto de Trampagos, el rufián viudo, «idealiza» el cuerpo y la vida de su amiga hasta que en «descomposición» ideal va a dar a la muerte:

CHIQUIZ. ¿De qué edad acabó la mal lograda?
TRAM.   Para con sus amigas y vecinas,
        treinta y dos años tuvo.
CHIQUIZ.   ¡Edad lozana!
TRAM.   Si va a decir verdad, ella tenía
        cincuenta y seis; pero de tal manera
        supo encubrir los años, que me admiro.
        ¡Oh, qué teñir de canas! ¡Oh, qué rizos
        vueltos de plata en oro los cabellos!
        A seis del mes que viene hará quince años
        que fué mi tributaria, sin que en ellos
        me pusiese en pendencia, ni en peligro
        de verme palmeadas las espaldas.
        Quince cuaresmas, si en la cuenta acierto,
        pasaron por la pobre desde el día
        que fué mi cara agradecida prenda,
        en las cuales, sin duda, susurraron
        a sus oídos treinta y más sermones,

y en todos ellos, por respeto mío,
estuvo firme, cual está a las olas
del mar movible la inmovible roca.

Y Chiquiznaque sin poder contenerse exclama: «¡Ejemplo raro de inmortal firmeza!» y en seguida pregunta de qué murió:

TRAM.   ¿De qué? ¡Casi de nada!
Los médicos dijeron que tenía
malos los hipocondrios y los hígados,
y que con agua de taray pudiera
vivir, si la bebiera setenta años.
CHIQUIZ. ¿No la bebió?
TRAM.   Murióse.

La descripción de una Maritornes o de una Argüelles, o la de Altisidora, la de los labradores de Miguelturra, se transforma en este diálogo, cuyo chiste surge de la oposición entre lo que se dice y la manera de decirlo. Mientras el trazo de la pintura es terriblemente deformador, el tono de la voz es lo más natural y sencillo. Así la burla alcanza ese aire barroco de la monumentalidad romana. Algunas veces, cuando habla Trampagos y Vademécum interrumpe su idealización, nos parece estar oyendo hablar en verso a Don Quijote y Sancho:

CHIQUIZ. Neguijón debió ser o corrimiento
el que dañó las perlas de su boca;
quiero decir, sus dientes y sus muelas.
TRAM.   Una mañana amaneció sin ellos.
VAD.   Así es verdad, mas fué deso la causa
que anocheció sin ellos. De los finos,
cinco acerté a contarle; de los falsos,
doce disimulaba en la covacha.
TRAM.   ¿Quién te mete a ti en esto, mentecato?
VAD.   Acredito verdades.

El mundo sensual y el amor bajo quedan apresados en ese naturalismo revelador de esencias, y para alejarlo más de la realidad, Trampagos acompaña sus palabras con los pasos y gestos casi de baile de la esgrima.

Esa escena de tanto luto acaba con la llegada de las tres gracias—Repulida, Pizpita, Mostrenca—escoltadas por su jayán. El verso suelto cada vez más firme va adquiriendo una gran amplitud y en su espacio viene a alojarse la belleza nerviosa, retorcida, desgarrada de las hembras que se ofrecen a la elección del nuevo Paris. El juicio se suspende al dar la alarma, pero el alguacil pasa de largo y Trampagos elige a Repulida.

El luto se trueca inmediatamente en galas, el bailarín entra y, mientras corre el vino, ese sátiro dirige el paso de las ninfas y se celebra la unión elemental del hombre y la mujer en una fiesta báquica.

Los nombres, la alarma, algún dicho nos hacen pensar en el patio de Monipodio, pero lo que parecen iguales es el tono y el gesto; pocas veces la prosa y el verso han alcanzado una sonoridad tan semejante. En el empaque de la novela y el engolamiento del entremés se capta de una manera profundamente burlesca lo imponente de la bajeza humana, lo monumental del mundo de los instintos.

Es un entremés de figuras como el anterior, pero en lugar de terminar en una canción acaba en baile. *El juez de los divorcios* tenía un final parado, *El rufián viudo*, que ha ido avanzando con gran precisión y gracia de gesto, tiene un movimiento final que subrayando el ritmo da a la monumentalidad toda la ligereza del baile. El baile de Escarramán, las tres mujeres y dos rufianes alarga el entremés y llena el escenario con el cuerpo humano convertido en arte puro, el cuerpo que

> ya vuelve a mostrar al mundo
> su felice habilidad,
> su ligereza y su brío
> y su presencia real.

Presencia real de la belleza del cuerpo en movimiento, con la cual en la misma medida que nos alejamos de la visión a lo siglo XIX nos acercamos a la del Barroco.

*LA ELECCION
DE LOS ALCALDES DE DAGANZO*

Es un entremés de figuras—rústicos, más un bachiller y un sacristán— y de baile. Los diez personajes son hombres, al final entran «los músicos de gitanos, y dos gitanas bien aderezadas.»

En la reunión de electores se discute a los candidatos. La comicidad reside en las palabras que estropean sin cesar: «¿Hallarse han por ventura, en todo el sorbe...? ¿Qué es *sorbe?* ¿Sorbe huebos? Orbe diga.» Y «potra» por «prota,» «friscal» por «fiscal.» O en la paronomasia: «zurda,» «sordo,» o en el corte del diálogo. Los nombres de los personajes tienen gracia: Pesuña, Estornudo, Panduro, Algarroba, Humillos, Rana, y algunos invitan a que se aluda a frases hechas o a refranes: «Como Rana, habré de cantar mal.» Pero el número principal de la broma está en las cualidades de los candidatos a alcalde. El uno es buen catador, el otro sabe tirar con el arco, el tercero es un zapatero remendón, y por último el cuarto tiene buena memoria.

Cuando los candidatos se presentan, se habla del soborno, y lo divertido es la franqueza:

> ¿Hémoslo (el nombramiento) de comprar a gallipavos,
> a cántaros de arrope y a abiervadas,
> y botas de lo añejo tan crecidas,
> que se arremetan a ser cueros? Díganlo,
> y pondráse remedio y diligencia.

Después se examina a cada pretendiente. Se le pregunta a uno si sabe leer y se apresura a contestar que no sólo no sabe, sino que

> ni tal se probará que en mi linaje
> haya persona tan de poco asiento,
> que se ponga a aprender esas quimeras,
> que llevan a los hombres al brasero,
> y a las mujeres a la casa llana.

La idea que tiene Humillos de los peligros de la cultura es una buena salida de hombre político, pero como su respuesta no parece haber producido una impresión muy favorable, el próximo candidato asegura que sabe leer, es decir: «deletreo y ando en el beaba bien ha tres meses.»

Berrocal, que es el catador, defiende su cualidad, y el último, como si hubiera adquirido la experiencia necesaria oyendo a los que le han precedido, dice lo que debe decir todo candidato, no sin antes hacer manifestaciones de modestia:

> Yo, señores, si acaso fuese alcalde,
> mi vara no sería tan delgada
> como las que se usan de ordinario:
> de una encina o de un roble la haría,
> y gruesa de dos dedos, temeroso
> que no me la encorvase el dulce peso
> de un bolsón de ducados, ni otras dádivas,
> o ruegos, o promesas, o favores

> que pesan como plomo, y no se sienten
> hasta que os han abrumado las costillas
> del cuerpo y alma; y, junto con aquesto,
> sería bien criado y comedido,
> parte severo y nada riguroso.
> Nunca deshonraría el miserable
> que ante mí le trujesen sus delitos:
> que suele lastimar una palabra
> de un juez arrojado, de afrentosa,
> mucho más que lastima su sentencia,
> aunque en ella se intime cruel castigo.
> No es bien que el poder quite la crianza,
> ni que la sumisión de un delincuente
> haga al juez soberbio y arrogante.

Está muy bien aprovechar la ocasión para exponer una vez más esta bella teoría del juez ideal. Y como estamos en un entremés se la puede confrontar inmediatamente con la realidad: una cosa es prometer y otra cumplir. Entran los gitanos y gitanas «a dar solacio,» y mientras cantan y bailan les sorprende el sacristán, que reprende ese pasatiempo cuando todo el pueblo cree que están muy preocupados con la elección. El sacristán está a punto de ganarse el ser manteado, pero todo termina dejando la elección para mañana.

De una manera cómica, con figuras literarias y dentro de una teoría preestablecida, hemos visto el tejerse de la vida política: la provisión de los cargos que solicita la ambición del hombre. Y todo se resuelve en bailes y músicas para dar lugar a la censura del sacristán. Inoportuna intervención que terminaría en manteamiento si no fuera más regocijado dejar en suspenso la elección.

La constante condición del ser humano es la nota permanente de la estructura social, cuyos defectos por ser inherentes al hombre pueden ser vistos alegremente. Los gobernantes siempre creyéndose necesarios e insustituíbles, los gobernados siempre descontentos. La relación entre las cualidades que se tienen y la función que se desempeña (recurso cómico sobre el cual volveremos más tarde) parece adecuada solamente al individuo en cuestión. Con bailes y con músicas es como frecuentemente se rige al mundo y al pueblo. Y la censura del sacristán quizás es inoportuna porque nunca es oportuno hacerla. De todas maneras, ese mundo que marcha siempre al revés o que parece marchar sin sentido, queda prendido en la música de los gitanos:

> Parece que os hizo el cielo,
> el cielo, digo, estrellado,
> Sansones para las letras,
> y para las fuerzas, Bártulos.

De este mundo de la política ha quedo excluída la mujer; el hombre con su ambición es el objeto de la risa.

LA GUARDA CUIDADOSA

Es un entremés de figuras y de canción. La primera figura es la del soldado pobre, enamorado y fantasioso que haciendo el amor a la fregona Cristina, y montando la guardia de la casa de la muchacha para impedir que nadie hable con ella, se encuentra con un sacristán amante de Cristina, con un mozo que pide limosna para la imagen de Santa Lucía, con un buhonero y con un zapatero. Por último llega el amo de la muchacha y se arregla la boda, dando a elegir a Cristina entre sus dos pretendientes, el sacristán es el elegido.

El sacristán se enfrenta con cuatro figuras y la del desenlace, esto da lugar a cinco diálogos, cuya gracia depende más que de los retruécanos de la entonación, por ejemplo:

SACRISTÁN. Soy Lorenzo Pasillas, sotasacristán desta parroquia...
SOLDADO. Pues ven acá, sotasacristán de Satanás... ¿Y tú no sabes, Pasillas, que pasado te vea yo con un chuzo...?

Este juego se repite con otras de las figuras. Además se utiliza el hipérbaton: «Den por Dios para la lámpara del aceite de Señora Santa Lucía.» «¿Pedís para la lámpara o para el aceite de la lámpara?» El título del entremés va repitiéndose como un estribillo al terminar alguno de los diálogos: «Soy su guarda cuidadosa» «señor guarda cuidadosa» «vendré a alcanzar nombre de la guarda cuidadosa» «No sino dormíos, guarda cuidadosa» «No sino no seáis guarda, y guarda cuidadosa.»

Es en los diálogos en donde reside toda la gracia, no por ser ésta verbal, sino porque al hilo de la conversación van surgiendo las figuras, la primera de las cuales sirve para plantear la acción, y la última para desenlazarla. La figura más destacada es la del soldado, las otras sirven para su actuación, por eso el diálogo con el amo quizás sea el más gracioso, pues es el momento en que el pretendiente enumera todos sus títulos. El diálogo con el zapatero también es divertido. Los diálogos no tienen nada de sorprendente, ya que todos deben consistir en mostrar que el soldado sólo es rico en ilusiones. Lo mismo ocurre cuando el sacristán vuelve con un compañero: es la pelea entre los dos contendientes, que va a llenar la escena por un momento con agitación y revuelo.

Cristina que se asoma a una ventana primero y luego deja oír su voz en una canción, acaba por salir a escena acompañada de su ama, a quien se la designa por *ella*. El papel de la fregoncita es el de ingenua. Muy vivaracha, su inocencia teatral la permite contestar o con una ignorancia que da lugar al equívoco o con una decisión que no impide que se haga la melindrosa.

ELLA. ¿Y hate deshonrado alguno dellos?
CRISTINA. Sí, señora.

ELLA.   ¿Cuál?
CRIS.   El sacristán me deshonró el otro día, cuando fuí al Rastro.
ELLA.   ¿Cuántas veces os he dicho yo señor, que no saliese esta muchacha fuera de casa; que ya era grande, y no convenía apartarla de nuestra vista?... ¿Y dónde te llevó, traidora, para deshonrarte?
CRIS.   A ninguna parte, sino allí, en mitad de la calle.
ELLA.   ¿Cómo en mitad de la calle?
CRIS.   Allí, en mitad de la calle de Toledo, a vista de Dios y de todo el mundo, me llamó de sucia y de deshonesta, de poca vergüenza y menos miramiento, y otros muchos baldones deste jaez; y todo por estar celoso de aquel soldado.
AMO.   ¿Luego no ha pasado otra cosa entre ti ni él sino esa deshonra que en la calle te hizo?
CRIS.   No, por cierto; porque luego se le pasa la cólera.
ELLA.   ¡El alma se me ha vuelto al cuerpo, que le tenía ya casi desamparado!

Como se ve desde el principio al final mantiene su nota de ingenua, y la última respuesta acaso no sea la menos equívoca. El diálogo continúa con la cédula de matrimonio que ha dado el sacristán, en la cual quizás tenemos junto a la burla un aviso a las muchachas ingenuas, pues muchas a fuerza de hacerse las ingenuas pierden la ingenuidad; y el diálogo termina con el melindre de Cristina:

AMO.   ¿Tienes deseo de casarte, Cristina?
CRIS.   Sí tengo.
AMO.   Pues escoge, destos dos que se te ofrecen, el que más te agradare.
CRIS.   Tengo vergüenza.

Al entrar los músicos, el diálogo se transforma en coplas de romance, las del rechazado y las del elegido, y la constante escaramuza del entremés queda resuelta en música:

Siempre escogen las mujeres
aquello que vale menos...

209

Así empieza el soldado, y el sacristán termina:

> **No me afrentan tus razones,**
> **pues has perdido en el juego...**

En los tres entremeses que acabamos de estudiar, los personajes a medida que van entrando en escena permanecen en el escenario, en cambio en *La guarda cuidadosa*, cada figura se retira después de haber desempeñado su papel. Así, en escena nunca están más de dos personajes, con lo cual se pone muy de relieve la actuación de cada uno y se destaca mucho los cuatro momentos, contrastando con el final, en el que se reúnen los dos sacristanes, la señora, la criada y el amo, el soldado y los dos músicos; las dos mujeres quedan agrupadas con el amo y el último sacristán, los dos músicos están juntos, y el soldado y el sacristán, con cuyo diálogo ha empezado el entremés, lo terminan con sus coplas. Un elemento pintoresco que da movilidad a la obrita, es el cantar dentro y el asomarse a la ventana.

EL VIZCAINO FINGIDO

Se trata de una burla que dos jóvenes hacen a una mujer que se cree muy aguda. Las mujeres, Cristina y su compañera Brígida, son prostitutas. El engaño no es demasiado ingenioso y a primera vista no parece demasiado verosímil, no porque no sea posible, sino porque Cervantes no ha tenido ningún interés en situarlo en la realidad externa. Solórzano pide prestados 10 escudos a cuenta de 120 que vale una cadena de un estúpido amigo suyo vizcaíno. Cristina da el dinero y además debe disponer una fiesta. Un platero certifica el valor de la cadena, Quiñones, fingiéndose vizcaíno, certifica su tontería. Y Cristina a pesar de ser una sevillana taimada, y dudar un momento, acepta todo con gran envidia de su amiga y compañera que ve cuán fácilmente se puede ganar mucho dinero.

Pero Solórzano vuelve, dice que no se puede hacer el negocio y devolviendo el dinero reclama la cadena, que Cristina le entrega rápidamente. Su asombro es grande, sin embargo, cuando Solórzano afirma que esa no es la cadena dada por él, sino una falsa. Todo se arregla al llegar un alguacil, pues Cristina prefiere cualquier cosa antes que ir al corregidor. El engaño y la burla consiste en sacarse una cena gratis.

Esta burla tan inconvincente va a dar a la canción con que termina el entremés, un romance breve y gracioso, cuyos últimos versos dicen:

> la que piensa que ella sola
> es el colmo de la nata
> en esto del trato alegre,
> o sabe poco, o no nada.

El engaño sirve para presentar a dos mujeres del «rumbo sevillano,» y a un personaje que se finge vizcaíno, su castellano se presta a la risa, y cuando, al final del entremés, lo habla correctamente, la risa aumenta y la burla acaba. Entretanto, las dos mujeres han podido mostrar todo su gracejo de actrices que se afligen por el decreto dado sobre los coches y las tapadas, y que aluden a otros hechos de actualidad, como la situación de los banqueros.

La vida político-social del día siempre hace gracia en la escena, y reflejada en los labios, los ojos y los gestos femeninos es todavía más divertida. Soporta ese movimiento el actor que discurre la burla y que la confía a su facilidad de palabra. Hay algunos chistes, pero toda la comicidad reside en el dolor de las mujeres porque mandan quitar los coches y que se descubran los rostros, o en lo suelto de lengua que es Solórzano al explicar el negocio de la cadena, que contrasta con el hablar a tropezones del vizcaíno fingido, quien aparece con una lengua expedita al final.

En los otros entremeses la acción está puesta al servicio de las figuras. Es claro que no nos interesa quién va a salir alcalde, o si el juez concederá el divorcio o a quién van a elegir el rufián y la fregona. Ahora los tipos están en función de la acción, esto es de la burla, y el entremés comienza advirtiéndonos que vamos a presenciar un acontecer: «a pesar de la taimería desta sevillana, ha de quedar esta vez burlada.»

No hay que buscar trascendencia de ninguna clase en un entremés, pero así como en *El rufián viudo* conviene hacer observar que el autor no nos hunde en la vida rufianesca, sino que transforma el tipo social en una figura de arte, en *El vizcaíno fingido* es necesario llamar la atención sobre la levedad de la burla, manera de tratar el engaño que me parece muy típica de Cervantes y que hay que subrayar para que se vea la diferencia con la picaresca. En ésta el engaño es siempre cruel y amargo, y tanto más doloroso cuanto que representa la naturaleza humana y social. El pícaro quiere salvarse de la norma y de la ley, quiere huir de la tradición en busca de una libertad que le exigen sus sentidos y su inteligencia. Pone la razón al servicio de sus deseos, y sometido a sus impulsos es engañado y tiene que engañar. La gravedad, densidad y profundidad de la picaresca surgen al pintar al hombre desbocado revolviéndose en el fango de sus instintos. Al romper todo freno se corre a la inmundicia de los sentidos y de la inteligencia.

Pero Cervantes no se entrega a ese mundo, porque él está dedicado a la creación de ideales y de la voluntad que los sostenga.

Se trata de una broma. Quiñones pregunta a Solórzano por qué pone tanto empeño y solicitud en engañar a una mujer, qué honra va a adquirir o qué habilidad va a mostrar. La contestación es la siguiente: «Cuando las mujeres son como éstas, es gusto el burlallas; cuanto más, que esta burla no ha de pasar de los tejados arriba; quiero decir, que ni ha de ser ofensa de Dios, ni con daño de la burlada: que no son burlas las que redundan en desprecio ajeno.»

Las burlas de Cervantes son más o menos inocentes,

pero nunca tienen nada ñoño, porque con su mirada burlona está siempre captando un trazo profundo de la condición humana o de la naturaleza social.

Toda esta anécdota de la cadena y los escudos y el vizcaíno pone de manifiesto la naturaleza femenina. El sentimiento de Brígida es grande por la supresión de los coches y de los mantos, pero mucho más grande es por ese encanto de su amiga que ella no puede descubrir en qué consiste, que hace que los hombres se fijen en Cristina. Y en donde se halla la gracia es en el burlar a la burladora. El engaño es tan inconvincente para reservarnos la sorpresa final, que apunta directamente a la clase de vida baja: el hacer aparecer a la justicia, es el gran fantasmón. Cristina no quiere cuentas con el corregidor, prefiere dar una cena y además unos escudos al alguacil. La justicia es el coco con que Solórzano la engaña, y cuando ella se da cuenta es precisamente el momento para el buen humor y la fiesta.

EL RETABLO
DE LAS MARAVILLAS

E<small>L</small> entremés de baile necesita ocho actores y tres actrices. En la primera parte con juegos de palabras y chistes a base de los nombres—Rabelín, músico pequeñito, Repollo, Castrado, Capacho—se prepara la acción: el embuste («no se te pasen de la memoria, Chirinos, mis advertimientos, principalmente los que te he dado para este nuevo embuste») del retablo de las maravillas, fabricado por el sabio Tontonelo para los cristianos viejos y los hijos legítimos.

Un breve diálogo sobre los poetas, especialmente los cómicos («los poetas cómicos son los ordinarios y *que siempre se usan,* y así, no hay para qué nombrallos»), y otro entre dos labradores («pues sabes las condiciones que han de tener los miradores del retablo, no te descuides, que sería una gran desgracia.» «Ya sabes, Juana Castrada, que soy tu prima, y no digo más... Por el siglo de mi madre, que me sacase los mismos ojos de mi cara si alguna desgracia me aconteciese. ¡Bonita soy yo para eso!»), separa la exposición de la acción, la cual consiste en la imaginaria aparición de Sansón, de un toro, de unos ratones, en hacer llover agua del río Jordán, en que salgan leones y osos, y por último en que baile Herodías.

Antes de empezar la función del retablo, y haciendo hincapié en el motivo generador del entremés, el autor Chanfalla tiene que defender a su músico.

CHANFALLA. No tiene vuesa merced razón, señor alcalde Repollo, de descontentarse del músico, que en verdad que es muy buen cristiano, y hidalgo de solar conocido.
GOBERNADOR. Calidades son bien necesarias para ser buen músico.

Y en seguida Cervantes utiliza un procedimiento muy parecido al que utilizó en *La entretenida*:

RABELÍN. Eso se merece el bellaco que se viene a sonar delante de...
BENITO. Pues por Dios, que hemos visto aquí sonar a otros músicos tan.
GOBERNADOR. Quédese esta razón en el *de* del señor Rabel y en el *tan* del alcalde, que será proceder en infinito, y el señor Montiel comience su obra.

No hay quien se atreva a confesar que no ve nada, y la fuente de la comicidad es doble, primero por no atreverse a declarar que no ven nada, segundo al actuar como si vieran algo; subrayando estos dos elementos, que muestran que si la anécdota era buena para contada aun lo era mejor para representada, otro personaje con sus apartes va indicando su perplejidad ante la realidad vacía del retablo y el proceder de los espectadores. El diálogo que tiene lugar al presentar a Sansón puede servir de paradigma.

CHANFALLA. ¡Tente, valeroso caballero; tente, por la gracia de Dios Padre! ¡No hagas tal

	desaguisado, porque no cojas debajo y hagas tortilla tanta y tan noble gente como aquí se ha juntado!
Benito Repollo.	¡Téngase, cuerpo de tal conmigo! ¡Bueno sería que, en lugar de habernos venido a holgar, quedásemos aquí hechos plasta! ¡Téngase, señor Sansón, pesia a mis males, que se lo ruegan buenos!
Capacho.	¿Veisle vos Castrado?
Juan Castrado.	¡Pues no le había de ver! ¿Tengo yo los ojos en el colodrillo?
Gobernador.	(Aparte.) ¡Milagroso caso es éste! Así veo yo a Sansón ahora, como el Gran Turco; pues en verdad que me tengo por legítimo y cristiano viejo.

El primer diálogo nos da la pauta, la variación consiste en que los espectadores se van animando, y aumentan sus aspavientos mientras el dueño del retablo tiene que ir realzando el vacío. En ese doble movimiento de aumento y disminución, los espectadores llegan a convertirse en muñecos. El autor dramático con su palabra ha ido creando una realidad de la nada y apoderándose con su imaginación de la imaginación del público, hasta llegar a ser dueño de todos sus movimientos, y cuando aparece el nombre de Herodías, «cuyo baile alcanzó en premio la cabeza del Precursor de la vida,» e invitar a que alguien del público la acompañe: «Si hay quien la ayude a bailar, verán maravillas,» hemos llegado al climax de la breve acción. No es un bailarín que baila solo, es un hombre que baila con la nada hecha palabra, y el autor dominante, imperioso, implacable, va dirigiendo el movimiento y sometiendo a su entusiasmo el ritmo de la humanidad.

Tenemos toda la diferencia entre el Gótico y el Barroco. ¡Con qué levedad surge la esencia del arte dramático y la esencia de la sociedad! De un lado, la virtud de la palabra crea la doble realidad, la de la escena y la de los espectadores; de otro, ese principio, esa esencia, ese convencionalismo tiránico, el mutuo acuerdo de los hombres le hace tal. El hombre crea la norma y luego se somete a ella. El Gobernador ha expresado su asombro llamando milagro a lo que acontece, después añade: «Basta; que todos ven lo que yo no veo; pero al fin habré de decir que lo veo, por la negra honrilla.» Y acaba dejándose arrastrar por su tortura: «¿Mas si viniera yo a ser bastardo entre tantos legítimos?» Como un anticlimax, interrumpiendo el baile, entra la figura que pone fin al entremés.

La acción ni por un momento se ha situado en una zona seria, pero la risa siempre en aumento va acompañada por un misterio cada vez mayor.

El lector moderno es incapaz de apoderarse de ese misterio y el actor de hoy tampoco sabe darnos esa gracia que nos hace temblar.

Todos han visto todo ante el temor de pasar por confesos o bastardos, cuando un furrier interrumpe el baile con el anuncio de que llega al pueblo una compañía de caballos y ha de ser alojada. También quisieran que esa llegada fuera obra de Tontonelo, pero es una realidad, y mientras el bailarín vuelve a su danza interrumpida, caen todos sobre el furrier, que no estando avisado no sabe lo que pasa. Al decir que no ve nada, le increpan: *ex illis, ex illis*. Es el momento final, se está formando el gran barullo con que termina la Maravilla de la tontería humana. Cuando se oye «dellos es, dellos el señor furrier; dellos es,» la delación apuntadora tiene que llegar al máximo de risa y miedo, de miedo transformándose en risa. Y el máximo barullo no se hace confusión, el revuelo va constantemente dirigido por el ritmo de la acción. La línea melódica es tan marcada que el entremés termina con el motivo que hemos oído constantemente a través de las variaciones: del que no ve las cosas del retablo no pueden «dejar de decir: dellos es, dellos es.»

LA CUEVA DE SALAMANCA

Es el entremés en el que Cervantes ha recurrido a un menor número de personajes. Pancracio, el marido; su mujer, Leonarda; Cristina, la criada; un Estudiante; Riponce, sacristán; Roque, barbero; Leoniso, compadre de Pancracio, en total siete personajes, dos mujeres y cinco hombres.

Entre la ida y la vuelta inesperada del marido, vienen los amantes de ama y criada y un estudiante con cuya presencia no contaban.

Cuando llega el marido es el estudiante el que salva la situación, convirtiendo a los amantes por arte de magia en diablos. Con el tema legendario de la cueva de Salamanca y por medio de tipos sociales y morales—Estudiante, Sacristán, Barbero, Marido, todos ellos tipos literarios— se maneja el motivo del engaño: el marido engañado, en-

219

gañado por bobo y por tonto. Quien le engaña, es claro es la única persona cuyo engaño cuenta: su mujer, y así empieza el entremés. Pero la fuerza cómica de la acción se dirige a la burla que hace el estudiante al final con el conjuro mágico, es la escena desorbitada que exige esa clase de comicidad y al servir de desenlace pone de manifiesto toda la tontería de que es capaz el tipo literario del marido burlado.

La realidad moral indudable del marido que no sabe ver lo que pasa a su alrededor sirve de apoyo para la fantasía cómica, cuanto más irreal mejor. Por eso las mujeres, aunque desenvueltas—la señora, refiriéndose a su sacristán, le dice a la criada: «déjale, Cristina; que en extremo gusto de ver su agilidad.» La criada cuenta de su barbero que para lo que le ha menester sabe bastante latín—no se muestran nunca depravadas. Su desaprensión es siempre graciosa, y se comprende que, con amo y marido tan bobo, gocen de la libertad. Ese tipo de estúpido merece lo que le hacen y mucho más, de aquí que él diga las últimas palabras del entremés:

«Y, por Dios, que no han de salir de mi casa hasta que me dejen (los dos amantes y el estudiante) enseñado en la ciencia y ciencias que se enseñan en la cueva de Salamanca.»

El espectador y el lector se preguntan cómo podrá soportar su cabeza el peso de tanta sabiduría. El ritmo cómico que ha empezado con las primeras palabras que dice el marido para comenzar la obra, va directamente a ese final, en el que le vemos gozándose con la estancia de los endemoniados amantes en su casa y creyendo que todavía no ha aprendido bastante.

La farsa tiene cuatro momentos. La primera situación en que el marido se despide de su mujer, cuya gracia reside no tanto en las exageradas muestras de dolor como en el movimiento en sentido contrario a que dan lugar: el marido ante tanta pena decide quedarse, y ama y criada tienen que ingeniárselas para que se vaya pronto. La vuelta es el segundo momento, dividido en dos partes; la primera, hablando con su compadre hace el elogio de la fidelidad y cariño de su mujer, la segunda, mientras llama a la puerta, le entretienen para dar lugar a que todos se escondan. El diálogo con el compadre ya es divertido, pero cuando vemos cómo la mujer hace que pase el tiempo para quedarse sola, acumulando pregunta a pregunta y siendo capaz de todo la doblez que sobre su sexo ha descubierto una tradición milenaria, es cuando la actriz tiene una ocasión de mayor lucimiento. El tercer momento, en el que cristaliza la farsa, llegando a su punto máximo, es el de la escena de magia. Por fin, el último es el del desenlace; engañado y mereciendo ser engañado.

Esos cuatro momentos de gran farsa son los nudos que permiten el desarrollo de la acción. El tipo del marido bobo sirve para disparar el ritmo cómico y dirigirle al blanco. La pesadez y entumecimiento de tanta tontería contrasta con la agilidad, la gracia, la rapidez, el ingenio de las otras figuras que cortan el diálogo con viveza, intervienen agudamente, llevan la acción en un tempo ligero. Hay una juvenil movilidad, no sólo física sino de la inteligencia, que se aleja de los juegos de palabras, prefiriendo la respuesta pronta e intencionada.

Todas las figuras están al mismo nivel y cada una por su cuenta sabe desenvolverse con garbo en un esguince rápido, pronto para recibir el asalto y para atacar. La criada le pregunta al estudiante si podrá pelar dos o tres pares de capones, y éste que se pasa de listo, contesta: «Lo que sabré responder es que yo, señoras, por la gracia de Dios, soy graduado de bachiller por Salamanca, y no digo...» La señora le corta la palabra rápidamente: «Desa manera, ¿quién duda sino que sabrá pelar, no sólo capones, sino gansos y avutardas? Y en esto del guardar secreto, ¿cómo le va? Y a dicha, ¿es tentado de decir todo lo que ve, imagina o siente?» Es claro que la última pregunta le da pie para mostrar que se ha hecho cargo de todo: «Así pueden matar delante de mí más hombres que *carneros* en el Rastro, que yo desplegue mis labios para decir palabra alguna.»

Es ese duelo de ingenio lo que hace a las figuras tan vivarachas y leves. Y si el chiste sobre la relación entre las cualidades morales o intelectuales y la actividad del hombre le agrada tanto a Cervantes es precisamente porque muestra la tontería del hombre y la transforma en ingenio. Es el chiste del *Quijote,* que acabo de citar en labios de la criada; es el chiste que con una variación hemos visto en *El retablo de las maravillas,* pero quizá sea aquí cuando tiene una forma más graciosa. Leonor tiene una gran feminidad que se siente rápidamente atraída por lo masculino. Le dice su amante, el sacristán: «Puesto me ha miedo el pobre estudiante; yo apostaré que sabe más latín que yo.» Ella le contesta: «De ahí le deben de nacer los bríos que tiene. Pero no te pese, amigo, de hacer caridad, que vale por todas las cosas.» La materia sexual hace que esa clase de chiste sea más eficaz, pero no consiste en ella su esencia.

En este tercer entremés de engaño no se baila, aunque se hacen unas cabriolas. Es un entremés de canción que encierra en su rima (consonante en versos pares) sonora e insistente la ingeniosa y viva alegría de la gran farsa.

EL VIEJO CELOSO

El último entremés tiene también como su motivo central el engaño. La acción que termina en baile se desarrolla con cinco personajes—Doña Lorenza, la mujer; Cristina, su sobrina; Cañizares, el marido; su compadre y Hortigosa, vecina,— además un galán que no habla, y por último un alguacil, músicos y el bailarín. Cervantes no dice el número de músicos, pero en otros entremeses indica que deben ser dos.

En *El viejo celoso* no tenemos la arquitectura física ni la mental de *El celoso extremeño*; se habla de las siete puertas, se habla de la llave, pero precisamente el entremés comienza porque el viejo se ha dejado la puerta de la casa abierta. El carácter del marido viejo lo vemos a través de su mujer y de Cristina, antes de que él hable de sí mismo, y su compadre lo caracteriza con tres palabras: recatado, celoso, impertinente, todo en grado máximo. Cervantes ha dado una profundidad trágica al tema de «el viejo y la niña» en su novela ejemplar, el entremés lo reserva para presentar el posible lado cómico de ese matrimonio.

La comicidad consiste en burlar la vigilancia del marido. Este inmediatamente entra en escena en función de su papel cómico, introduciendo el motivo de las «vecinas,» que unido a la acción de la vecina va cada vez en aumento y soporta todo el movimiento del desenlace.

La mujer deja su papel pasivo por el activo y le apoya una jovencita, su sobrina. El mismo cambio ocurre con respecto a la novela en la manera de entrar en la casa. El esfuerzo, la nocturnidad, el sentido de lo lascivo—vista y oído—se trueca en una divertida farsa. Lo más cómico del entremés sería la burla—extender un tapiz para que por detrás pase el galán; y el equívoco del rebozo—si no fuera por la escena en que la mujer encerrada con su amante en el cuarto irrita al marido describiéndole su felicidad, lo cual el viejo acaba por tomar a broma, y es verdaderamente engañado.

El desenlace de esta situación hay que compararlo con el de la novela, en que por razones de índole estética, que armonizan con la pasividad y negatividad del conjunto, no se comete el adulterio, gran acierto de Cervantes.

Desde el momento en que el entremés comienza, la alusión sexual es constante, y, cada vez con más desenvoltura, va ganando en frecuencia hasta la escena del cuarto. La mujer es joven, pero no necesariamente una niña como en la novela; la que sí es una niña es la sobrina, quien subraya con sus palabras y gestos la indecencia de lo que va describiendo la tía.

No hay que tratar de disminuir lo desvergonzado de la obra, pero conviene hacer notar que lo que se dice que se lleva a cabo está tan en conflicto con el elemento temporal, que toda grosería desaparece. La acción está sometida a ese tiempo rapidísimo. Y pasando por los personajes, pasando por los tres momentos de la burla—tapiz, encierro, agua en los ojos,—lo que queda es una acción dirigida en un ritmo muy vivo, con un diálogo que va aumentando su aceleramiento hasta el final. La viveza del diálogo es nuestra impresión final y la que despoja a la anécdota de toda su densidad gótica; por eso aunque la letra de la canción no sea la más adecuada y el bailarín no sea el personaje más oportuno, el entremés termina en baile, porque se celebra el triunfo de la juventud sobre la vejez, la victoria del ingenio sobre el espíritu receloso y despótico. El viejo y la niña no son figuras morales, están contenidas exactamente en su naturaleza, y lo que en la novela era inmensidad báquica, atmósfera cargada, en la cual se anega el deseo insatisfecho de un viejo incapaz, de una niña inocente, de un amante que con el fruto en las manos no llega a saborearlo, todo ello presidido por un eunuco, en el entremés es despreocupación y desenfado. En la novela tenemos un rebaño de esclavos ardiendo en deseo, un mundo de instintos y de error; en el entremés Cristina pide «un frailecico pequeñito con quien yo me huelgue,» y cuando Hortigosa le dice que se lo traerá pintado, ella insiste: «Que no lo quiero pintado, sino vivo, vivo, chiquito, como unas perlas,» y el motivo del frailecico se teje al de las vecinas para dejar encerrada la acción en un gesto intrascendente, lleno de movilidad, que en la escena del cuarto adquiere el valor de un estribillo. Mientras Doña Lorenza va describiendo el encuentro amoroso y Cañizares muestra su enojo, Cristina repite una vez y otra «¡Jesús, y qué locuras y qué niñerías!»

En la frase de Cristina, la vida del cuerpo queda convertida en retozo y juego, y no asistimos tanto a la satisfacción de un deseo como al triunfo sobre la estupidez impertinente.

APENDICE

LOS TRATOS DE ARGEL

MOVIMIENTO Y DIRECCIÓN

Aurelio solo en escena da comienzo a *Los tratos de Argel* (1). Un soliloquio. Las redondillas destacan al principio cada verso. El primero—«¡Triste y miserable estado!»—nos introduce inmediatamente en el lamento, cuyo desarrollo analítico mantiene férreamente sujeto el inmenso volumen de la pasión. Aurelio, esclavo, se mueve con cadenas, y cada verso que parece ir a romper en su estallido de crescendo conmovedor la forma poética se somete a la redondilla

---

(1) La estética neoclásica no podía captar la unidad de acción de la obra, y la resolvía en un suceder episódico; además todo el acontecer al margen de la razón—sortilegios, figuras morales, milagros—le parecía un desatino. El siglo XIX, pasado el Romanticismo, veía sólo una serie de cuadros, que a veces apreciaba como escenas de costumbres.

229

para cerrarla. En el lamento no hay un acento desesperado; la queja es una toma de posesión consciente de la vida del cristiano en Argel, de lo que es el cautiverio: purgatorio en la vida, infierno en la tierra, mal sin segundo, estrecho sin salida, el mayor daño entre los daños; increíble necesidad, muerte palpable, trato mísero, padecer del cuerpo y del alma; piedra de toque de la paciencia, vida llena de sufrimientos, penitencia del hombre,

> ¡Cifra de cuanto dolor
> se reparte en los dolores!

Después de asomarnos a los martirios más grandes, de ponernos en el mismo borde de la catástrofe, de hacernos presenciar tormentos desgarradores, humillantes caídas, conductas heroicas en ese mundo formado por hombres y mujeres, niños y viejos, conducidos siempre por el amor puro y la voluntad indoblegable, por la luz de la gracia que ilumina tanta desolación, llegamos al final de la obra, la cual termina con la voz de Aurelio, ahora acompañado de tres esclavos, que prosternado en tierra eleva al Cielo en dos octavas su agradecimiento y su alegría. De la redondilla pasamos a la octava, del lamento inmenso, pero contenido, a una alegría infinita que desborda de todos los corazones, del cautivo encadenado al coral de los cuatro esclavos, que «echan todos las cadenas al suelo, e híncanse de rodillas.» Al comienzo de la acción todas las esperanzas están puestas en la Armada de Felipe II, la acción termina con el Bajá en su corte de crueldades y torturas brutales, pero por el mar avanza un navío. La tierra se llena de una suave alegría que levanta todos los corazones, es la nave de la limosna que se acerca. De un lado, la esperanza puesta en el Estado; de otro, la realidad de la misericordia redentorista. Esclavo-libre, lamento-acción de gracias.

TRANSMISIÓN DEL TEXTO

Como se ve, la obra tiene juntamente un gran movimiento y una luminosa dirección. Pero el texto nos ha sido transmitido, cosa frecuente en el teatro español e inglés, de una manera lamentable. Un manuscrito, el utilizado por Sancha en 1784, la divide en cinco actos, otro, Rosell (1864), Schevill y Bonilla (1920), la presenta en cuatro. Lo más probable es que *Los tratos* tuviera cuatro actos, pero no es seguro, y aun en el último manuscrito se vacila en la agrupación y en el reparto de los personajes. Hay que desechar, pues, todo intento de conocer la forma de la que hoy aparece como la primera de las obras mayores de Cervantes, de esa creación que empieza situándose en el Mediterráneo islámico, partiendo de una experiencia personal histórico-religiosa, y que ha de terminar con el *Persiles*, entre luces nórdicas y en el centro del mundo occidental y católico—España, Roma: novela que arranca de la manera de concebir el católico poeta español el mundo y la humanidad. Si en la última obra, tan perfecta, su maestría le permite manejar con toda libertad y virtuosismo, los blancos y negros, la nieve y el fuego como fondo profundo y significativo de la realidad copiosa, en la primera obra que se conserva de Cervantes, y que para nosotros, hoy, ha de ser el primer testimonio de su creación, la pasión, el ardor religiosos, disponen de una forma poco flexible. Porque si el estado en que ha llegado hasta nosotros *Los tratos de Argel* no nos permite darnos cuenta de la forma exacta de la obra, en cambio quedan restos suficientes para que percibamos que estaba compuesta, más bien que con rigor, de una manera inflexible.

Así nos encontramos con cinco núcleos de octavas (en realidad los dos últimos forman uno solo, dividido por redondillas, versos sueltos y redondillas, en total 112 versos, que aíslan el tema final, realzado por el contraste con la crueldad de la otra parte de las octavas e introducido por las redondillas) en perfecta correspondencia temática: triunfo del alma heroica, esto es, decisión, y tormentos del mundo árabe. Al personaje Aurelio se le encomienda la lucha para alcanzar la victoria de la honestidad, y, su desdoblamiento, Saavedra conduce la exposición histórico-religiosa. Dos escenas, que parecen hacer juego en su diabolismo, están escritas en versos con rima al medio. Por cierto que, aunque Moratín ya advirtió el uso de este verso, Rosell no se dió cuenta y corrigió sin sentido formal, y Schevill y Bonilla en su análisis de la versificación (VI, 164-5) los clasifican entre los versos sueltos.

La primera escena en tercetos de lo que es la jornada III en el último manuscrito publicado tiene 67 versos. Aurelio y Silvia se han encontrado por fin, ¡tanto amor rodeado de tanto sufrir! y los peligros a que están expuestos los amantes no terminan, ahora redoblan. Tienen que entregarse el uno al otro a la ardiente sensualidad de sus amos, Izuf y Zara. Ellos saben lo que es padecer de amor. Desde el hielo de su pureza, pueden sentir compasión hacia esos seres que se consumen en un fuego devorador, y la serie regular de tercetos se quiebra en el verso central, el 34:

AURELIO. ¡Oh pobre moro!
SILVIA. ¡Oh desdichada mora!

Esta firmeza no da la sensación de algo sólido, sino más bien de rigidez, impresión que quizá sería la que produjera la obra, en la cual es sorprendente que se haya visto una serie inconexa de cuadros, pues lo que sentimos es que su evidente unidad espiritual ha sido manejada por una mano primeriza sin la soltura necesaria.

DOS TEMAS:
PERDER EL ALMA, PERDER LA VIDA

Aurelio expone lo que es la cautividad, particularizándola: «Pondérase mi dolor, / con decir, bañado en lloros, / que mi cuerpo está entre moros, / y el alma en poder de Amor.» Aurelio es un cautivo enamorado. Ha perdido la libertad y ha perdido a su amada, Silvia. El dolor del cautiverio que parecía insoportable, puede aumentarse; pero la causa de este tormento insufrible se transforma en auxilio y protección: «¡Valedme, Silvia, bien mío, / que si vos me dais ayuda, / de guerra más ardua y cruda / llevar la palma confío!» Silvia ha de protegerle del asedio de Zara, su ama y esposa de Izuf. Zara está enamorada de su esclavo. La ley mahometana enfrente de la ley cristiana. Si su ley no le impide abrasarse en el amor deshonesto, su matrimonio tampoco es un obstáculo. Fátima, la criada, se irrita, a la vez, ante la resistencia del cristiano y el rebajamiento de su ama, que suplica a quien debía mandar.

El esclavo encadenado y roto, hambriento y maltratado, es el centro de un deseo incontenible. La belleza de los sentidos le asedia, la tentación sensual llega hasta él en la forma conmovedora del ruego. La mirada y la voz, el gesto tienen promesas y peticiones, proximidades envolventes. El diálogo entre tanta resistencia y tanto rendimiento lo presencia la pasión entenebrecedora de Fátima, con sacudidas de látigo, capaz de congregar todas las fuerzas mágicas de la tierra.

Esa calentura de la carne ofrece más que amor. Es un puente que al atravesarlo limará las cadenas, devolverá la dignidad del traje, terminará con el hambre y permitirá que empiece la vida regalada. El espectador se deja ganar por esa suave pendiente, todos caerían; hay un peligro más grande, el del hombre frívolo que incapaz de imaginarse la tentación decida que se ha de resistir y crea que él resistiría. De aquí, la tragedia de la soledad de Aurelio. Zara y Fátima se retiran, y la redondilla se transforma en octava. El verso largo nos traslada a una diferente imploración. El hombre débil, el cuerpo sin fuerzas, se dirige al Cielo:

> ¡Padre del cielo, en cuya fuerte diestra
> está el gobierno de la tierra y cielo;
> cuyo poder acá y allá se muestra
> con amoroso, justo y santo celo!
> Si tu luz, si tu mano no me adiestra
> a salir de este caos, temo y recelo
> que, como *el cuerpo* está en prisión esquiva,
> también *el alma ha de quedar cautiva.*

El endecasílabo se llena de un tono apasionado al suplicar a la «Virgen Santísima María,» a la «Virgen entre las vírgenes primera,» a la «Virgen y Madre,» que sea la intercesora para con Dios. Silvia es el reflejo terrestre de la Virgen y Madre celestiales. En la Virgen María se confía para que Dios derrame sobre el pecador toda su gracia. Así fortalecido, puede exclamar:

> Yo moriré, por lo que al alma toca,
> antes que hacer lo que mi ama quiere;
> firme he de estar cual bien fundada roca
> que en torno al viento, el mar combate y hiere.
> Que sea mi vida mucha o que sea poca,
> importa poco; sólo el que bien muere,
> puede decir que tiene larga vida,
> y el que mal, una muerte sin medida.

Muerte-vida, el sentimiento generador de *La Numancia*, y, tal como se conserva hoy la Obra de Cervantes, el concepto cristiano informador del comienzo de su creación.

El cautiverio es una pena larga, un purgatorio, un infierno, un estrecho sin salida... es un estado en el cual para mejorar su situación corporal el hombre está siempre en peligro de perder el alma. Los padecimientos físicos inimaginables son, sin embargo, nada. O se es un héroe o se cae en la mayor abyección moral. No hay otra alternativa. El hombre de la virtud civilizada, el espectador de Madrid o Valencia o Sevilla tiene ante sus ojos la tortura de esa elección. Ser héroe o un ser vil, no hay término medio. La situación sería monstruosa (sería «absurda» y «existencialista»), pasar «de este hondo valle a la más alta cumbre,» si la fe y la esperanza no supieran que la caridad divina mana siempre a raudales. Así, el tema del cautiverio al particularizarse—hombre enamorado—coloca en la posición más extrema la situación normal: tentación continua de mejorar de vida.

Al irse Aurelio, hay un cambio de escena completo, que para una mente moderna desde comienzos del siglo XVII va acompañada de un cambio de lugar. Pero el teatro del primer Barroco se desentiende hasta tal punto de la localización, que no sólo no se preocupa del escenario, sino que dejará a Lope la tarea de crear la palabra dramática con poder de representación. Lope por uno de esos misterios de la magia poética dota a la palabra de su primera capacidad dominadora de representación. Dice noche, bosque, camino, sombras, sol, palacio, plaza e inmediatamente la acción se aloja en un espacio de muerte o de alegría, de presentimientos o de felicidades y dolores presentes. Y las luces le siguen, llenando el ritmo de la acción de temporalidad y sentimiento de lo eterno. Con Lope el teatro en España adquiere ese poder que ya no perderá. Lo mismo acontece en Inglaterra y más tarde en Francia. Creo que esta es una de las grandes diferencias entre el verso dramático de la época anterior a Lope y la de Lope. A ella hay que unir la concepción distinta del ritmo de la acción. En el teatro del XVII es muy frecuente ese cambio total de escena en la primera jornada (lugar, personajes y tema). Quizá es una de las características importantes por lo que toca al ritmo de la acción, y acaso haya que referirla a la nueva división de la Comedia en tres jornadas. De todas maneras, ese cambio en la época de Lope está puesto al servicio del movimiento de la acción y se utiliza para manejar y encauzar el interés, sin que el poeta sienta la necesidad de unir las dos escenas temáticamente.

Cervantes, por el contrario, inicia el segundo tema de la obra comenzando de nuevo (lo mismo hará en la novela, con resultados tan perturbadores para la crítica), de aquí que busque la continuidad no en la marcha de la acción, sino en la relación temática. Aparecen dos esclavos, Saavedra y Leonardo. El primero se lamenta (tercetos) de su estado, y el segundo le dice que quejarse es perder el tiempo, poniéndose como ejemplo de vida feliz en el cautiverio: «A mi patrona tengo por amiga; / trátame cual me ves; huelgo y paseo; / 'cautivo soy' el que quisiere diga.» Saavedra le reprocha que haya caído tan bajo, y Leonardo responde que mejor es hablar de otra cosa. Saavedra es un desdoblamiento de Aurelio, pero no está enamorado; Leonardo tampoco está enamorado, y se ha dejado arrastrar por la tentación de una vida cómoda y fácil. Tenemos una variación de la primera escena: diálogo en lugar de monólogo, flaqueza en lugar de resistencia. Podemos encontrar un contraste, pero es casi seguro que lo que le importaba al autor era disponer un enlace entre ambas escenas y sentirse libre para atacar el segundo tema. De una manera brusca continúa Leonardo: «Déjate de eso y escucha de la guerra / que el gran Filipo hace nueva cierta, / y un poco la pasión de ti destierra.» Felipe II ha congregado un numeroso ejército en la dehesa Cantillana (Badajoz) y le ha pasado revista (13 de junio de 1580), nadie sabe cuál es el propósito de esa muestra. Al oír la noticia, Saavedra exclama:

> Rompeos ya, cielos, y llovednos presto
> el librador de nuestra amarga guerra,
> si ya en el suelo no le tenéis presto.

Los Manuales de literatura europea suelen dar una impresión falsa cuando hablan del «Orientalismo» como tema romántico. No, el orientalismo se encuentra en todas las épocas. Sin recordar los períodos visigótico, románico o gótico, en el Renacimiento y en el Barroco se encuentra abundantemente, sobre todo en España. Lo que ocurre es que cada época lo utiliza según las necesidades de su propio mundo espiritual, el cual no sólo tiene una vivencia particular, sino una expresión correspondiente, y de acuerdo con esta experiencia espiritual y su expresión el tema orientalista, como todos los temas, cambia en cada época. En el Barroco español quizá el medio donde se da más sea el literario, y entre los escritores es posible que sea Cervantes el que lo emplea con un impulso más vital—porque la utilización de un tema puede obedecer a una necesidad creadora o simplemente a una corriente del gusto.

El tema orientalista lo encontramos a través de toda la Obra de Cervantes, a veces, como un contraste espiritual de dos civilizaciones—la islámica y la cristiana;—otras, como un contraste social; por último, como el choque de dos fuerzas históricas, teniendo siempre en cuenta la raíz religiosa de esa diversificación y la superioridad del cristianismo.

Con Aurelio se representa el contraste espiritual, la idea de la Virtud, de la Honestidad. Hay mujeres árabes honestas, hay españoles deshonestos, pero precisamente en la medida que se acercan o se alejan del cristianismo. Quién sabe si la actitud de Cervantes hacia el pundonor y el lugar muy secundario que ocupa este tema en su Obra no se deberá a su obsesionante preocupación con el tema de la honestidad.

Con Saavedra—desdoblamiento de Aurelio—el orientalismo va a expresar la lucha de dos fuerzas históricas. Aurelio ha hablado primero en redondillas—lamento-monólogo, amor-diálogo—, después en octavas estalla el movimiento heroico del alma que se confía a Dios. Se hace una pausa completa, pero se mantiene el endecasílabo; en tercetos hemos oído el segundo lamento y el rebajamiento de Leonardo, luego éste habla de Felipe II y de sus ejércitos; al tomar la palabra Saavedra es el momento en que los tercetos vuelven a llenarse de pasión, de una pasión histórico-política.

SAAVEDRA. Cuando llegué cautivo y vi esta tierra
tan nombrada en el mundo, que en su seno
tantos piratas cubre, acoge y cierra,
no pude al llanto detener el freno,

> que, a pesar mío, sin saber lo que era,
> me vi el marchito rostro de agua lleno.

Son las primeras lágrimas vertidas sobre la historia de España. Saavedra no llora por él, llora por la historia de España:

> Ofrecióse a mis ojos la ribera
> y el monte donde el grande Carlos tuvo
> levantada en el aire su bandera,
> y el mar que tanto esfuerzo no sostuvo,
> pues, movido de envidia de su gloria,
> airado entonces más que nunca estuvo.
> Estas cosas volviendo en mi memoria,
> las lágrimas trujeron a los ojos,
> forzados de desgracia tan notoria.

Luego, Saavedra continúa dirigiéndose a Felipe II (1), suplicándole que tenga misericordia de tanto dolor—«poderoso señor, te están rogando / vuelvas los ojos de misericordia»—y que siga el ejemplo del Emperador:

> Haz, ¡oh buen Rey!, que sea por ti acabado
> lo que con tanta audacia y valor tanto
> fué por tu amado padre comenzado.

Felipe II era un hombre de Estado demasiado grande para mezclar la misericordia con la política. En la época

---

(1) La *Epístola* a Mateo Vázquez, formada con estos versos, me parece una falsificación del siglo XIX. Para el estudio de este problema, conviene observar que Cervantes usa la palabra real como bisílaba, tanto en *Los tratos* como en la *Elegía* al Cardenal Espinosa («Si el ánimo real, si el soberano») y en las *Estancias* en honor de Pedro de Padilla («El águila real la vieja y parda»). La *Epístola* en los versos de *Los tratos* que no ofrecen variante tiene a real como bisílaba, pero en una variante la introduce con sinéresis: *Tratos*, «Despierte en tu rëal pecho coraje.» *Epístola*, «Despierte en tu rëal pecho el gran coraje.» Si todo fuera claro por lo que respecta a la *Epístola* y al descubrimiento del manuscrito, el uso de real quizá no designaría nada más que la presencia de otra mano, pero como ocurre lo contrario, creo que sin más datos no debe aceptarse que Cervantes la escribiera.

de Fernando el Católico y de Carlos V había un problema del Mediterráneo que se tenía que resolver con los turcos. Felipe II se encuentra con que, después de Lepanto, el dominio del Mediterráneo ya no es un problema oriental sino que está unido al dominio del Atlántico, de donde sale la Europa moderna. La «cuestión de Oriente» la manejarán las potencias europeas para el dominio de Europa, esto es, del mundo. La lucha existe no entre los intereses de los cristianos y de los mahometanos, sino entre los de los católicos y de los protestantes para formar una Europa española y unida bajo el principio de autoridad o una Europa dividida bajo el principio de libertad. La lucha era con Inglaterra, había que libertar a Irlanda y a los cautivos católicos ingleses, no por misericordia, sino por un ideal político: impedir la piratería en el Atlántico, que, dirigida por Inglaterra y secundada por Holanda y Francia, era una amenaza para el Imperio español (1). Gracias a la prudencia de Felipe II y al poder marítimo de España (alcanza el nivel máximo durante su reinado, a pesar del episodio desgraciado de la invasión de Inglaterra), el Imperio duró cuatro siglos. A Inglaterra le tenía reservado el destino la tarea de crear un Imperio fundado precisamente en la división: la gran novedad política del mundo moderno, que señala una ruptura completa respecto a la concepción de la Roma antigua y papal. Como Felipe II no tuvo éxito y sus sucesores no continuaron su política de sojuzgar a Inglaterra, ésta sojuzgó a España, apoderándose de la entrada del Mediterráneo.

Estas líneas no son una digresión histórico-política que intenten aclarar la situación de España y de Europa durante el Barroco. Estas líneas son necesarias para acla-

---

(1) Comp. Céspedes y Meneses: «Preveníase en aquesta sazón en la Coruña, en Lisboa y parte de Vizcaya la más potente armada que han visto nuestros siglos; magnánimo y piadoso remedio del católico Felipe contra las invasiones de la India y expugnación de Inglaterra, que las fomentaba» en Colección selecta de antiguas novelas españolas. Ed. por Emilio Cotarelo y Mori, Madrid, 1906, Tom. II (*El buen celo premiado*), p. 58.

rar la visión de Cervantes, quien ya nos da en *Los tratos* el mismo movimiento que en su Obra. De los cautivos españoles de Argel pasaremos a la cautiva española de Londres (*La española-inglesa*), y expresará ese anhelo sentido por todo el orbe católico durante los primeros veinticinco años del siglo XVII de ver convertida a Inglaterra. En la obra dramática tenemos al principio, sobre el pedestal inmenso del sufrimiento, el deseo de que Felipe II acabe con el nido de piratas del Mediterráneo, pero al final se nos habla de los protestantes en Flandes. Son los luteranos los que ofenden «tan sin vergüenza a su real corona.» La piratería mahometana del Mediterráneo era un peso muerto que no representaba un peligro para el Estado; la piratería protestante del Atlántico era una actividad creadora que se oponía a la obra española.

Saavedra ha llenado la escena con el clamor de los quince mil cristianos aherrojados en los baños de Argel, y no se dirige a Dios, sino a Felipe II, cuyas poderosas armadas invoca. Al terminar, llega un muchacho, Sebastián, esclavo también, rebosando sus palabras indignada irritación. Aun trae en sus ojos el terrible espectáculo, terrible no porque hayan quemado a un hombre, es que le han hecho perecer injustamente, movidos por la venganza y el odio. A la visión histórico-política se une inmediatamente su secuencia: la justicia.

El siglo XIX, afortunadamente, se horrorizaba ante esas hogueras que encendía el hombre en nombre de la justicia y para hacer justicia. El sentido moral del siglo XIX es una conquista que no debería de perderse; pero esa conquista moral tiene que servirnos para horrorizarnos y avergonzarnos de la bestialidad del siglo XX y hacer que procuremos suprimirla, no es válida para enjuiciar las edades pasadas. Durante el Barroco arden las hogueras en todas partes, entre los protestantes, entre los católicos y entre los mahometanos. El hombre de esa época no concibe todavía que se pueda hacer justicia de otro modo, por eso no es inmoral; hoy, dadas nuestras ideas morales, nos repugna el sistema penal y penitenciario actual y la manera como los grupos dirigentes de los distintos medios políticos reprimen los ataques de sus enemigos, tanto los del interior como los del exterior.

El siglo XIX naturalmente al admirar a Cervantes quería hacer de él un liberal. Tal transformación es imposible, por la sencilla razón de que el hombre liberal todavía no había sido inventado. Lo que importa no es señalar este anacronismo, lo grave es que con esa intención se interpreta mal el arte de Cervantes. Es un error suponer que un católico pueda alabar la libertad de conciencia, y, así, la frase de Ricote *(Quijote,* 1615) hay que leerla como una censura, como la peor desgracia que le puede suceder a un morisco: tener que salir de España y por si eso fuera poco no ser bien recibido nada más que donde hay libertad de conciencia y no se miran en delicadezas. Un católico exige la libertad de conciencia cuando reclama el derecho a existir él en otros medios religiosos, dispuesto siempre, como es natural, a suprimir en cuanto pueda la libertad de los otros grupos.

Ya al comienzo de su Obra querían encontrar una actitud liberal en Cervantes, viendo en la narración de Sebastián un ataque contra los autos de fe. No hay tal cosa, es claro. A Cervantes no le indignan, porque no pueden indignarle, los autos de fe. Lo que cree es que los autos de fe católicos son justos, y que a los otros los enciende el espíritu de odio y de venganza. Sebastián cuenta cómo en represalia por haber quemado en Valencia a un morisco renegado, dedicado a la piratería, los de Argel acaban de quemar a un sacerdote valenciano. La narración es altamente patética, por eso está puesta en boca de un muchacho.

SEBASTIÁN.   ¡Oh cielos! ¿Qué es lo que he visto?
              ¡Este sí que es pueblo *injusto,*
              donde se tiene por gusto
              matar los siervos de Cristo!

> ¡Oh España, patria querida!
> Mira cuál es nuestra suerte,
> que, si allá das *justa* muerte,
> quitan acá justa vida.

Estos versos preparan la narración, en la cual se destaca constantemente esta idea: justicia-inquisitorial, injusticia-mahometana; por eso está construída a base de oposiciones, Argel-España, venganza-justicia, dolor-fe, muerte-vida, suelo-cielo, mientras se pinta de una manera dramáticamente eficaz al Sacerdote camino del suplicio y luego en la hoguera. El relato se convierte en una gran exaltación martirial. La fortuna de la Contrarreforma: poder revivir hasta en el martirio la Iglesia primera y siempre la misma.

Saavedra cierra la narración, donde vuelve a aparecer el tema muerte-vida y la imploración a María como en las octavas de Aurelio, insistiendo en la nota dada por Sebastián: «Muéstrase *allá la justicia* / en castigar la maldad; / muestra *acá* la crueldad / cuánto puede *la injusticia.*» Y la escena termina con una alabanza del sistema penal de la Inquisición.

Esta injusticia es *cifra* de todas las injusticias que sufren los cautivos, cuya liberación es un problema de España: del Estado (político), del hombre (caridad).

El cautiverio es un constante peligro de perder el alma (tema espiritual) y un constante peligro de perder la vida (tema histórico-político). Los dos temas, atravesando todos los obstáculos, dolores y caídas, son conducidos con un movimiento y dirección llenos de pasión al desenlace de la esperanza.

DOS CULTURAS:
(a) SU DIFERENCIA SOCIAL

La jornada segunda en las ediciones de 1864 y de 1920 empieza con Aurelio en escena acompañado de Izuf, su amo. El moro se lamenta (quintillas dobles) de haber com-

prado a una cristiana tan hermosa como cruel, y le pide
a Aurelio que le ayude a rendirla. Aurelio promete hacerlo en cuanto la esclava llegue a la casa. Esta muchacha
hermosa y pura es Silvia, la amada de Aurelio, quien, al
retirarse Izuf, da a la estrofa un temblor conmovido:

> ¡Qué es esto, cielos! ¿Qué he oído?
> ¿Es mi Silvia? ¿Silvia? ¿Es cierto,
> es posible, ¡oh hado incierto!
> que he de ver quien me ha tenido
> vivo en muerte, en vida muerto?

De Zara ya tuvo piedad, porque el cristiano sabe los tormentos terribles de la sensualidad; por Izuf tiene una sincera compasión, pues es natural que todo el que vea a Silvia se enamore de ella. El diálogo entre amo y esclavo es
breve, y el soliloquio brevísimo. Esta escena mantiene en
el recuerdo la situación de Aurelio, ahora de peligro doble, y encauza el argumento. A la rápida exposición de la
sensualidad y el amor, le sigue un diálogo muy breve también entre un corsario y dos mercaderes. Este diálogo (redondillas) prepara la escena de la venta de esclavos, y está
lleno de actualidad. El poeta vuelca sobre la escena, con
su notación pintoresca—«galima», obras muertas, árbol,
entena, crujía, bogavante—, toda la vida del Mediterráneo:
las galeras de Nápoles, abarrotadas de mercancías y de
avanzar lento, las naves piratas, ligeras y de maniobra fácil. En las galeras se guarda hasta el último momento la
jerarquía social, la gente de los barcos corsarios es buena
para todo, especialmente cuando se trata de huir. Al leer
hoy la descripción con nuestra manera de pensar y de ser,
es muy fácil ver en ella una censura; es posible que la
haya, pero para mí está muy lejos de ser evidente. Cuando
el corsario dice: «Pero allá tiene la honra / el cristiano
en tal extremo, / que asir en un trance el remo / le parece
que es deshonra,» el tono y la intención del corsario son
claros, lo que no es tan claro es que tengamos que trasladar a Cervantes ese práctico punto de vista: un caballero

puede preferir el cautiverio a mezclarse con la gente del remo.

Los mercaderes y el corsario hablan, aunque sólo sean mercaderes y corsarios es natural que estemos pendientes de lo que dicen y que haya que discutir sus ideas. Lo que importa, empero, es señalar la primera escena marítima en la Obra de Cervantes, tema que persistirá hasta su última novela, el *Persiles*. En el *Quijote* de 1615 hay una bella maniobra naval de caza, y de nada les sirve a los corsarios ni su ligereza ni su igualdad social en la huída: el poeta entonces quería hacer presa de los piratas.

(b) LA DIVISIÓN DE LA FAMILIA

La viveza de la descripción del corsario continúa cuando entra el pregonero a vender a una familia cristiana: padre y madre con dos hijos y un niño de pecho. El pregón sostiene la nota pintoresca y los detalles de la venta la aumentan. El trazo rápido, y aquí y allí una frase, un gesto pintorescos como fondo de una acción patéticamente desgarradora. El director de escena puede lograr un gran efecto dramático en la disposición de ese grupo familiar en medio del color deslumbrante y abigarrado de Argel. Hay un gran contraste de color y de movimiento: una actitud tan recogida, temerosa y azorada envuelta en el alborozo y bullicio de la multitud; la mirada de los mercaderes y la de la madre y los niños, ese cruce de alegría codiciosa y de dolor parado y contemplar atónito. Además, los ojos de los cristianos no sólo derraman dolor, hay en su mirada una gran firmeza y seguridad. Como en *La Numancia*, para dar la nota patética Cervantes elige como instrumentos la madre y el niño, que tienen la misma calidad de sonido, pero con un tono diferente: el dolor natural y consciente de la madre consigue alturas indescriptibles cuando lo realza la inocente ignorancia infantil, mientras el padre lo subraya con su concentrada sobriedad.

Es claro que no convenía abusar de esta situación; pero si fué Cervantes, como parece, el que la encontró (acaso recordando *Medea*) en el Barroco, hay que conceder que fué un gran hallazgo; sumamente peligroso, es verdad; por eso admira más la sabiduría con que lo manejó el autor.

La mujer es la madre. Tener hijos, carne de la carne, y ver a esas criaturas, objeto de tanta solicitud, arrojadas al mundo del engaño y de la tribulación: «La ventura se te asconde, / hijo, pues yo te parí.» El parto hace desembocar la vida en el dolor, que la ignorancia del que la recibe aumenta:

> No conoces tu desdicha,
> aunque estás bien dentro de ella.

El hombre en ese misterioso círculo de placeres y penas. Amenazas y regalos tendiendo siempre la misma trampa, ocultando siempre lo mismo: la muerte. La madre, la donadora de la vida, sería únicamente el manantial sexual y oscuro de la muerte, si no pudiera transmitir el talismán del *Ave María:* «Que esta Reina de bondad, / de virtud y gracia llena, / ha de limar tu cadena / y volver tu libertad.» La madre implora de su hijo que nada en el mundo le «mueva a dejar a Cristo / por seguir al pueblo moro.» Y el muchachito se yergue con toda la luminosa verticalidad del mártir:

> En mi se verá, si puedo,
> y mi buen Jesús me ayuda,
> cómo en mi alma no muda
> la fe la promesa o miedo.

La familia se dispersa; del padre, la madre y el niño de pecho no volveremos a saber más. El autor se hace cargo de los dos muchachos. Hemos contemplado la primera tragedia: no sólo esclavos, sino separados. Quedan los dos muchachos sometidos a la presión constante de halagos y torturas.

La descripción del corsario persiste en el tema histórico-político (Saavedra), la venta de la familia es una variación del espiritual (Aurelio).

(c) LA DIFERENCIA ESPIRITUAL

El núcleo siguiente tiene lugar entre Izuf y Silvia; Izuf, Silvia y Zara; los tres personajes más un Moro (hablan en redondillas); por último, quedan Zara y Silvia solas, utilizan la redondilla y pasan al verso suelto. Es una escena espléndida de amor respetuoso y pasión incontenible, interrumpida por la entrada del Moro, que trae un mensaje del Rey (tema histórico-político): habiendo oído los preparativos de Felipe II, el Rey de Argel se alarma, pues, aunque los rumores son que se dirige a Portugal, teme que no sea una estratagema—«Mas témese no sea maña, / y es bien que tema su saña / Argel, que le hace más mal.» Versos que nos comprueban que estamos ante una obra de arte. El que habla es un Rey moro con la preocupación de las gentes de su tierra. No se puede suponer que en el pensar político de Cervantes se concediera más importancia a Argel que al Imperio portugués y especialmente a la unidad de la Península. El Rey le manda a decir a Izuf que acuda a su Consejo; esta llamada tiene una gran importancia en la pintura del amor y gravita sobre el desenlace.

Silvia es una deliciosa figura pálida. El elenco femenino que creará Cervantes ha de ser tan extenso, complejo y variado; va a crear tantas formas para expresar la pureza y la lascivia, la frivolidad y la ignorancia, el sufrimiento y la alegría, el ideal y la realidad social noble e innoble, el mundo aristocrático y el plebeyo, la gracia divina y las fuerzas elementales de la naturaleza; sabrá Cervantes dotarlas de tal volumen, de tal movimiento, de tanta gracilidad y viveza, de tanto recogimiento y ardor, de tanto cinismo, de un color tan deslumbrante, de unas sombras tan sobrecogedoras, de un porte majestuoso, de un gesto trágico, de una desenvoltura humana, de suavidad, de ira, de unas lágrimas que queman o que tienen la fecundidad del dolor transformado en gozo, que hay que subrayar el valor estético y la emoción histórica de esa mujer, casada pero doncella, que por primera vez sale de las manos del poeta.

A Silvia se entregan todos los corazones, aquellos que al contemplarla se sienten elevados hasta la pureza y los que al verla caen arrastrados por la sensualidad. Silvia es un reflejo terrenal de la Virgen, por eso junto a María tenemos a Eva—naturaleza humana que atraerá los sentidos, pero imponiéndoles un respeto que no hace sino aumentar su tortura. Silvia alcanza en la Obra de Cervantes un desarrollo extraordinariamente dramático, y con ella captará el poeta las exigencias más inflexiblemente tiránicas de la pureza y el cerco cruelmente punzante de la belleza sensual. Belleza divina y belleza humana, la idea y su apariencia. Silvia es la primera forma de esta creación, primera y completa. Su belleza física enamora, y su habla comedida, su donaire, su gracia muestran que es bien nacida. Cervantes cuando tenga necesidad subrayará lo repugnante de la lascivia y el engaño temporal de los sentidos, pero junto a la lujuria que degrada está el respeto hacia la belleza, no ya la ideal sino la sensible. Ante la belleza sensual en un ser puro o impuro, podremos encontrar esas dos actitudes: el respeto o la degradación. La atracción que siente Izuf por Silvia es completamente sensual, sin embargo, aun arrastrado por ese impulso se mueve con el mayor respeto; respeto que incluso la belleza sensible inspira. Izuf recibirá un cruel castigo—a eso se expone quien trafica en belleza que se compra y rescata—, pero su tormento espiritual tiene un origen elevado y de aquí que se le permita expresarse en un lenguaje cargado de figuras retóricas. «Con vos fortuna en su ley / no usa de nuevas leyes; / que esclavos se han visto reyes, / aunque vos sois más que rey.» «Esa divina hermosura, / que es como la nieve escura, / que impide la luz del cielo.» «Me ha hecho esclavo de mi esclava, / esclava que es mi señora.» «Y aunque pudiera esperar / de ti un rescate crecido, / a tal término he venido, / que tú me has de rescatar.» La retórica de Cervantes en el primer Barroco mantiene su pasión en un punto equidistante entre finales del Gótico y del último Barroco, ni tiene de aquél el intrincado y afiligranado movimiento de infinito, ni tiene de éste la laberíntica arquitectura mental de una mecánica perfecta.

Izuf presenta la cautiva a su mujer Zara, quien reconoce su belleza y al preguntarle si es casada o doncella, contesta Silvia: «Casada soy y doncella.» Esta virgen continúa: «El cielo me dió marido, / no para que lo gozase, / sino para que quedase / yo perdida y él perdido.» Llega el Moro con el mandato del Rey, se marcha Izuf, y ocupan la escena, solas, la mujer mahometana y la cristiana.

Dos mujeres enamoradas cara a cara; se miden inmediatamente. La mahometana es la señora circunstancial, la cristiana es la cautiva. Silvia, además, ignora lo cerca que está de su amado. Cervantes no quiere que perdamos en ese careo amoroso el choque de dos civilizaciones, en su época, es lo mismo que decir dos religiones; pero también insiste en la encarnación femenina de esos dos mundos. Sin altivez, conservando no obstante su rango, la mora se dirige a Silvia: «Cristiana, di,» y Silvia contestará, sin humillación, pero aceptando su estado: «Señora.» Zara comienza las preguntas, advirtiendo que es una mujer que habla a otra mujer: «Porque soy, cual tú, mujer.» Apoyándose en ese elemento nivelador, valiéndose siempre de preguntas, entra en el terreno de las confidencias. Hablan de amor, ¡con qué cautela avanza! y no por temor a su interlocutora, sino aterrada de descubrir lo que su corazón le dice y sus ojos no quieren ver. Su voz tan anhelante, su pasión tan dolorida la van dibujando sobre la resignada serenidad de Silvia: «Señora, soy de Granada, / y de suerte ansí abatida, / cual lo muestra el ser vendida / a cada paso, y comprada. / Dicen que fuí rica un tiempo, / pero toda mi riqueza / se ha vuelto en mayor pobreza / y ha pasado con el tiempo.»

Es claro que a Zara le corresponde preguntar, pero qué eficacia dramática, siempre dentro del cristianismo (1), que sean los sentidos inquietos y perturbados los que llegan hasta nosotros en ese tono tembloroso: ¿Has tenido enamorado deseo? ¿Fuiste bien querida? ¿Quisiste tú, o te quisieron primero? ¿Es joven? Y a la pasión abrasadora de cada pregunta le sucede una firme serenidad. Son dos amores. Son dos mujeres, dos civilizaciones. ¡Cómo la una se doblega vencida! ¡Con qué claridad triunfa la otra! La Edad Media no se ha cansado de representar frente a frente la gracia inclinada de la Sinagoga y la majestad erguida de la Iglesia. El Barroco hace lo mismo, pero con dos mujeres.

Zara está llegando a la pregunta aterradora, siempre paso a paso. El silencio entre cada pareja de pregunta y respuesta se va adensando más; el escenario y la sala, el teatro, se ha convertido por fin en una cueva de silencio. ¿Es cristiano? ¿Es pecado querer a un moro? ¿Está bien que una mora quiera a un cristiano? ¡Cómo se siente que el teatro es acción en diálogo! A la respuesta de la última pregunta sigue una exclamación que es un sollozo, y Zara entra en la narración. La onda cambia; ese breve oleaje de la redondilla con la espuma de la interrogación es sustituido por el verso suelto; en lugar del octosílabo el endecasílabo, en lugar de la estrofa la serie, en lugar de la rima consonante circular la falta de rima. El verso se despoja de todo ornato para entregarse desnudo al acento; la voz se apodera del endecasílabo y lo conduce plegándolo a la relación, que adquiere un extraño ritmo dramático. A nosotros quizá nos sorprende más por estar acostumbrados a que estos relatos se hagan desde Lope generalmente en romance. Lope y los autores dramáticos del XVII obtie-

---
(1) Comp. Jorge Manrique, *Coplas*: «que diligencia tan viva / tuviéramos cada hora, / y tan presta, / en componer *la cativa*, / dejándonos *la señora* / descompuesta.»

nen grandes efectos armónicos (1) no sólo entre el contraste del ritmo del romance y el de otras estrofas, sino entre la rima asonante y la consonante. Una rima realza a la otra, pues si la consonante gana en brillantez, en cambio la asonante hace valer su delicadeza y finura; sus tonos tienen menos sonoridad, rehaciéndose de esta pérdida con la suavidad que adquiere su color; no espiritualiza la materia pero le da una especie de húmeda irisación. A ese contraste hay que añadir el de la ausencia de rima. A finales del primer Barroco, Cervantes no dispone de esta maestría, aunque ha de conseguir grandes efectos con el verso suelto. Si en *La Numancia* se adueña con su apagado acorde del silencio de la acción, en el relato de Zara hace sobresalir con su desnudez el dramatismo del personaje. «Has de saber ¡oh Silvia! que estos días Partieron de este puerto, con buen tiempo, Doce bajeles, de corsarios todos, Y con próspero viento...» fueron a esconderse en las calas de Cerdeña, acechando «algún bajel de Génova o de España O de otra nación, con que no fuese Francia» (Nota política que revela la situación del Mediterráneo, comp. el *Quijote* de 1605.) Se levanta el mistral, se desata la furia de las olas, y en seguida aparece una galera azotada por el mar bravío. La lucha es imponente, las olas están empeñadas en hundirla, lo que el agua no arrasa el viento lo destroza, hasta que desmantelada, deshecha consigue llegar a tierra, a la misma cala en donde se encuentran los corsarios que acaban lo que el temporal empezó: «El robo, las riquezas, los cautivos Que los turcos hallaron en el seno De la triste galera, me ha contado Un cristiano que allí perdió la dulce Y amada libertad, para quitarla A quien quiere rendirse a su rendido.» El temporal es completamente verosímil, y así se debieron hacer muchas presas, logrando muchos cristianos salvar su vida del mar para perderla en la cautividad. Pero está incluído en el relato no por

---

(1) Algún crítico del XIX no los ha sentido y ha desdeñado la versificación española. Su incapacidad se cita como autoridad en algún Manual de literatura.

razones de verosimilitud, sino con un propósito dramático. ¡Con qué calma comienza la narración! ¡La formación de esos doce bajeles impelidos por un suave viento, cómo arriban a la isla con sus pequeñas ensenadas! Luego la galera abarrotada de mercancías, el temporal, el salvarse del mar y la refriega con los corsarios. El contraste y la lucha sirviendo de fondo a la figura del cristiano que de repente llena todo el relato: «Este cristiano, Silvia, este cristiano, Este cristiano es, Silvia, quien me tiene Fuera del ser que a moras es debido, Fuera de mi contento y alegría, Fuera de todo gusto, y estoy fuera, Que es lo peor, de todo mi sentido.» Los dos primeros versos tienen tal palpitar del corazón, la repetición es signo de tal desorden interior, que es necesario la avalancha de los cuatro 'fuera' para mantener el equilibrio. El modelo de la fórmula estilística de la triple repetición quizá haya que buscarlo en el *Antiguo Testamento*. Compárese el dolor de David al recibir la noticia de la muerte de su hijo rebelde: «Fili mi Absalom, Absalon fili mi, fili mi.» (Segundo de *Samuel*, 19,4.)

Zara está tan furiosamente desesperada como vencida: «Ansí que, Silvia hermana, como has dicho Que al cristiano no es lícito dé gusto, En cosas del *amor a mora* alguna, Tus razones me tienen ofendida, Y con aquesas mesmas se defiende Aurelio, a quien ha hecho tan cristiano El cielo, para darme a mí la muerte.» Hasta qué punto el amor puede rendir queda captado en la aliteración. El Impresionismo nos hace sentir el deseo con todas sus profundidades estelares anhelantes de mirada, de tacto, de labios entreabiertos, con una exteriorización que es una interiorización, pues a medida que el cuerpo se hace más superficie, la carne se ahonda más. El Barroco nos presenta el deseo, y hace del desmoronamiento una arquitectura. La narración está encuadrada («¡Ay Silvia, cómo me ofendes / y me lastimas temprano!» «Tus razones me tienen ofendida»), ha tenido ese fondo exterior del temporal y el cautiverio, además la presencia serena de Silvia, que en ese mismo momento se entera de la proximidad de su amado y esposo. Silvia oculta toda emoción, la oculta porque le conviene, pero el resultado es que frente al desbordamiento del deseo se levanta tranquila una dulce serenidad, y cuando dice que conoce a Aurelio, el propio nombre de ella se torna en labios de Zara sollozo y súplica: «¡Ay Silvia mía!» «¡oh Silvia, Silvia!» Zara termina con el mismo ruego de Izuf: que la ayude a conquistar a su amado. Silvia accede, como accedió Aurelio. La mora y la cristiana se retiran, y sale Aurelio.

AL DOLOR SE LE DA LA CONSISTENCIA DE LA RETÓRICA

¡Cómo ha corrido, saltando, precipitándose, brillando, el torrente de la pasión de Zara entre las orillas serenas de Silvia! Y ahora sale Aurelio, la libertad del endecasílabo suelto queda sometida al terceto. Después del espectáculo que acabamos de presenciar, esa sumisión es más necesaria que nunca, porque Aurelio llega cargado con todo su dolor. No sólo el verso suelto queda engranado en tercetos, para expresar su dolor Aurelio le da la forma del tema de la Edad de Oro. Así *Los tratos de Argel*, tan actuales y personales, se vacían en un molde de retórica, que es como debía de ser. De pronto, una vida social e individual tan peligrosamente presente (aunque Cervantes no corrió el menor peligro, quien lo corre es el lector moderno) adquiere no una lejanía (eso es lo que hará el Romanticismo), sino una situación dentro de la condición de la naturaleza humana. El hombre descubre el oro y con él toda clase de explotaciones y engaños y además la guerra. He aquí que un tema de retórica suena con extraña modernidad, la modernidad que siempre tienen los conceptos morales pagano-cristianos.

Al leer *Los tratos*, aunque uno no quiera, se impone insistentemente la realidad del desdoblamiento Aurelio-Saavedra como una figuración poética autobiográfica. Saavedra nos daría el sentimiento histórico de Cervantes, que al pasar a otros personajes recibe toda clase de variaciones; Aurelio nos entregaría el sentimiento poético de la vida del escritor.

Aurelio está discurriendo sobre los males que ha traído el oro, el peor de todos la guerra: «Y en la sangrienta guerra peligrosa, / pudiendo con el filo de la espada / acabar nuestra vida temerosa, / la guardan de prisiones rodeada, / por ver si prometemos, por libralla, / nuestra pobre riqueza...» Cuántas veces quizá debió pensar el poeta que la modestísima situación económica de su familia quedaba para siempre comprometida con el cautiverio de su hermano y el suyo, y así otros muchos, que habían salido de España con los sueños de juventud de ser más y se veían por los azares de la vida reducidos a menos.

Todavía dentro del tema de la Edad de Oro, nos da dos notas del argumento de la comedia: «Porque esta gente... / guardará por su Dios al interese,» que anticipa la manera de conseguir su libertad, y, mientras recuerda el martirio del sacerdote valenciano, nos habla del peligro a que están expuestos los jóvenes: «El mancebo cristiano al torpe vicio, / es dedicado, desta gente perra.»

Se marcha, porque viene Izuf; éste en tercetos acentúa la nota de dolor. El rey le ha honrado con un cargo en el supuesto ataque de Felipe II, pero el hombre enamorado no tiene vagar para otra cosa que su amor: «¡Oh Silvia, reina de la hermosura! / Por vos a los oficios doy de mano, / que pudieran honrarme y dar ventura.» Uno de los notables de la ciudad abandona todo en el momento en que el Estado se ve en situación tan crítica, porque el amor (lascivo) le tiene esclavizado. Sirviéndose de la aliteración como hizo Zara, dice Izuf su primer verso, que parece el comienzo de un soneto: «Quien con amor amargo se entretiene.» Es la situación en que se encuentra el moro. En Argel, entre cautivos, en su traje oriental, esta figura expresa el alma del europeo occidental, por eso termina: «Tu beldad, Silvia, adoro aquí de hinojos.»

Vuelve Aurelio y al ver a Izuf haciendo tales extremos, le incita a que no se desespere. Izuf no quiere consuelos, sino que le ayuden a conquistar a Silvia. Le pregunta a Aurelio si ya la ha visto, así se entera éste de que ha llegado a la casa. El diálogo es breve y está escrito en endecasílabos, con rima al medio, versificación que prepara al oído para el diálogo entre Fátima y un demonio.

DOS CIVILIZACIONES Y SUS DEMONIOS

Antes de este diálogo, al marcharse los dos personajes, sale Fátima sola, y en octavas dispone la escena de hechicería. No tiene la dignidad hierática del conjuro necromántico de *La Numancia*; se impone al espectador por medio de la descripción y el juego escénico, apelando a las inclinaciones más elementales del espíritu supersticioso. Fátima aparece como una bruja con el cabello suelto y el cuerpo desceñido, el pie derecho descalzo, el rostro mirando al mar, el brazo rodeado de unas sartas de piedras mágicas, y va enumerando todos los adminículos pintorescos y extravagantes, allegados en circunstancias especiales, que van a servirle para someter a Aurelio. Al entrar en el conjuro, el sortilegio se hace aún más popular: «Rápida, ronca, run, raspe, riforme / Gandulandín, Clifet, Pantasilonte, / ladrante tragador, falso triforme, / herbárico, pestífero del monte...» Al acudir el demonio, lo primero que dice es: «La fuerza incontrastable de·tus versos / y murmurios perversos me han traído / del reino del olvido, a obedecerte.» Cervantes en su primera obra está trabajando con una conciencia artística extraordinaria. Sabe cómo va a responder su público a esta llamada a sus instintos supersticiosos, que el exotismo oriental hace más poderosa (1).

---

(1) Si Moratín sólo hubiera manifestado su disgusto, sin estar de acuerdo con él, no tendríamos que reprocharle nada. Pero fuerte en su superioridad racionalista, habla de esta escena con un mal contenido irónico desdén. Su limitación neoclásica, tan vital y digna de admiración en su época, le impidió captar la profunda grandeza dramática que crea Cervantes.

En lo que llamaremos la primera jornada, hemos visto la exposición de los dos temas de la obra, y en los dos temas el contraste entre el cristianismo y el islamismo. La segunda jornada dispone los dos temas en proporción distinta, pero equivalente. El amoroso es más largo que el político, éste, sin embargo, se refuerza con una fuerte nota patética. En la segunda jornada el contraste entre las dos civilizaciones se hace más violento y fuerte, y el genio artístico de Cervantes lo destaca en la escena mágica. Cada civilización tiene su demonio. Los hechizos nada pueden contra un cristiano; de nada aprovecha el trabajo de Fátima. A un cristiano se le vence en el terreno moral apurándole con la necesidad, incitándole con la ocasión; hay que agotar su capacidad de paciencia (Job), de resistencia, y así debilitado presentarle una ocasión: (habla el demonio) «...si estas dos vienen / y con Aurelio tienen estrecheza, / verás a su braveza derribada / y en blandura tornada, y con sosiego / regalarse en el fuego de Cupido.» La rima al medio nos ata interiormente; ya están las dos parejas reunidas y cruzadas en su propio fuego, libertad y esclavitud, pureza y sensualidad. Todos los deseos corren desbocados, la tentación redobla todos sus mirajes, a cualquier sitio que vuelva su mirada el hombre sólo encuentra el peligro. Vivir es eso: estar en peligro; siempre un Daniel en la cueva de los leones, el hombre con la armadura de la gracia divina dispuesto a la lucha. Cautivo-héroe, en la esclavitud un ser libre.

EL CONFLICTO DRAMÁTICO DE LA VIDA—LA CARIDAD

El poeta ha dispuesto la acción con magistral sabiduría, la tercera jornada nos presenta a todos los personajes en el ápice del conflicto, atormentados por la Necesidad y la Ocasión, cogidos en el torbellino de la vida. Subrayando el ritmo rápido, el movimiento se confía al endecasílabo (verso suelto, terceto, octava), que se interrumpe sólo una vez por medio de la redondilla.

Como el cauce está perfectamente trazado, la marcha veloz no se presta a ninguna confusión. Cada núcleo de la jornada tiene un gran sosiego en contraste con la agitación de las almas. La rapidez del ritmo no está en relación con el tiempo (por eso verso largo), no es que haya que apresurarse; el movimiento lo que expresa es la presión a que están expuestos los cautivos: la necesidad les arroja hasta el límite extremo de la paciencia, cuando sin poder soportar más se acogen a cualquier ocasión por peligrosa e irrazonable que sea. Perder el alma, perder el cuerpo, perder el alma y el cuerpo, todo, todo menos continuar esa vida insufrible. Muchos caen o se pierden. Los que ofrecen menos resistencia—física o moral, es lo mismo—son, como es natural, los niños. En la escena no hay un paso del tiempo, porque en el cautiverio el tiempo no pasa. El primer minuto puede ser el momento decisivo y fatal, o después de larga condena, llevada con resignación ejemplar, en un instante la paciencia se agota. No se trata de una rapidez temporal, pues lo que importa es el grado de fortaleza espiritual, la cual nadie puede prever, menos que nadie el propio individuo. Donde el tiempo pasa es en la sala, los espectadores son los que tienen que apresurarse, no hay tiempo que perder. De un lado, la eternidad es un instante; enfrente cada instante es una eternidad. El poeta quiere que de ese juego mortal brote la caridad en el pecho de los espectadores.

LA HUÍDA : EL RESCATE

La jornada comienza con este apurar la paciencia. Unos muchachillos moros gritan: «...non rescatar, non fugir; don Juan no venir; acá morir, perro, acá morir; don Juan no venir; acá morir.» El estribillo pueril insistirá de una manera enloquecedora. Sobre la única esperanza cae tanta realidad. Un esclavo les hace caso, tiene que hacerles caso: «Bien decís, perros, bien decís, traidores; / que si don Juan, el valeroso de Austria, / gozara del vital amado aliento...» Y el Esclavo segundo (¿Saavedra?):

> Vendrá su hermano, el ínclito Filipo,
> el cual sin duda ya venido hubiera,
> si la cerviz indómita y erguida
> del luterano Flandes no ofendiese
> tan sin vergüenza a su real corona.

Los chicos insisten una vez más y el Esclavo primero vuelve a contestarles: antes de morir, espera ver arder esa cueva de ladrones, y entonces el Esclavo segundo: «Será nunca acabar si respondemos. / Déjalos ya, Per Alvarez amigo; / que ellos se cansarán; y dime agora / si todavía piensas de huírte.»

El tema histórico-político tiene esa vibración alucinante y en seguida nos introduce en la realidad, no tanto en una realidad social como moral: la sordidez del hombre. El Esclavo 1.º cuenta que sus padres se han muerto y que un hermano que tiene, al heredar, no quiere gastar nada de la hacienda para el rescate. Antes habíamos visto cuántas familias quedaban hundidas económicamente para siempre, ahora vemos lo contrario, cómo la avaricia se apodera del hombre, cómo no hay hermano para hermano. Así es la vida en España y en el siglo XVI; no es una nota realista, es lo opuesto, de acuerdo con el arte de su época. Es una nota general, por eso tan española y del siglo XVI: de todos los tiempos, de todos los lugares.

El Esclavo 1.º va a escaparse y el 2.º presenta todos los obstáculos de la huída. ¿Tiene comida para tan largo viaje? ¿Lleva zapatos? ¿Sabe el camino? ¿Podrá orientarse? Tendrá que andar de noche:

> ¿Por montañas, por riscos, por honduras
> te atreves a pasar en las tinieblas
> de la cerrada noche, sin camino
> ni senda que te guía a donde quieres?
> ¡Oh libertad, y cuánto eres amada!
> Amigo dulce, el cielo santo haga
> salir con buen suceso tu trabajo;
> Dios te acompañe.

¡Que se escapen, que huyan! Es fácil pensarlo y decirlo, hacerlo está lleno de peligros. La empresa es tan irrealizable que ni se habla de la persecución. Cuando se va el Esclavo, le vemos irse a luchar con lo imposible, sólo un milagro puede salvarlo. Uno sale con bien, miles perecen. Esta es la aterradora proporción, la aterradora fuerza dramática de la escena. Es fácil pensar y decir que un cautivo debe huir; era fácil, al leer la obra sentado cómodamente, no darse cuenta de la fuerza dramática de la representación. Tema histórico-político: perder la vida, el cuerpo. En la escena siguiente el tema amoroso: perder el alma.

EL RESCATE: EL HOMBRE FUERTE SE VENCE
A SÍ MISMO

Aurelio y Silvia se presentan juntos. Dicen su felicidad: «Dádome ha la fortuna... Silvia mía... La gloria de mirarte y el contento» «Yo soy, mi bien, la bien afortunada.» La amada declara que con la ayuda del cielo ha salvado la honestidad y que espera poder conservarla. Inmediatamente hablan de la situación en que se encuentran, el cruce amoroso, y de la necesidad de fingirse amables con Zara e Izuf. El placer de la proximidad lleva consigo el peligro de la perdición, pues el cerco de la pareja amorosa mahometana se hará sentir con más fuerza, y ellos mismos se verán arrastrados por la ternura; así, pues, urge pensar en el rescate: «Yo escribiré a mi padre en el quebranto / en que estamos los dos; tú, Silvia, puedes / escribir a los tuyos otro tanto.» Al retirarse, salen la Necesidad y la Ocasión dispuestas a someter a Aurelio. Estas figuras personifican y hacen que se vea con los ojos corporales al enemigo del cristiano, enemigo que actúa muy favorablemente en el cautiverio. Es una escena en la cual se exterioriza la vida de la conciencia. En realidad, incluso en el arte de hoy esa exteriorización va acompañada de una cierta artificiosidad, que se hace sentir también en

Cervantes, aunque sus recursos técnicos, por lo que se refiere a este punto particular, estén muy cercanos a los de la comedia lopesca y calderoniana y al auto sacramental. Por otra parte los recursos escénicos (sin olvidar el adecuado estado de ánimo del espectador) pueden contrarrestar ventajosamente lo mecánico de este artificio.

Zara y Fátima le habían prometido el bienestar. ¡Cómo soportar por más tiempo tanta miseria y tanto sufrimiento! La Necesidad le carcome: padece hambre, no tiene zapatos, vestidos ni camisas, va sucio y roto, duerme en el suelo. Sería tan fácil que todo terminara, le apunta la Ocasión. Bastaría acceder a los deseos de Zara; tiene toda clase de excusas, además nadie ha de enterarse, además Zara es tan rica y tan hermosa. Los anillos se van estrechando cada vez más; Aurelio lucha, pero Necesidad y Ocasión se enroscan a su alma y a su cuerpo. Hay una tortura laocóntica. Aurelio está a punto de sucumbir, cuando el escenario se llena con el cuerpo de Zara. Ya no es una lucha interior, ni la vida de la conciencia; es un cuerpo hecho deseo, que chorreando sensualidad se pone al alcance de unos labios sedientos, de unas manos temblorosas. Cuando Aurelio le dice que no puede resistir más, es necesario oír la voz de Zara, ver su mirada, acompañar su gesto:

>   Si eso ansí fuese, Aurelio, dichosísima
>   sería mi ventura, y tú serías
>   no menos venturoso, dulce Aurelio;
>   y porque más despacio y más a solas
>   me puedas descubrir tu pensamiento,
>   sígueme agora, Aurelio, que se ofrece
>   la ocasión de no estar Izuf en casa.
> AURELIO. Sí seguiré, señora; que ya es tiempo
>   de obedecerte, pues que soy tu esclavo (1).

---

(1) El alma es esclava del cuerpo, de esa esclavitud es de la que ha de rescatarse. El concepto cristiano es el que da un sentido trascendente a la anécdota. De aquí el profundo significado, y siempre el mismo, de esas escenas de señores y esclavos en la Obra de Cervantes.

El enemigo del cristiano—siempre actuante, especialmente en el cautiverio—es la ocasión; ésta se personifica, la personificación se deshace: Izuf no está en casa. Creo que con estos versos la sensualidad toma posesión de la escena con la misma fuerza con que pueda hacerlo en el siglo XVII o en el XVIII. Y aún dice la Ocasión: «Entrémonos con Zara en su aposento.» Se ve arder de deseo ese aposento; la imaginación más lúbrica ni puede sospechar lo que ocurre entre esas cuatro paredes que encierran a una mujer loca de ansia esperando a un amante que la seguía y que nunca llega, porque Aurelio felizmente no va. Mientras en el aposento se consume diabólicamente la insatisfacción, dice Aurelio:

> Aurelio, ¿dónde vas? ¿Para dó mueves
> el vagaroso paso? ¿Quién te guía?

Poco a poco el cristiano vence. Las espesas nubes de la tentación las rompe la luz de la gracia. El cristiano de todos los tiempos ha tenido la experiencia de la tentación y se ha ejercitado en expresarla, pero es evidente que Cervantes y su época la emplean como fondo que dé más realce a la voluntad:

> ¡Afuera, pensamiento mal nacido!
> ¡Que el lazo enredador de amor insano,
> de otro más limpio amor será rompido!
> ¡Cristiano soy y he de vivir cristiano;
> y, aunque a términos tristes conducido,
> dádivas o promesa, astucia o arte
> no harán que un punto de mi Dios me aparte!

El momento en que Aurelio se halla más conmovido—acaba de recobrar a su amada—es precisamente el momento oportuno para que le atormenten la Necesidad y la Ocasión. Basta, por lo que se refiere al conocimiento de la condición humana. Además, como siempre en el Barroco, que se incorpora activamente la Edad Media, la lucha entre los dos amores: honesto y deshonesto. El enredador, esto es, el que aprisiona y el que libera.

EL HOMBRE DÉBIL CAE: EL RESCATE

Aurelio triunfa. Hemos visto a un esclavo lanzarse a lo imposible, acabamos de ver a Aurelio al borde mismo de la perdición y en seguida vemos a un alma perdida. Lo que para la mente neoclásica no era nada más que una serie de escenas morales y para el costumbrismo décimonono una serie de cuadros de costumbres, tiene como era de esperar toda la fuga arquitectónica del Barroco.

De los dos niños (redondillas), uno se ha dejado seducir por la religión, por las costumbres del enemigo. La petulancia juvenil, con palabras y gestos recién aprendidos, hace de la caída algo aún más depravado. En la escena del esclavo se habló del rescate, Aurelio ha dicho a Silvia que tenían que pensar en ser rescatados; pero es ahora, ante el espectáculo de ese pobre niño degradado, cuando exclama:

¡Oh cuán bien la limosna es empleada
en rescatar muchachos, que en sus pechos
no está la santa fe bien arraigada!
¡Oh, si de hoy más, en caridad deshechos
se viesen los cristianos corazones,
y fuesen en el dar no tan estrechos,
para sacar de grillos y prisiones
al cristiano cativo, especialmente
a los niños de flacas intenciones!
Es esta sancta obra ansí excelente,
que en ella sola están todas las obras
que *a cuerpo y alma* tocan juntamente:
al que rescatas, de perdido cobras;
reduces a su patria el peregrino,
quítasle de cien mil y más zozobras:
de hambre que le aflige de contino,
de la sed insufrible, y de consejos
que procuran cerrarle el buen camino;
de muchos y continos aparejos
que aquí el demonio tiende, con que toma
a muchachos cristianos y aun a viejos.

Con el niño se muestra la caída, y la escena patética sirve de punto de apoyo para implorar con la mayor emoción la misericordia. La caída del niño debe mover a compasión todos los corazones y hacer que de ellos mane la caridad. El rescate nos conduce desde el pecho duro que se niega a su obligación hasta ese horadar las capas más profundas para que brote el manantial del amor.

EL CONSUELO DEL HOMBRE

Se marcha Francisco, el muchacho que no ha renegado, y apenas le ha recomendado Aurelio que sobrelleve con paciencia la pérdida de su hermano, cuando sale Silvia de nuevo. Se dicen sólo cinco endecasílabos. Silvia le llama «dulce amado esposo,» «caro Aurelio.» Ella es «perfecto alivio» a los trabajos, él es «remedio» a los daños. Se enlazan los versos, se enlazan los brazos, y abrazados les sorprenden Zara e Izuf.

De la decepción de Zara no sabemos nada, pero su primer verso lo dice todo: «¡Perra! ¿Y esto se sufre ante mis ojos?,» que se refuerza con el de Izuf: «¡Perro traidor, esclavo! ¿Con la esclava?» Zara en lugar de encontrar al hombre que deseaba ha encontrado a su marido; se le escapan sus abrazos, pero le ve abrazado a otra. Es el punto máximo de dolor de la mahometana, por eso en cuanto se dejan persuadir por los cristianos y le aconseja a Izuf cómo engañar al Rey; en cuanto ha cumplido su función, ella desaparece. Antes de estudiar el final de la jornada, conviene detenerse en el abrazo de Silvia, el cual parece claro que es la recompensa a Aurelio por su victoria, y así nos ayuda a captar su papel frente a Zara en la escena pasada. Ya hemos observado que precisamente Aurelio se siente vencido y está a punto de caer cuando acaba de hablar a su amada. Hay que relacionar la presencia de Silvia con la fuerza de la tentación: en su estado sentimental la voluntad débil puede flaquear. Silvia está a su lado, Necesidad y Ocasión le rodean estrechamente. Aurelio tiene que luchar: o entregarse o resistir; Zara o Silvia. Al resistir, la gracia, que no abandona nunca al hombre, es el consuelo de Aurelio.

Ni Edad Media, ni psicología del siglo XIX. La Edad Media se mueve en un mundo de abstracciones (Voluntad, Necesidad, Ocasión, Tentación, Gracia) representadas a la vez con mucha imaginación y de manera muy naturalista; el siglo XIX, con un análisis que se hará cada vez más positivista, trata de observar el comportamiento del individuo y sus órganos en un cierto medio y en circunstancias particulares. El Barroco nos presenta a hombres y mujeres dentro de la condición general humana. Capta la naturaleza humana con la ayuda de la cultura greco-latina, que revitaliza al esquema cristiano. En el último Barroco se hace resaltar de manera intelectual ese esquema, lo cual da al arte de 162?-1660 una superficie aparentemente semejante a la Edad Media; es claro que hoy para una sensibilidad un poco adiestrada históricamente el engaño no dura ni un instante.

La situación se desenlaza declarando Aurelio que la desenvoltura de ellos no ha nacido de ocasiones lascivas, y afirma con palabras equívocas, equívocas para oídos lascivos: «Y por habernos concedido entrambos / aquello que pedía el uno al otro, / en señal de contento, nos hallastes / de aquel modo que vistes abrazados, / sin manchar los honestos pensamientos.» Silvia lo confirma, e Izuf no tiene más remedio que exclamar: «Entraos adentro, que por fuerza os creo; / porque, si no os creyese, convendría / castigar vuestro exceso con mil penas.» Al retirarse la pareja cristiana, Izuf dice a su mujer que ha perdido el favor del Rey y que éste le manda entregar a los dos cautivos. La lascivia de Zara se manifiesta por última vez, aconsejándole a Izuf que engañe al Rey y le diga que los cautivos no valen lo que se ha pagado por ellos.

En la jornada tercera se levanta la arquitectura de esas tres situaciones, en las cuales con un gran ritmo dramático se representan los daños del cuerpo y del alma para que de una manera ejemplar (con la ejemplaridad de todo el Barroco muy diferente del didactismo medieval) exciten la caridad cristiana; monedas de la limosna que salvan los cuerpos y las almas de los cautivos, sometidos al tráfico de la lujuria y del interés, es decir, de la lujuria del interés; esto es, del egoísmo personal y mezquino. Ante ese egoísmo no cabe nada más que la generosidad, la liberalidad. Cervantes continuará rondándole al tema, y llegará a escribir su maravillosa novela ejemplar, *El amante liberal*.

PERDERSE Y SALVARSE

La cuarta y última jornada de las ediciones de 1864 y 1920 comienza con el cautivo que huyó. Ya está en el camino. Le ha sucedido lo que el otro esclavo (¿Saavedra?) había previsto. No tiene zapatos, ni vestidos, ni comida, está rendido y además perdido. Lo único que podría desear sería que volvieran a cogerle, si no fuera porque aún le mantiene la fe en la «Virgen bendita y bella.» En ella se confía, a ella llama, Virgen y Estrella. Agotado, cae dormido. Cuando cierra los ojos, entra un león que muy manso se echa a su lado; otro cristiano llega, también huído de Argel. Su situación es la misma que la del que se ha dormido. Hambriento y roto, sin fuerzas para continuar la marcha, y, apenas se tiende, un morillo le ve y da la voz de alarma. «Cogen al cristiano, y, dándole de mojicones, se entran.» El otro cautivo, al despertar, ve al león y con la mansa fiera como guía continúa el camino. La pareja—tan distinta de la relación paralelística medieval—compendia la huída. O se cae vencido, o sólo por milagro se salva. Conseguir escapar, con león o sin león, es un milagro. El milagro es algo tan excepcional como raro, pero en la muerte cierta es lo que ilumina al cristiano; la certidumbre de la gracia es lo que le mantiene en la fe. La realidad del manso león es en el siglo XVI una verdad en la que todos comulgan, por eso tienen ejemplos de ella: «Y ya es caso averiguado / que otro león ha llevado / a la Goleta a un cautivo.» Los milagros son una verdad histórica, se cree en el emisario enviado por Dios bajo una forma u otra; además el que se salva entre los cientos y cientos que perecen se salva sólo por milagro. La escena del león leída por el que no tiene sentido histórico (sentido de que carecen muy frecuentemente los historiadores) parece pueril—el racionalismo de Moratín se sonrojaba sinceramente. Trasladándonos al ambiente moderno de la Contrarreforma, adquiere la grandiosidad heroica de la Biblia. El mundo científico consigue la misma grandiosidad, aunque de calidad diferente, rodeando al hombre de aparatos, máquinas e instrumentos en la selva de un laboratorio. Hemos de sentir este heroísmo y su belleza, hemos de ser capaces también de dar con la medida inmensa de ese hombre derrotado a quien por medio de la fe se le comunica la fuerza del león. Y así continúa la marcha con paso seguro, con contenida energía, con los ojos brillantes, con el alma serena y alegre de quien ha vencido la muerte. La escena es bella e iluminadora, su significado es claro: sirviéndose del contraste de la pareja se cifra la huída.

RENEGAR, REGENERARSE:
EL SACRAMENTO DE LA PENITENCIA

Los cautivos han hablado en liras de seis versos y en quintillas; la próxima pareja, *Pedro* y Saavedra, dialogan en tercetos y verso suelto. Esclavos hay que para mejorar su vida se dejan arrastrar por la tentación y pierden su alma. Aurelio es el ejemplo de la fortaleza que resiste. En la jornada anterior habíamos visto cómo Izuf tenía que entregar sus cautivos al Rey: le habían delatado. El delator es Pedro, su nombre nos está diciendo su destino: negar, renegar. El cambio de metro en el diálogo marca el cambio de tema. En los tercetos un aire triunfal, se triunfa en el mundo; en el verso suelto una intelectual penetración persuasiva que se hace sentimiento mientras adoctrina al alma en el Sacramento que sirve de fundamento, de roca viva, Pedro, a la Iglesia, el Sacramento de la Penitencia.

No se trata de un análisis psicológico a lo siglo XIX, sino de un proceso espiritual. El esclavo Pedro ha informado al Rey que Aurelio y Silvia son ricos y que pueden pagar un subido rescate, con esta información gana tres escudos de oro. «¡Gentil trama!» le dice Saavedra. Responde Pedro: «Gentil o no gentil, si remediarme / no puedo de otra suerte, y cada día / he de dar mi jornal y sustentarme, / ¿quieres que cate y guarde cortesía / a quien puede pagar bien su rescate?» La palabra de Saavedra está llena de la bella y paciente comprensión del confesionario. No es un juez que fulmina la sentencia inapelable, es un sabio virtuoso, un jesuita, cuyo paso, cuya voz, cuyo ritmo se mueve con una misericordia inagotable por el amplio cauce del conocimiento de la condición de la naturaleza humana—la naturaleza humana que parece tan variada al ignorante, pero que, para el que tiene experiencia del mundo, se repite siempre tan igual. Ante la alegría de Pedro por sus siete escudos (¿siete pecados?), pregunta Saavedra con calma: «¿Cómo cayeron, Pedro, en la celada / los siete escudos hoy?» La anécdota será diferente, pero no hay sorpresa. La explicación de los tres primeros es recibida con irónica bondad. Se defiende Pedro. Vuelve a preguntar: «¿Los otros cuatro?» Ni sorpresa en el hecho en sí, ni en el proceso. Primero una delación, después un engaño. Es el camino. Ya no hay ironía, dice Saavedra: «¡Desdichado de aquel que acaso topa / contigo, Pedro; y tú más desdichado, / que así codicias la cristiana ropa!» La bondad pierde su ironía y se entristece el ánimo; Pedro se defiende también ahora. No hay respuesta a su defensa. Este silencio mantiene en equilibrio el optimismo religioso de la gracia y el pesimismo por el pecado humano. «¿Qué piensas, Saavedra?» «Estoy pensando.» Ha habido un silencio de meditación. «Estoy pensando / cómo se echa a perder aquí un cristiano, / y más mientras va más empeorando.»

Una falta, otra falta; también ahora se avanza paso a paso. Pedro, por fin, confiesa que está decidido a renegar, aunque sólo externamente, pues en su fuero interno seguirá siendo cristiano. Este es el engaño pueril del pecador, creer que el corazón y los labios pueden ir por vías distintas, pensar que las obras y la intención son independientes. No se puede ser desleal con las obras—la palabra—y leal con el sentimiento, ni lo contrario: «Aquel que me negare ante los hombres, / de mí será negado ante mi Padre; / y el que ante ellos a mí me confesare, / será de mí ayudado ante el eterno / Padre mío.» Considerar estos versos como una cita académica es equivocado. La religiosidad de *Los tratos* hace aflorar la palabra del Evangelio con su atronadora amenaza, con su infinita bondad. La acción se eleva hasta la altura evangélica relacionando el renegar con la negación del pecador, como antes el martirio del Sacerdote con el sacrificio que cada día vive el sacerdote en la misa (1). Pero no es una relación intelectual; está llena de vida y el Poeta hace sonar su verso con los registros más amplios y fervorosos.

El cautivo que quiere escapar corre todos los riesgos de morir en la empresa, aquel que pacta con el mal y trata de engañarse, creyendo que es un pacto pasajero, se engaña de verdad y pierde su alma. El cautivo debe tener los ojos puestos en la pasión y muerte de Cristo y fortalecer su ánimo por medio del Sacramento de la Penitencia, que no surte efecto si no va acompañado de los tres requisitos esenciales: contrición, confesión y satisfacción. Sólo así se gana la salvación. Saavedra ha convencido—intelectual y sentimentalmente—a Pedro, Pedro se arrepiente. Con esta confesión que pone al corazón en el único camino, el bueno, Cervantes llega al desenlace.

---

(1) Esta última relación se ve muy claramente en *Los cautivos de Argel*, refundición (1599?) de la comedia de Cervantes en estilo lopesco. Es interesante leer las dos obras.

DESENLACE

(a) RECAPITULACIÓN DE LA VIDA EN ARGEL:
CRUELDAD E INTERÉS

Sale el rey de Argel, él es cifra y compendio (1) de la vida de los cautivos y del trato que se les da: cruel e interesado. Manda apalear a Izuf, porque no le entrega de buena gana a sus esclavos, manda dar muerte al cautivo a quien cogieron huyendo. Mucha crueldad de parte del Rey, que se transforma en ira y la ira se transforma en un canto al español:

> ¡No sé qué raza es esta de estos perros
> cautivos españoles! ¿Quién se huye?
> Español. ¿Quién no cura de los hierros?
> Español. ¿Quién hurtando nos destruye?
> Español. ¿Quién comete otros mil yerros?
> Español. Que en su pecho el cielo influye
> un ánimo indomable, acelerado,
> al bien y al mal contino aparejado.
> Una virtud en ellos he notado:
> que guardan su palabra sin reveses.

Carácter indómito e inquebrantable, sentido del honor. El enemigo lo reconoce. Fiado el Rey en el honor de los españoles, su interés hace que dé la libertad a Silvia y Aurelio, para que desde España le envíen el rescate doblado.

---

(1) Dramáticamente, el rey de Argel tiene la misma función que el rey cristiano: se le hace aparecer al final de la comedia para confiarle el desenlace, además es la personificación del mal; el cristiano tiene el mismo papel, pero es la imagen de Dios en la tierra.

(b) RECAPITULACIÓN DE LA VIDA EN ARGEL: MISERICORDIA Y AGRADECIMIENTO

Un moro llega, anunciando que viene un navío, es el barco de la limosna. El agradecimiento, sin ninguna retórica ni sentimentalismo, al confirmar el niño Francisco la llegada de la nave, cita dos nombres, Fray Juan Gil, Fray Jorge de Olivar, dos mercedarios. Sus vidas caben en un verso:

¡Oh caridad extraña! ¡Oh santo pecho!

La nave va llegando, la noticia va propagándose por la ciudad, la presencia de la misericordia hace surgir esclavos por todas partes. Uno: ¡Qué buen día, compañeros!» Otro: «No tengo bien, ni le espero.» Un tercero: «Pues yo no me desespero.» Francisco: «Dios nos ha de remediar, / hermano; mostrad buen pecho, / que el Señor que nos ha hecho, / no nos tiene de olvidar.»

Los tres esclavos arrojan las cadenas al suelo y se arrodillan, a ellos se une Aurelio, y la obra termina en un gran coral en octavas. Es un canto de acción de gracias que se entona a la Virgen llena de misericordia, a la Madre de todos los que sufren y padecen:

> En vos, Virgen dulcísima María,
> entre Dios y los hombres medianera,
> de nuestro mar incierto cierta guía,
> Virgen entre las vírgenes primera:
> en vos, Virgen y Madre, en vos confía
> mi alma, que sin vos en nadie espera.

¿Qué se ha hecho de Juanico, el muchacho que renegó? ¿Qué les ha sucedido a sus padres? ¿Se rescata al niño Francisco y a Saavedra? ¿Qué será de Zara? ¿Qué hará Fátima con sus sortilegios? No son destinos individuales, sino, en general, la vida del cautivo en Argel, los tratos que recibe. Peligro de perder el alma, peligro de perder el cuerpo (relaciónese, para ver la diferencia, con la Edad Media), de parte de los cautivos; crueldad e interés de parte de los de Argel. La solución política, la única adecuada, no la permiten los protestantes, que tienen ocupada la atención de Felipe II, rey prudente, rey sabio. El deber de los cristianos es socorrer rápida y abundantemente a los que tienen su confianza puesta en el cielo: misericordia y agradecimiento.

FINAL

La actitud negativa del Neoclasicismo respecto a *Los tratos* se comprende e históricamente tenemos que justificarla, lo mismo que la deformadora influencia que ha ejercido el costumbrismo décimonono. La desorientación de la crítica de la primera mitad del siglo XX quizá pueda explicarse por la lenta adaptación de nuevos conceptos histórico-estéticos al estudio de la literatura. Hoy sería inexcusable el no saber ver una obra de arte, por eso podemos hacer surgir la claridad ordenadora y la relación orgánica de lo que aparecía deslabonado y confuso.

Jornada I. Exposición temática: 1 (a) lamento del cautivo, (b) peligro del cautiverio, (c) imploración a Dios. 2 (a) lamento, (c) imploración a Felipe II, (b) peligro (1). Se invierte la versificación, 1 oct-endec., 2 endec-oct.

---

(1) La alteración del orden lógico en la correlación es muy frecuente en el Barroco. El propósito parece ser el de dar valor al elemento que se altera, en este caso la imploración: el hombre debe tener toda su confianza puesta en Dios, no en el mundo. Compárese, por ejemplo, Shakespeare, *Antony and Cleopatra*. Dice Cleopatra, preparando su muerte: «... if (1) knife, (2) drugs, (3) serpents, have / (1) edge, (3) sting, or (2) operation, I am safe.» La crítica sobre Shakespeare, es claro, ha advertido la alteración, e incluso alguien la ha corregido para imponer al verso la correlación lógica. No sé si hay alguien, es posible, que se haya dado cuenta de que la alteración es intencionada: Shakespeare se propone destacar el instrumento de la muerte de

Jornada II. Comienzo de la acción, la peripecia: 1 entrecruzamiento de los amantes, 2 separación de la familia, 3 entrecruzamiento de los amantes (en 1 son los hombres, en 2 las mujeres, por fin, Aurelio e Izuf en tercetos sitúan su estado). 4 escenas de verso con rima al medio para expresar este entrecruzamiento, escena con el demonio. El número 4 nos prepara para el climax.

Jornada III. El conflicto, lucha del cristianismo: 1 (a) huída, (b) triunfo, (c) caída. 2 recompensa del triunfo, que nos introduce en la jornada siguiente.

Jornada IV. Desenlace: 1 (a) perderse y salvarse, (b) pecado y confesión. 2 rescate y acción de gracias.

Los peligros del alma y los del cuerpo dan lugar al conflicto dramático, ordenado en su variedad por Aurelio (voluntad-amor) y Saavedra (inteligencia-doctrina). El tema histórico-político, enorme al comienzo de la obra, va disminuyendo su volumen a medida que el tema del rescate va aumentando el suyo, enorme al final de la obra. La vida de Argel es un hecho político que debe mover a caridad.

Si hubiéramos penetrado el sentido de *Los tratos* y si hubiéramos captado hasta cierto punto su forma, acaso pudiéramos detenernos a observar la manera como el Barroco se incorpora el mundo medieval y lo maneja. De un lado, se ha señalado la utilización de algunos temas: cuer-

---

Cleopatra. Que yo sepa nadie ha observado que la alteración prepara en Cervantes el desenlace; no sé si se ha notado que la correlación sentimental es la forma del desenlace de *Antony and Cleopatra*. En el conflicto de esta obra entre la lascivia masculina (poder) y la femenina (sensualidad), Shakespeare agrupa primero la muerte de los hombres, en este orden: (1) Enobarbus, (2) Eros, (3) Antony; después la muerte de las mujeres: (1) Iras, (3) Cleopatra, (2) Charmion. Los dos primeros en la correlación mueren de dolor, y hay una solución de continuidad de gran valor entre sus muertes y las que siguen. Cleopatra y Antony subrayan con la alteración su correspondencia. Eros se mata con la espada que tenía que ser el instrumento para matar a Antony, y Charmion también se mata, muere de la picadura de un áspid. Añadamos, como una digresión, que el triunfo de Octavio es la victoria de la unidad—¡la Paz!—sobre la variedad de la lascivia—¡la Guerra!

po y alma, cautiva y señora, el buen amor y el loco; de otro, se ha apuntado la identidad de ciertos recursos: el contraste de las dos leyes, la ejemplaridad, la relación paralelística.

Se puede afirmar, generalizando, que los motivos cristianos en la Edad Media tienen un carácter intelectual, mientras que en el Barroco adquieren un tono vital (a finales del Barroco vuelve a aparecer el aire intelectual, más con la calidad de abstracción algebraica—todavía la llamaban acción universal—que con la de abstracción dialéctica). Así, en lugar de una representación alegórica vemos a un cuerpo sufriendo y a un alma en peligro, a una esclava con su ama, al amor deshonesto y al honesto. Lo mismo ocurre con los procedimientos: en lugar de dos figuras alegóricas se contrastan dos mujeres; la Edad Media utiliza el ejemplo de una manera didáctica, el Barroco de una manera inspiradora (dice Berganza, refiriéndose a la enseñanza de los jesuítas: «los animaban (a los muchachos) con ejemplos»); la relación paralelística medieval (virtud-vicio, vírgenes prudentes-locas) se torna en el Barroco en un desdoblamiento abarcador: Aurelio-Saavedra, los dos niños, los dos fugitivos.

La Edad Media para captar la vida y el espíritu tiene necesidad de reducirlos a un sistema, a un orden mental (basado principalmente en el número 3) y al expresar el orden está presentando la realidad de la vida. El Barroco hace florecer un orden riguroso de una manera desordenada, por eso la sensación de vida, de ritmo episódico, de deslumbramiento. Y debemos gozar con esa vida, con esa variedad, pero si queremos encontrar el sentido y la forma y no perdernos, en seguida tenemos que ver el orden. La *Divina Comedia*, una catedral gótica nos imponen inmediatamente el orden, bajo el cual sentimos todo el hervor de la vida. El *Quijote*, un templo barroco nos deslumbran con el desorden, tras el cual vemos un orden que le mantiene, que le da forma y sentido.

Los tratos es quizás la primera obra que se conserva

de Cervantes. De su comedia a su última novela, el *Persiles*, tenemos el gran sentimiento de la Contrarreforma. La Obra de Cervantes queda incluída dentro del espléndido mundo católico de su época: amor y doctrina. Y, como el Barroco lo exige, es una apasionada imploración a la Virgen (esa nota de ternura y sentimiento gótico que se transforma en el Barroco en una alegre y ascendente esperanza), que se eleva en España con el recuerdo de Carlos V, la respetuosa admiración profunda hacia Felipe II y el cariño por Felipe III, los dos Felipes con los cuales se abarca la constante atención de Cervantes hacia el mundo mahometano: corsarios y moriscos.

NUMANCIA

El Romanticismo elogia la *Numancia*, primero, desde un punto de vista histórico, teniendo en cuenta la época en que fué escrita y viéndola en relación con el estado del teatro español, inglés y francés, después, como una obra de arte, dejándose arrastrar por el espíritu trágico y necesitando acudir a Grecia para encontrar una expresión equivalente. Colocados en esta altura crítica tan valiosa no debemos detenernos en juicios, algunos anteriores, otros mucho más tardíos, a todas luces incompetentes; pero sí hay que volver sobre la obra de Cervantes para tratar de captar su sentido con más rigor y al mismo tiempo fijar su forma que no parece que haya sido estudiada.

El poeta quiere imponerse rápidamente y con una antanaclasis comienza:

Escipión.   Esta difícil y pesada carga
que el Senado romano me ha encargado,
tanto me aprieta, me fatiga y carga...

Con excepción de las dos redondillas del bando, que se dicen fuera de la escena, la jornada primera está escrita en endecasílabos (octavas). El verso da sosiego al jefe romano, amplitud al discurso, dominio de sí mismo en la discusión y serenidad al disponer la acción, nobleza al lamento y a la visión profética. Son los cuatro núcleos de la jornada y para hacer al endecasílabo más grave esa insistencia de la rima en el mismo comienzo de la tragedia. La empresa encomendada a Escipión es agobiadora, tamaña empresa es digna sólo de un gran capitán, del vencedor de Cartago. Y el oído de una manera inesperada se ve sometido a esa consonancia que retiene férreamente su atención.

Agotada la primera función de esta rima, volverá a aparecer más tarde (jornada segunda) para desarrollar a lo largo de toda la obra esa armonía severa y monótonamente mágica.

En seguida Escipión hace de su lenguaje vehículo para las sentencias morales; el tono sentencioso, abundante sin desmesura, pone en la dicción un marcado reposo. El jefe romano hace resaltar el estado de inmoralidad del ejército: «yace embebido en la lascivia ardiente.» Con este verso comienza a levantarse la estructura de la obra. Después anuncia que va a arengar a los soldados, y antes de que se eche el bando, vuelve a decir: «*Primero* es menester que se refrene / *el vicio* que entre todos se derrama... / *el vicio* sólo puede hacernos guerra / más que los enemigos de esta tierra.»

Suenan las redondillas del bando, brevísimo cambio de ritmo que hace que disminuya la tensión primera para penetrar con renovado interés en la próxima escena, la de la arenga.

«Escipión se sube sobre una peña,» desde la cual contempla a todo el ejército y lo domina. Es la grandiosidad oratoria, no sólo la peña sirve de pedestal al orador, sino la muchedumbre. Enfrente de este inmenso y rumoroso mar humano, esa otra forma del *imperator* va a ejercer su poder, el poder de la palabra, la mirada y el gesto. Orador-actor, sin miedo recrimina a la multitud armada. Cuatro versos le bastan para acercarse a los soldados, arremetiendo inmediatamente contra ellos:

> mas en las blancas delicadas manos
> y en las teces de rostros tan lustrosos,
> allá en Bretaña parecéis criados,
> y de padres flamencos engendrados.

Luego advierte que el amor debe abandonar el campamento, y añade:

> Vosotros os vencéis, que estáis vencidos
> del bajo antojo y femenil, liviano,
> con Venus y con Baco entretenidos.

Termina exhortándoles a que dejen la molicie y se hagan dignos del nombre de romanos. La palabra elocuente del general triunfa, y en su discurso sale el nombre de la ciudad sitiada, cuya desinencia le permite rimar con arrogancia.

Apenas han jurado los soldados reformarse, cuando se anuncia la llegada de dos embajadores de Numancia, que no vienen a someterse, sino a proponer la paz. La elocuencia pasada es sustituída por la noble dignidad de los numantinos, que choca inútilmente contra la decisión inquebrantable e inconmovible de Roma. Escipión, capitán invicto, orador elocuente, se halla ahora enfrente de dos emisarios y los rechaza secamente, no admitiendo otra solución que la de las armas. La escena tercera termina trazándose el plan de campaña, que consistirá en apretar el cerco y acabar al enemigo por *hambre*. La alta presión dramática creada en el mismo comienzo no se aminora, pero las órdenes y las distintas disposiciones dan un cierto movimiento al escenario en contraste con lo estático de las acciones precedentes y en especial de la escena que le sigue, la última de la jornada.

Escipión y los suyos se retiran, el escenario se queda vacío por un momento, hiato que separa la figura de grandes proporciones del general romano, de la figura inmensa de España. Si antes el ejército daba líneas heroicas al capitán, ahora los atributos monumentalizadores—corona de torres, castillo—de la personificación llenan el ámbito de dimensiones enormes. Lo que ocurre con la figura sucede también con el verso. El endecasílabo en boca de Escipión y de sus soldados, en boca de los numantinos ha tenido un noble porte, pero en boca de España se mueve con una lentitud, se decora de una majestad, adquiere una apagada sonoridad y un aire estatuario que hace, por fin, que la jornada primera tenga ese aire estático que caracteriza a toda la obra.

El verso de Cervantes no desdice comparado al de los otros autores dramáticos del último tercio del siglo XVI, pero como quiera que Garcilaso y San Juan de la Cruz, Herrera y Fray Luis de León habían hecho del verso un instrumento de tan alta calidad, se comprende que el oído español se esforzara en producir algo semejante en la Comedia, y en esto como en tantas otras cosas fué Lope el que había de triunfar y de imponer hasta finales del Barroco un elevado nivel. Por eso de Lope a Calderón, la Comedia cuenta con grandes mentes dramáticas y teatrales y grandes poetas, aunque quizá no haya producido nada comparable a la poesía de un Racine. Cervantes, que para el movimiento lírico se confía a Fray Luis de León, parece formar su expresión dramática siguiendo a Acuña, a Ercilla y a Herrera. Quiere materiales, sobre todo sintácticos, con posibilidades épicas y plásticas. Durante la jornada primera, acaso a lo largo de toda la tragedia, el verso no se adueña de nosotros por sus cualidades musicales, tampoco la versificación muestra esa riqueza y sabiduría de orquestación que ha de conseguir la Comedia muy pronto, sin embargo, Cervantes la maneja con gran destreza y con intención artística indudable.

El endecasílabo en su forma estrófica de octavas ha

estado expresando valores morales, se ha movido con una retórica sobriedad, y, apoyado en el juego de rimas del mismo comienzo, produce ese efecto de sujeción de un color tan uniforme y oscuro, aunque sin nada sombrío. Estas notas se desarrollarán en las jornadas siguientes, apoderándose del tono trágico. Pero es al salir la figura España cuando logra una unidad de timbre magnífica, consiguiendo el gran verso que sirve de fondo a la personificación:

¡Alto, sereno y espacioso cielo!

Es el cielo atmosférico, cuyos tres adjetivos están sosteniendo el ademán y el porte escénico. Al mismo tiempo es el cielo espiritual, al cual se eleva en súplica la voz atormentada:

¡Alto, sereno y espacioso cielo,
que con tus influencias enriqueces
la parte que es mayor de este mi suelo
y sobre muchos otros le engrandeces:
muévate a compasión mi amargo duelo,
y, pues al afligido favoreces,
favoréceme a mí en ansia tamaña,
que soy la sola y desdichada España!

A octava que arrancaba con paso tan seguro se le podía augurar un espléndido final, y otra vez se confía el efecto retórico-dramático a la rima.

España quiere que el Duero mantenga abierto el cerco, dando así a conocer la estratagema que no habíamos oído a Escipión. El río acude al llamamiento y ataca también con mucho brío, fuerza y sosiego su parlamento:

Madre querida, España: ....

Ante la figura imponente de España está el Duero, y el noble río enfrenta ese reposo macizo con la pintoresca dispersión de sus afluentes. Ambas personificaciones exponen el concepto histórico de la época del Barroco: la edad antigua, con su característica división en estados-ciudades y su dependencia del extranjero, fenicios, griegos, romanos; y la edad moderna, que empieza con los godos, quienes vengarán a España de los romanos y de la misma Roma, por dos veces (conde de Borbón, duque de Alba) en manos de los españoles. Cuando reine el que

> será llamado, siendo suyo el mundo,
> el segundo Felipe sin segundo.
> Debajo de este imperio tan dichoso,
> *serán a una corona reducidos,*
> por bien universal y a tu reposo,
> *tus reinos, hasta entonces divididos.*
> El jirón lusitano, tan famoso,
> que un tiempo se cortó de los vestidos
> de la ilustre Castilla, ha de asirse
> de nuevo, y a su antiguo ser venirse.

España en su lamento presenta el estado antiguo, multiplicidad y esclavitud; el Duero en su profecía contempla la perfección hacia la cual tiende la historia, que convierte el fraccionamiento en unidad, la esclavitud en dominio, y la solidaridad con los godos, poniendo a los pies de España mil victorias futuras.

La primera jornada de índole expositiva tan estática tiene ese final tan externamente parado, pero adviértase que precisamente con las personificaciones entran en la escena dos movimientos de dirección contraria, dos fuertes corrientes de acentos opuestos: la caída de Numancia y el levantamiento de España, lamento y profecía. Un derramamiento caudaloso del dolor que no puede ser detenido, al que se opone el cauce nuevo por donde ha de correr un futuro dichoso, futuro que es presente para los espectadores de la tragedia. Al profetizar, el Duero dirá que no puede dejar de cumplirse el destino de Numancia, por eso a él se le confía la introducción del segundo tema melódico de la obra: «El fatal, miserable y *triste* día.» Escipión (la guerra) ha expuesto el primero, el hambre.

Con la jornada segunda empieza verdaderamente la obra. Del campamento romano pasamos a la ciudad sitiada, donde tiene lugar una asamblea deliberante. Están reunidos Teógenes, Caravino, cuatro numantinos gobernadores de la ciudad, y el hechicero Marquino. Están sentados. Teógenes muy brevemente da cuenta del estado de la guerra y pide que propongan soluciones. A las tres octavas de Teógenes contesta Caravino con otras tres, propoponiendo (a) que «a nuestros enemigos convidemos / a singular batalla» y si los romanos no aceptan que (a') «este foso y muralla que nos veda / el paso al enemigo que allí veo, / en un tropel de noche lo rompamos, / y por ayuda a los amigos vamos.» Termina Caravino, interviniendo entonces los tres primeros numantinos, cada uno con una octava. A cargo del Numantino primero corre exponer el sentido de la obra, recurriendo de nuevo a la repetición de la última palabra del verso:

> O sea por el foso o por la muerte,
> de abrir tenemos paso a nuestra vida:
> que es dolor insufrible el de la muerte,
> si llega cuando más vive la vida.
> Remedio a las miserias es la muerte,
> si se acrecientan ellas con la vida,
> y suele tanto más ser excelente
> cuanto se muere más honradamente.

Muerte-vida, el tercer tema de la obra y el principal: abrirse paso a la vida por la muerte. El Numantino segundo apoderándose del último verso desarrolla la idea de morir con honra, y el Numantino tercero vuelve a hacer aparecer el hambre como tema melódico. Los tres numantinos han tenido una parte muy destacada, que ha resaltado más por haber recitado cada uno una octava, tres en conjunto, que han sucedido a las tres que respectivamente han pronunciado Teógenes y Caravino, en total nueve octavas que forman la primera mitad de esta escena, teniendo la segunda mitad otras nueve. Cinco las dice el Numantino cuarto, el cual cree que se debe intentar el desafío (a), y propone (b) que se trate de averiguar el futuro y (c) que se haga un solemne sacrificio a Júpiter. El Numantino cuarto al final pone de relieve el juego de rimas que acabamos de oír: nunca «falta tiempo,» siempre se está «a tiempo,» que no se pase «en balde el tiempo.» Marquino recapitula: sacrificios, desafío, agüeros; Teógenes y Caravino se ofrecen a salir al combate, y la escena se cierra con el tema del hambre. Son 18 octavas, la escena segunda de la primera jornada tenía también 18 octavas y lo mismo la escena tercera; el parlamento de España estaba formado por 11 octavas y por igual número el del Duero. Cervantes siente una exigente necesidad de composición.

Cuando aparecen los dos amigos Marandro y Leonicio, se cambia de metro y de estrofa; esta escena está escrita en redondillas. Junto al tema clásico de la amistad tenemos el del amor. Marandro es el enamorado y su amigo le recrimina su pasión:

> ¿No es ir contra la razón,
> siendo tú tan buen soldado,
> andar tan enamorado
> en tan extraña ocasión?

Marandro le responde:

> En ira mi pecho se arde
> por ver que hablas sin cordura.
> ¿Hizo el amor, por ventura,
> a ningún pecho cobarde?

Es el amor honesto. La acción heroica colectiva se mueve en grandes planos, por su enorme masa épica trepa y se eleva una voz, un acento lírico, el de Marandro. De un lado, la acción se generaliza hasta ir a dar a las personificaciones: España, la Guerra, la Fama; de otro lado, adquiere una voz humana, un gesto atormentado, que el impulso del amor o la responsabilidad del mando o la revelación del destino—individual y colectivo—como heroísmo subliman, elevando el horror hasta la belleza: Marandro, Teógenes, Bariato.

La tragedia comenzaba con la visión de todo el ejército

romano entregado a la molicie, dominado por la Venus cipria y el rojo Baco. Al amor lascivo, que hace muelle al hombre y lo ablanda, se opone el amor honesto, que incita al hombre a traspasar los límites del deber en busca de esfuerzos máximos. En su transporte lírico, Marandro hace coincidir exactamente la vida colectiva con la vida individual: «También sabes que llegó / en tan dulce coyuntura / esta fuerte guerra dura, / por quien mi gloria cesó.» (Las otras dos figuras también hacen de su voz y de su destino cifra y compendio—recapitulación—de la colectividad.) Y en seguida entona el tema del hambre: «De la hambre fatigados.» El pueblo llega para el sacrificio. A partir de este momento el amor honesto y heroico (siempre en redondillas) se entrelaza con la acción religiosa del pueblo (tercetos) y la escena necromántica de adivinación (octavas). Los sacerdotes hacen sonar el tema de triste:

> Hagamos nuestro oficio con la priesa
> que nos incitan los agüeros tristes.

Se dispone el vino, el incienso, el agua; el fuego tarda en encenderse y cuando por fin prende la tea, la llama y el humo parten en direcciones opuestas. El ritual se desarrolla lento, mientras rocían el fuego con el vino, los rayos cruzan el cielo y suenan los truenos, acompañamiento de una pelea que sostienen las águilas con otras aves. Las águilas vencen, se van acumulando los presagios adversos, los rayos y los truenos aumentan, hasta que un demonio arrebata la víctima. Los sacerdotes no han podido aplacar al Cielo inclemente y ya sólo queda acudir a Marquino para saber toda la extensión del mal. En esta escena se anticipa el desenlace de la obra:

> Aunque lleven romanos la victoria
> de nuestra muerte, en humo ha de tornarse,
> y en llamas vivas nuestra muerte y gloria.

Si el oído ya había sido dominado por la alternancia de muerte y vida, ahora vemos transformarse la victoria en humo y la muerte en llamas vivas, llamas y humo que en la acción ritual se dirigían hacia oriente y poniente. La victoria se convertirá en nada, la muerte en vida.

El hambre atormentará a los hombres, el triste espectáculo se apoderará de sus corazones, lucha agónica entre la muerte y la vida. El oído está ya sometido y atento a ese tejerse melódico de los tres temas.

La desventura del sacrificio la recoge Marandro, oponiéndose a su decaimiento moral Leonicio: «Marandro, al que es buen soldado / agüeros no le dan pena, / que pone la suerte buena / en el ánimo esforzado, / y esas vanas apariencias / nunca le turban el tino: / su brazo es su estrella o sino; / su valor, sus influencias.» Disponiéndose a oír el dictamen de Marquino a quien ven llegar.

El escenario se queda vacío para que haga su solemne entrada el hechicero, acompañado únicamente de Milbio, el cual le indicará dónde está la sepultura que buscan. Todavía en tercetos se modula el tema de *triste:* «¿Dó dices, Milbio, que está el joven triste?,» que pasa a las octavas: «Agua de la fatal negra laguna, / cogida en triste noche, escura y negra» y recoge el Muerto: «...Baste, triste, baste,» el cual hace sonar el tema muerte-vida—«pues otra vez la muerte rigurosa / triunfará de mi vida y de mi alma»—como antes el acompañante había hecho con el del hambre.

Los tercetos del breve diálogo entre Marquino y Milbio están uniendo esta escena a la anterior, separadas por las redondillas de Marandro y Leonicio, y en seguida se sirven de la octava. El sacrificio ha tenido al mismo tiempo un movimiento pausado y una pintoresca movilidad, el elemento pintoresco agita el ánimo y lo deslumbra, viéndose sacudido constantemente por un nuevo tormento. Ya agotados, penetramos en la acción mágica. Ahora todo es reconcentración, que la oscuridad hace todavía más densa, pero en medio del mayor abotargamiento. El hechicero deja oír su voz de mando, el largo período de la octava se conmueve con el movimiento interrogativo; el mago ejerce su poder cada vez con mayor imperio, sujetando las fuerzas elementales a su obediencia. El Muerto sale para dejarse caer en el escenario, y Marquino redobla su violencia, azotando el cuerpo amortajado:

> Alma rebelde, vuelve al aposento
> que pocas horas ha desocupaste.
> Ya vuelves, ya lo muestras, ya te siento,
> que al fin a tu pesar en él te entraste.

El cuerpo se estremece y ante los espectadores la muerte se hace vida. Cervantes ha competido con los grandes poetas de Roma. El Muerto al hablar, con todo el dolor de la vida, no sólo declara el fin de Numancia, sino que continúa exponiendo el sentido de la obra:

> el amigo cuchillo, el homicida
> de Numancia será, y *será su vida*.

Marquino se suicida, y Marandro hace suyo el sitio de la ciudad:

> De toda nuestra ventura
> cerrado está ya el camino.

Leonicio tiene que animar al enamorado soldado.

La jornada primera prologal ha tenido lugar en el campamento romano, en ella habíamos visto al amor (y) lascivo adueñado del ejército y después cómo Escipión se dispone a la guerra (z), terminando con el movimiento doble de las personificaciones. La jornada segunda tiene lugar en Numancia, primero vemos a los numantinos disponiéndose a la guerra (z), y después al amor (y) honesto convirtiendo al hombre en un héroe—el desaliento de Marandro es el desaliento del héroe—, la jornada segunda termina con el doble cuadro del sacrificio y la necromancia.

En la Asamblea deliberante, los numantinos habían decidido proponer un desafío (a) y en caso de que los romanos no lo aceptaran salir en tropel (a'); además querían conocer el futuro (b) y hacer sacrificios a los dioses (c). El orden de estos cuatro momentos, como ocurre de manera tan característica en el Barroco, se altera, los dos últimos (b y c) han sido los primeros en tener lugar, precisamente en sentido inverso c y b. Con lo cual la enumeración emocional pasa a tener una secuencia lógica: primero los sacrificios a los dioses, después los agüeros, e inmediatamente la jornada tercera comienza con la proposición del desafío, que Escipión se apresura a rechazar. La escena está escrita en octavas y ha tenido lugar entre numantinos y romanos; éstos no vuelven a aparecer en toda la jornada, que en cambio se llena de mujeres. Violento contraste que lleva consigo un violento cambio de tonalidad.

Rechazado el desafío, Teógenes (segunda escena) en tercetos propone la salida en tropel, advirtiéndole Caravino que las mujeres se opondrán, y efectivamente éstas llegan con niños en los brazos y de la mano. La acotación da la entrada a cuatro mujeres y a Lira, doncella, pero sólo hablan tres mujeres y Lira. La Mujer primera en tercetos, las Mujeres segunda y tercera y Lira en redondillas. Las redondillas son el núcleo de esta escena, que va a terminar como empezó, en endecasílabos, pero esta vez en forma de octava. Así la Mujer primera une con sus tercetos la intervención de las mujeres a la de los hombres y además expone los dos temas—hambre, muerte-vida—que van a adquirir una gran brillantez en las redondillas; uno de los hombres, Marandro, había enunciado el otro tema: «los tiernos hijos vuestros en los brazos / las tristes traen.» La Mujer primera ha hablado en ocho tercetos y el cuarteto correspondiente. En un juego escénico de seguro efecto, siempre dentro del ritmo estático de la obra, cada una de las otras mujeres y Lira dicen ocho redondillas. Recuérdese la actuación de los tres numantinos en la jornada anterior.

MUJER SEGUNDA.   ¿Revolvéis aun todavía
　　　　　　　　en la *triste* fantasía
　　　　　　　　de dejarnos y ausentaros?
　　　　　　　　..
　　　　　　　　Si al foso queréis salir,
　　　　　　　　llevadnos en tal salida,
　　　　　　　　porque tendremos por *vida*
　　　　　　　　a vuestros lados *morir*.
　　　　　　　　..
　　　　　　　　No apresuréis el camino
　　　　　　　　al morir, porque su estambre
　　　　　　　　cuidado tiene la *hambre*
　　　　　　　　de cercenarla contino.
MUJER TERCERA. Hijos de estas *tristes* madres.
　　　　　　　　..
　　　　　　　　Basta que la *hambre* insana
　　　　　　　　..
　　　　　　　　y que vuestras madres *tristes*
　　　　　　　　también libres os criaron.
　　　　　　　　..
　　　　　　　　que, como os dieron la *vida*,
　　　　　　　　ansimismo os den la *muerte*.

De la Mujer tercera es todavía esta redondilla, cuya vibración debió encontrar una gran resonancia en el Romanticismo:

　　　　¡Oh muros de esta ciudad!
　　　　Si podéis hablar, decid
　　　　y mil veces repetid:
　　　　¡Numantinos, libertad!

Lira, por último, también ruega a los hombres que no las abandonen y que no busquen la muerte sólo para ellos. Estas razones las dice mientras deja oír el tema de *triste* y el de muerte-vida, pero no el del hambre. Teógenes cierra la escena destacando la melodía principal: «jamás en muerte o vida os dejaremos; / antes en muerte o vida os serviremos» «pues fuera quedar vivos aunque muertos.» Renuncia a la salida, exigiendo sacrificios máximos, y cuando exclama: «mil siglos durará nuestra memoria,» recordamos que el Duero había profetizado «que no podrán

286

las sombras del olvido / oscurecer el sol de sus hazañas.»
Teógenes manda a los numantinos que se apresten a quemar todos sus bienes, advirtiéndoles que esta orden no es nada comparada con la que dará en cuanto todo esté abrasado.

Se retiran, y, al irse, Marandro detiene a Lira. Leonicio entra sin que le vean. Marandro entona el tema muerte-vida, al cual se une inmediatamente el de *triste*, y Lira que en su actuación anterior fué la única que no habló del hambre, ahora lo ataca con una abrumadora insistencia:

> Que me tiene tal la hambre,
> que de mi vital estambre
> llevará presto la palma.
> ....
> Mi hermano ayer expiró,
> de la hambre fatigado;
> mi madre ya ha acabado,
> que la hambre la acabó;
> y si la hambre y su fuerza
> no ha rendido mi salud,
> es porque la juventud
> contra su rigor me esfuerza.

Uniéndose a Lira inmediatamente Marandro:

> y aunque la hambre ofendida
> te tenga tan sin compás,
> de hambre no morirás
> mientras yo tuviere *vida*.
> Yo me ofrezco de saltar
> el foso y el muro fuerte,
> y entrar por la misma *muerte*
> para la tuya excusar.

Lira quiere impedirlo, como las mujeres impidieron que los hombres salieran en tropel, pero, ante la decisión irrevocable, abraza a su amado. Marandro, pues, llevará a cabo solo la salida en tropel, él es la figura en la cual se resume y compendia el espíritu guerrero de la Ciudad; él es el que romperá el cerco del hambre. Marte y el amor honesto se unen también en Marandro, el cual se dejó arrastrar por el desaliento cuando oyó a los sacerdotes y a Marquino los tristes agüeros sobre el final de la lucha de Numancia, teniendo que ser animado por su amigo; ahora es Leonicio quien exclama:

> Terrible ofrecimiento es el que has hecho,
> y en él, Marandro, se nos muestra claro
> que no hay cobarde enamorado pecho.

Leonicio quiere acompañarle, a pesar de las súplicas de Marandro para que no lo haga, dando ocasión a esta estrofa sobre la amistad:

> ¡Oh amistad de mi alma venturosa!
> ¡Oh amistad no en trabajos dividida,
> ni en la ocasión más próspera y dichosa!

Esta escena del amor y la guerra termina en tercetos y con el tema de *triste* como había empezado. La jornada llega al final en octavas y redondillas. Los dos temas—triste, muerte-vida—continúan entrelazándose, mientras que el fuego con una gran lentitud consume todas las riquezas: perlas, oro, diamantes, rubíes, púrpura, brocado, y al anunciarse que ya se ha dado la orden de que nadie quede con vida, una mujer—reducción de las cuatro anteriores—aparece con un niño de la mano y otro en los brazos, grupo de una patética belleza que sobre el fondo de llamas hace resaltar el tema del hambre, modulado en todos los acentos, y que da al amor en la guerra su tono más desgarrador. En la jornada segunda el sacrificio y los agüeros hacían que la acción se viera rodeada de una fuerza mágica trascendente, en la jornada tercera—que también termina bipartida: fuego, hambre—el elemento femenino en su lamento, en su queja, en su reproche y su súplica, con su amor de esposa, de madre, de amante, en grupo y en la figura singular, hace que el heroísmo varonil toque las más hondas profundidades del dolor y la tortura espiritual. El gesto escueto del hombre, su decisión acerada, tiene esas mil lenguas del dolor femenino y el sufrir infantil. Mujeres y niños hacen serpentear a raudales por la superficie bruñida del valor el retorcido tormento de sentirse en las garras de la muerte. El impulso sexual, la alegría erótica de la satisfacción feroz del deseo que hay siempre en la lucha, ha desaparecido de la Historia. La Madre exclama:

> ¿Qué mamas, triste criatura?
> ¿No sientes que, a mi despecho,
> sacas ya del flaco pecho,
> por leche, la sangre pura?
> Lleva la carne a pedazos
> y procura de hartarte,
> que no pueden ya llevarte
> mis flacos cansados brazos.

Es algo más que el horror de la tragedia senequista. El combate antiguo, el encuentro del feudalismo, Lepanto, el tremolar de las banderas y chocar de los escudos y las espadas ya no se vivirá sino de una manera intelectual. Sólo Napoleón podrá hasta cierto punto resucitarlo. Numancia está vista como un espectáculo lamentable y triste en que la carne se desgarra a pedazos y de los pechos maternos salen tallos de sangre.

La jornada cuarta comienza en el campamento romano. Alboroto y alarma. La primera octava la dice Escipión, con más temor de que su ejército se amotine (ese ejército que había estado dominado por el amor lascivo) que de que los numantinos se hayan atrevido a romper el cerco; pero le tranquiliza uno de sus capitanes, quien le cuenta la proeza del amor honesto:

> Dos numantinos, con soberbia frente,
> cuyo valor será razón se alabe,
> saltando el ancho foso y la muralla,
> han movido a tu campo cruel batalla.

Marandro y su amigo, causando cien muertes, han logrado coger un poco de pan:

> El uno de ellos se escapó huyendo;
> al otro mil espadas le acabaron;
> por donde infiero que la hambre ha sido
> quien les dió atrevimiento tan subido.

Esta escena cuenta la acción según exigencia de la técnica teatral; al mismo tiempo sirve para introducir a Marandro en Numancia. Leonicio es el que ha quedado en el campo de batalla («Amigo que te has quedado, / amigo que te quedaste: / no eres tú el que me dejaste, / sino yo el que te he dejado»), Marandro sale a escena para morir; viene lleno de sangre y con un cesto de pan. Después de las primeras ocho redondillas—lamento dulcísimo por la muerte de su amigo—, que hacen juego con las ocho últimas en labios de Lira, los dos amantes se encuentran—muerte-vida, hambre, triste—, y Marandro señala su función:

> Ves aquí el pan que guardaban
> ochenta mil enemigos,
> que cuesta de dos amigos
> las vidas que más amaban.

Lamento de Lira—*triste*, muerte-vida—, que también subraya el papel de Marandro («hiciste una salida»), teniendo a su amante muerto en su regazo. Esta forma del Dolor —mucho más próxima al corazón atravesado de siete puñales que a la Pietà—se completa con la llegada del hermano—hambre—que también viene para morir. Lira se queda en su calvario femenino, en su soledad, desamparada:

> Fortuna, ¿por qué me aquejas
> con un daño y otro junto,
> y por qué en un solo punto
> huérfana y viuda me dejas?

Este Dolor no tiene ensimismamiento hipnótico, de las entrañas desgarradas brota una suave melodía («Dulce esposo, hermano tierno» «Dulce esposo, hermano amado») que va a concluir en la muerte. Ya la Muerte se ha adueñado de la acción, pero apenas ha plasmado ese grupo de Lira teniendo en su regazo a su amante y cerca de ella a su hermano, cuando la escena pasa a las octavas y sale una mujer huyendo: no quiere morir. El soldado que la persigue, en cumplimiento del decreto del Senado numantino que ha ordenado quitar la vida a todas las mujeres, es detenido por Lira para que la mate a ella. El soldado no se atreve a causar la muerte de la hermosura de Lira (respeto a la belleza, que es, por cierto, un tema muy cervantino; reaparece en el *Coloquio de los perros*), y entonces ésta le ruega que le ayude a sepultar los dos cadáveres. La escena, que deja oír una vez más el tema de *triste* y el de muerte-vida, termina con la misma rima con que empezó la obra Escipión: *carga*. El Capitán romano se sentía abrumado por el deber, Numancia está abrumada por el dolor.

La mujer que cruza la escena huyendo sirve de contraste con su debilidad a la fortaleza de toda la Ciudad. La huída hace al dolor aún más agonizante. Los dos versos con que la mujer irrumpe en escena dan la calidad humana del heroísmo, muestran el desfallecimiento necesario. Esta mujer tiene todavía otra función: prepara la escena más larga del muchacho que teme a la muerte.

Se llevan los cuerpos, y salen tres mujeres que significan la Guerra, la Enfermedad y el Hambre. Las personificaciones vuelven a dar a la tragedia un aire estatuario. La Guerra se dirige a sus ejecutores más asiduos para que no cesen en la destrucción, y recuerda la profecía del Duero, pues si ahora se ceba en los españoles, tiempo vendrá, dice, en que se ponga a su servicio, augurando la ocasión en que sea llevada por todo el orbe, cuando reinen Fernando, Carlos y Felipe. En medio de tanta desolación—«...soy la poderosa Guerra / de tantas madres detestada en vano» Comp. *Bellaque matribus detestata*, Horacio, *Odas*, I,1, 24-25—, el siglo XVI aún podía sentir la fascinación de la Guerra como instrumento de justicia.

La Enfermedad declara que no tiene nada que hacer, pues el Hambre se encarga de acabar con los numantinos,

y los que todavía viven, dominados por el furor y la rabia
—secuaces también de la Guerra—, se matan entre ellos.
El Hambre habla, sus descoloridos labios de muerte pintan con metáfora tradicional el terrible cuadro: por todas
partes llamas y un horrible estruendo.

> Cual suelen las ovejas descuidadas,
> siendo del fiero lobo acometidas,
> andar aquí y allí descarriadas,
> con temor de perder las simples vidas,
> tal niños y mujeres desdichadas,
> viendo ya las espadas homicidas,
> andan de calle en calle, ¡oh hado insano!,
> su cierta muerte dilatando en vano.

En esta estrofa quedan plasmadas las últimas horas tempestuosas de la Ciudad. La Guerra, esa catástrofe inventada
por el hombre, desata toda su crueldad, su brutal ceguera;
la naturaleza humana compite con la naturaleza física en
sustituir la creación con sentido por la destrucción insensata. La esposa muere a manos del esposo, el hijo mata a
la madre, el padre al hijo:

> No hay plaza, no hay rincón, no hay calle o casa
> que de sangre y de muertos no esté llena;
> el hierro mata, el duro fuego abrasa
> y el rigor ferocísimo condena.

Cervantes maneja un endecasílabo descriptivo bien acentuado; su pluma épica se desliza fácilmente, aunque no con
facilidad demasiado fácil, impulsado por ese movimiento
heroico. El espectáculo colectivo pasa de los labios de la
personificación a la figura de Teógenes, el cual va a matar
a su mujer y a sus hijos antes de buscar su misma muerte.

Si Marandro representaba el valor de los ciudadanos
de Numancia, Teógenes es la concretización visible y abarcable de la ciudad; él ha sido el que ha dirigido la lucha
contra Roma. Teógenes había presidido la Asamblea deliberante, y es él el que ha dado la orden de que todo se
queme y todos mueran:

> Yo soy, consorte amada, el que primero
> di el parecer que todos perezcamos
> antes que al insufrible desafuero
> del romano poder sujetos seamos.

Y así como en Marandro—denegado el combate individual, irrealizable la salida—hemos visto la encarnación del arrojo de los numantinos, en Teógenes vemos el sacrificio de la gran familia reducido a los términos abarcables dramáticamente de la propia familia. La esposa se presta de buen grado a morir, sólo pide ser sacrificada en el templo de Diana. El tema del hambre, que después de descargar toda su fuerza trágica se ha convertido en figura, aún deja oír una balbuceante variación. Dice el hijo: «Mejor será, mi madre, que comamos, / que la hambre me tiene fatigado.» Y contesta la esposa de Teógenes:

> Ven en mis brazos, hijo de mi *vida*,
> do te daré la *muerte* por comida.

El tema del hambre se hace uno con el tema de muerte-vida. La escena se interrumpe con la entrada de dos muchachos, uno que por fin se resigna a morir, y otro que se va a esconder a una torre de su padre. Ese temor a la muerte, que realza la inmensidad del heroísmo de Teógenes, ha sido introducido con breve eficacia dramática un momento antes (apoyatura de la tragedia de Lira). La escena prepara el final de la obra, además tiene otra función: la de marcar tiempo para que Teógenes pueda llevar a cabo el terrible sacrificio. En cuanto el muchacho que ha decidido irse a la torre se va, sale Teógenes. Su figura tiene el aire monumental que le da la «airada furia» y el «dolor insano;» pidiendo la muerte como la pedía Lira, abandona la escena.

La jornada cuarta ha tenido hasta ahora dos núcleos principales: la muerte de Marandro en el regazo de Lira, y el sacrificio de la familia de Teógenes, ambos momentos separados por la Guerra y sus secuaces. Reforzando la escena de Teógenes han aparecido los dos muchachos, cuya intervención había sido preparada por los dos versos de la mujer que tiene la misma función en la escena de Lira. La jornada que comenzaba con la alarma y griterío en el campamento romano, ha sido toda ella una ráfaga de dolor, cuyo movimiento dramático y desalentador las personificaciones fijan estatuariamente, pero la mujer perseguida y los muchachos huyendo lo acentúan.

Al retirarse Teógenes, volvemos al campamento romano. Por única vez se utiliza el endecasílabo suelto. La ausencia de rima está expresando el silencio mortal que cubre la acción, su ensordecimiento. El ruido y el ir y venir, la agitación de las llamas y de los hombres, los suspiros y quejas, el crepitar del fuego, todo cesa y es sustituido por una espesa capa de quietud, que el verso suelto adensa. El silencio llena la escena; dice Escipión con un sonido sordo:

> Si no me engaña el pensamiento mío,
> o salen mentirosas las señales
> que habéis visto en Numancia del estruendo
> y lamentable son y ardiente llama,
> sin duda alguna que recelo y temo
> que el bárbaro furor del enemigo
> contra su propio pecho no se vuelva.
> Todo está en calma y en silencio puesto,
> como si en paz tranquila y sosegada
> estuviesen los fieros numantinos.

Es la paz, la calma y el silencio de la muerte. Escalan la muralla, y poco a poco va apareciendo toda la tragedia, hasta que el tema de *triste* encuentra su verso, cifra y compendio del mundo latino:

> ¡Oh cuán triste espectáculo y horrendo
> se me ofrece a la vista!

que reaparece cuando se vuelve a la rima:

> El lamentable fin, la triste historia
> de la ciudad invicta de Numancia
> merece ser eterna la memoria.

El que dice estos tercetos, Mario, hace buena la profecía («Aunque lleven romanos la vitoria / de nuestra muerte, en humo ha de tornarse.» Jor. II):

> pues en humo y en viento son tornadas
> las ciertas esperanzas de vitoria.

Mario cuenta que ha presenciado la muerte de Teógenes y oído sus últimas palabras:

> .... Clara fama,
> ocupa aquí tus lenguas y tus ojos
> en esta hazaña, que a cantar te llama.

Versos que recuerdan lo profetizado por el Duero y por el mismo Teógenes y que van llenando la escena de la sonoridad necesaria para la apoteosis final.

En vano buscan un numantino con vida; al no encontrarlo prorrumpe Escipión en una bella, breve y retórica queja, en la cual sorprendemos la naturalidad y elegancia con que se podía ser dominador en el Barroco, que va de la mirada de Felipe II a la pompa de Luis XIV, heredero de Roma a través de España:

> .... mi pecho,
> para vencer y perdonar nacido (1).

Pero vive un numantino, es el muchacho que ha huído a encerrarse en una torre, Bariato. Con él, tenemos el tercer núcleo de la jornada y el movimiento final. El sonido sor-

---

(1) Para formación de esta figura moral, corriente en el Barroco europeo, compárese: «Illa, altera una inclusarum mulierum vociferante: Viva caperis, o misera Cleopatra, conversa, ut vidit Proculeium, sica, qua tum forte accincta erat, ferire se ipsam intendit; sed Proculeius celeriter accurrens eam utraque manu corripuit, et, Te ipsam Caesaremque injuria afficis, insignem ei humanitatis suae demonstrandae occasionem praeripiens et perfidiae animique implacabilis insimulans clementissimum imperatorem.» *Plutarchi Vitae*, Parisiis, Didot, 1862, volumen 2, p. 1135 (Antonius, LXXIX).

do del verso suelto ha estado dando forma al silencio, y poco a poco el terceto va animando el verso hasta transformarlo en la octava que ha de expresar el heroísmo de Bariato. El muchacho—figura de púber que nada tiene que ver con el romance y en la que se sublima la acción horrenda haciéndose belleza—es la última cristalización de la tragedia, su recapitulación:

> *Todo* el furor de cuantos ya son muertos
> en este pueblo, en polvo reducido;
> *todo* el huir los pactos y conciertos,
> ni el dar a sujeción jamás oído,
> sus iras, sus rencores descubiertos,
> *está en mi pecho solamente unido.*
> *Yo* heredé de Numancia *todo* el brío;
> ved, si pensáis vencerme es desvarío.

Bariato explica su huída y su *arrepentimiento cristiano*, su conversión: «Que si a esconderme aquí me trujo el miedo / de la cercana y espantosa muerte / ...y el error de mi edad tierna inocente / pagaré con morir osadamente.» Y termina:

> Pero muéstrese ya el intento mío,
> y si ha sido el amor perfecto y puro
> que yo tuve a mi patria tan querida,
> asegúrelo luego esta caída.

La acotación dice: «Arrójase el muchacho de la torre, y suena una trompeta, y sale la Fama, y dice Escipión.» «Suena una trompeta, y sale la Fama,» esto es, suena la trompeta de la Fama. De la misma manera, el muchacho se arroja de la torre, pero esta caída es una imagen: la caída de Numancia, que en seguida se completa en boca de Escipión:

> Tú con esta caída levantaste
> tu fama y mis vitorias derribaste.

Es la caída y levantamiento que España y el Duero habían

expuesto en la primera jornada. Es el sentido de la obra
que se había confiado al tema muerte-vida. Dice Escipión:

> Con tu *viva virtud*, heroica, extraña,
> queda *muerto* y perdido mi *derecho*.

Con lo cual la tragedia pagana (el sentido antiguo de la
Fama) queda imbuída de sentido cristiano (todavía Escipión):

> por haber, derribándote, vencido
> al que, subiendo, queda más caído.

El epíteto épico-trágico latino se ha convertido en una
acción triste, que ha encontrado un armónico horrendamente
patético en el tema del hambre, para convertirse
en esa alegría final cristiana de la muerte que es vida,
vida inmortal.

Este es el sentido de la obra, sentido íntimo y profundo
que se expresa por medio de la lucha de Numancia
contra Roma. Este conflicto históricamente ha suplantado
y deformado el sentido de la obra, haciendo que el sacrificio
numantino sirviera para sostener el patriotismo a lo
siglo XIX. Pero Cervantes no podía prever que las ciudades
españolas serían cercadas por el enemigo, y que su
ejemplo de virtud se particularizaría en ejemplo de virtud
patriótica. A finales del primer Barroco, en la época en
que Cervantes escribe la *Numancia*, los españoles eran los
que sitiaban, no los sitiados, y por dos veces, como él mismo
se complace en recordarlo, habían tenido a Roma bajo
su poder. Es claro que la España del siglo XIX y de todos
los siglos puede encontrar en esta obra una alta lección
inspiradora, pero el valor de los numantinos vencidos es
una prefiguración en el sentido cristiano del valor de la
España vencedora de Cervantes. Dice la Fama:

> Indicio ha dado esta no vista *hazaña*
> del valor que en los siglos venideros
> tendrán los hijos de la fuerte *España*
> hijos de tales padres herederos.

Escipión había ya encontrado esta rima al arengar a sus soldados, cuando había también unido Numancia-arrogancia; frente al cuerpo de Bariato se apresura a usarla de nuevo, y la Fama la recoge para llenar el mundo con la gloria de Felipe II. No es un canto para alentar a sitiados, sino para confirmar en su valor a sitiadores, y en mi opinión nunca se insistirá bastante que este es un sentido secundario.

Describiendo la tragedia con exactitud hemos encontrado su sentido y también su forma. Después de la exposición de la primera jornada, viene la acción: sacrificios, agüeros, desafío y salida en tropel. La imposibilidad de llevar a cabo el desafío y la salida da lugar a la acción de Marandro y a las dos órdenes de Teógenes: incendio y muerte. Esta armazón lógica sirve de cauce al desarrollo de los acontecimientos y se reviste de un sentimiento lírico que se expresa por medio de tres temas melódicos: hambre, triste y muerte-vida, en correspondencia con las tres cristalizaciones de la acción: Marandro, Teógenes, Bariato, las cuales hay que verlas en relación con las personificaciones: España, la Guerra, la Fama. El tema del hambre se apoya en el doble movimiento del amor lascivo y el amor honesto, el tema de triste (epíteto latino) se expresa en la doble acción, incendio y muerte; por último, el tema muerte-vida acentúa la unicidad del sentido paganocristiano de la tragedia en sus dos elementos: caída y levantamiento.

La versificación tiene una función primordial por lo que se refiere a la forma, tanto desde el punto de vista del ritmo como de la rima. El verso endecasílabo (octava, terceto, verso suelto) se armoniza con el octosílabo. El primero se reserva para los diálogos expositivos, para la arenga, para las situaciones trágicas y para las personificaciones; al segundo se le confía el amor y el dolor. El verso no llega siempre a la altura poética y la rima frecuentemente le acompaña en ese bajo nivel, esto no impide que en muchas ocasiones tanto uno como otra estén empleados con gran sentido poético, retórico-dramático y estructural. Ejemplos de rima retórico-dramática los encontraríamos en *arrogancia-Numancia* y *hazaña-España;* para la estructura, el contraste de la rima *carga* en boca de Escipión y del numantino, o el uso de *muerte* y *vida*.

El verso épico o lírico alcanza momentos, algunos ya señalados, de gran sugestión poética, y el movimiento estrófico es de una gran eficacia dramática y tiene una evidente función estructural. La versificación, aunque no con la complejidad, agilidad y virtuosismo de la plenitud y finales del Barroco, está usada con gran seguridad y potencia dramáticas y puesta al servicio de la arquitectura de la obra: el paso del terceto a la octava, el contraste entre el endecasílabo y el verso corto, por último, el gran acierto del verso suelto, que todavía es mayor si se le compara con las redondillas de la primera jornada.

INDICE

Págs.

NOTA PRELIMINAR:

José Casalduero Martí XIII

INTRODUCCIÓN 3

La forma del teatro renacentista, *pág.* 5.—El tema del teatro del Renacimiento, 4.—Los dramaturgos cumbres del Renacimiento. La versificación, 6.—El escenario del Renacimiento, 7.—El primer Barroco, 7.—El tema y la acción del primer Barroco, 9.—Lo cómico y la sátira eclesiástica, 12.—El escenario del primer Barroco. La versificación, 15.—El teatro de Cervantes, 16.—La versificación de Cervantes. Las ocho comedias, 18.—Los entremeses, 21.—Situación del teatro de Cervantes en el conjunto de su obra, 22.

COMEDIAS

COMEDIA FAMOSA DEL GALLARDO ESPAÑOL... 29

El mal deseo mahometano. El deseo de fama del español, *pág.* 29.—La cobardía mahometana. El heroísmo español, 31.—Traición y lealtad, 34.—Estructura bivalente de la primera jornada, 37.—Dos mujeres enamoradas, 39.—Acción e inquietud espiritual. Realización del destino, 40.—La conducta, 44.—El ritmo dramático y el narrativo, 45.—La gallardía incitando la curiosidad y el amor, 46.—Fondo épico de la acción, 49.—Segunda peripecia. Fondo cómico de la acción, 50.—El movimiento épico con su acompañamiento cómico conducen al triunfo del gallardo español, 51.

Págs.

Comedia famosa de la Casa de los Celos y Selvas de Ardenia ... 56

La amistad de los caballeros y la fuerza de la hermosura, *pág.* 56.—La figura de Bernardo: España en el mundo caballeresco, 58.—Los celos, 59.—Los pastores y el amor, 61.—Torturas del amor: desesperación, 63.—Ensimismamiento del amor: locura, 65.—La acción en la segunda jornada, 66.—Pastores y caballeros se anudan por medio de dos sonetos. La hermosura y la esperanza, 66.—El papel épico de Castilla. La locura de ausencia, 70.—El desenlace: la hermosura como premio, 73.—Sentido y forma de la comedia, 74.

Comedia famosa de los Baños de Argel ... 78

Los corsarios en España, *pág.* 80.—Los cautivos en Argel, 81.—Dos renegados: el que vende su propia sangre y el que busca el martirio, 83.—El cruce de parejas, 86.—El día del Señor de la ley antigua y el de la ley nueva. La alegría y el dolor, 89.—El amor cristiano, 92.—La alegría de la vocación y la fe, 93.—La realidad y maravilla de la Resurrección, 96.—La desposada en el tocador, 99.—El heroísmo del Barroco, 100.—Martirio y fiesta, 101.—La libertad como final con los huesos del mártir, 103.

Comedia famosa intitulada El Rufián Dichoso ... 107

El bramo de la ambición insaciable, *pág.* 109.—La naturaleza, la ciudad y el heroísmo, 110.—El pecado de la carne, 111.—La noche y el inquisidor, 113.—Ser rufián o ser santo: la vida en el Barroco es una elección entre dos extremos, 114.—La soledad, 115.—El inquisidor, la prostituta y el criminal, 116.—La Comedia, Inquisidor y penitente: relación jerárquizada, 119.—La muerte y la tentación, 121.—El sacramento de la confesión y su misterio, 123.—Apoteosis, Job y demonios, 127.—La Iglesia, 129.—Lucifer, el eterno angustiado, 131.—La nube oscura se convierte en norte, 132.

Comedia famosa intitulada La Gran Sultana Doña Catalina de Oviedo ... 134

El tono del interés, *pág.* 134.—La pompa de la belleza, la comicidad de lo pintoresco, 135.—La gracia en el mundo, 137.—Fantasía poética y gran aparato para situar las verdades eternas y el sentido histórico, 139.—Dios no exige la muerte, sino que el hombre viva y se salve, 142.—El espíritu religioso de salón, 145.—El hombre en el mundo. Farsa final, 147.

Comedia famosa del Laberinto de Amor ... 151

La irracionalidad del amor en el Renacimiento y en el Barroco, *pág.* 151.—El ritmo renacentista y el barroco, 154.—El movimiento laberíntico, 154.—El sentimiento en el Renacimiento y en el Barroco, 157. La comedia y los personajes. El mundo de Cervantes 158.

Págs.

Comedia famosa de La Entretenida 164

Medio novelesco y medio urbano, *pág.* 164.—Disposición de la materia dramática, 165.—Desarrollo del argumento. Los sonetos. Recursos cómicos, 167.—El matrimonio en la ciudad, 172.

Comedia famosa de Pedro de Urdemalas 175

La figura folklórica y la del actor, *pág.* 175.—El actor es el hombre, un hombre es un actor, 178.—El hombre y las obras, 179.—El tema artístico y el religioso, 181.—De lo que se enamora un rey, 182.—El jardín del amor. La mujer ante el hombre, 185.—Defectuosa transmisión del texto, 186.—Anagnórisis: Belica princesa, Pedro actor, 188.—Final: la ley. La superación de la naturaleza, 190.

ENTREMESES

El Juez de los Divorcios 195
El Rufián Viudo, llamado Trampagos 199
La Elección de los Alcaldes de Daganzo 203
La Guarda Cuidadosa 207
El Vizcaíno Fingido 211
El Retablo de las Maravillas 215
La Cueva de Salamanca 219
El Viejo Celoso 223

APENDICE

Los Tratos de Argel 229

Movimiento y dirección, *pág.* 229.—Transmisión del texto, 231.—Dos temas: perder el alma, perder la vida, 232.—Dos culturas: *(a)* su diferencia social, 242. *(b)* La división de la familia, 244.—*(c)* La diferencia espiritual, 246.—Al dolor se le da la consistencia de la retórica, 252.—Dos civilizaciones y sus demonios, 254.—El conflicto dramático de la vida—la caridad, 255.—La huída: el rescate, 256.—El rescate: el hombre fuerte se vence a sí mismo, 258.—El hombre débil cae: el rescate, 261.—El consuelo del hombre, 262.—Perderse y salvarse, 264.—Renegar, regenerarse: el Sacramento de la Penitencia, 265. Desenlace: *(a)* Recapitulación de la vida en Argel: crueldad e interés, 268.—*(b)* Recapitulación de la vida en Argel: misericordia y agradecimiento, 269.—Final, 270.

Numancia 274

WARNER MEMORIAL LIBRARY
EASTERN COLLEGE
ST. DAVIDS, PA. 19087